L'île aux mensonges

FRANCES HARDINGE

L'ÎLE AUX MENSONGES

Traduit de l'anglais
par Philippe Giraudon

GALLIMARD JEUNESSE

Titre original : *The Lie Tree*

Édition originale publiée en Grande-Bretagne
par Macmillan Children's Books
une marque de Pan Macmillan,
un département de Macmillan Publishers International Limited,
Londres, 2015

Pour mon père
Pour son intégrité et sa sagesse tranquille,
et pour m'avoir respectée comme une adulte
bien avant que j'en aie été une.

1
Les exilés

Le bateau avançait à un rythme implacable, qui donnait la nausée à Faith. Il lui rappelait quelqu'un en train de mâcher avec une molaire pourrie, et les îles elles-mêmes, à peine visibles dans la brume, avaient l'air de dents. Rien à voir avec les belles dents impeccables des falaises de Douvres. Celles-là étaient usées, cassées, et surgissaient de travers au milieu des remous de la mer grise et agitée. Le ferry progressait à travers les vagues en haletant obstinément, non sans maculer de fumée le ciel.

– Un balbuzard ! s'exclama Faith en claquant des dents.

Howard, son petit frère de six ans, se retourna aussitôt, pas assez vite pour voir le corps pâle et les ailes ourlées de noir du grand oiseau disparaître dans la brume. Faith tressaillit quand il changea brutalement de place sur ses genoux. Au moins, il avait cessé de réclamer sa nurse.

– Nous allons là-bas ? demanda-t-il en scrutant les silhouettes fantomatiques des îles devant eux.

– Oui, How.

La pluie martelait le mince toit de bois au-dessus de leurs têtes. Le vent froid soufflant sur le pont cinglait le visage de Faith.

Malgré le vacarme ambiant, elle était certaine d'entendre de faibles bruits en provenance de la caisse sur laquelle elle était assise. Des raclements assourdis, la rumeur feutrée d'un corps écailleux ondulant sur lui-même. Faith souffrait à la pensée du petit serpent chinois de son père enfermé dans cette caisse, affaibli par le froid, s'enroulant et se déroulant avec affolement dès que le bateau piquait du nez.

Derrière elle, des voix fortes rivalisaient avec les plaintes des mouettes et le fracas des énormes aubes du bateau. Maintenant que la pluie semblait partie pour durer, tout le monde se disputait le petit espace abrité à la poupe. Il y avait assez de place pour les passagers, mais pas pour toutes les malles. Myrtle, la mère de Faith, s'efforçait d'assurer aux bagages de sa famille un emplacement confortable, et elle y parvenait avec brio.

Regardant subrepticement par-dessus son épaule, Faith la vit agiter les bras comme un chef d'orchestre tandis que deux matelots rangeaient les malles et les caisses des Sunderly. Ce jour-là, Myrtle était pâle de fatigue et enveloppée jusqu'au menton dans des châles, mais comme toujours sa voix couvrait toutes les autres, pleine de chaleur, de suavité et d'assurance, la voix d'une jolie femme certaine de vaincre ses adversaires en faisant appel à leur galanterie.

– Merci, oui, par là... eh bien, je suis vraiment désolée, mais je n'y peux rien... sur le côté, si cela ne vous ennuie pas... enfin, votre valise m'a l'air très solide... je crains que les papiers et les dossiers de mon mari ne résistent pas aussi bien au mauvais temps... le révérend Erasmus Sunderly, le célèbre naturaliste... comme c'est gentil ! je suis heureuse que cela ne vous ennuie pas...

Plus loin, l'oncle Miles faisait un somme dans son fauteuil. Avec son visage poupin, il avait l'air aussi joyeux et détendu qu'un chiot endormi sur un tapis. Faith regarda la haute silhouette silencieuse qui se dressait derrière lui : son père, vêtu de son manteau noir de pasteur et coiffé d'un chapeau dont le bord large plongeait dans l'ombre son grand front et son nez aquilin.

Devant lui, Faith éprouvait toujours un respect mêlé de crainte. Même en cet instant, il dardait sur l'horizon gris son regard inflexible de basilic, en mettant à distance le déluge glacé, l'odeur infecte de sentine et de fumée de charbon, les discussions et les marchandages sordides. Dans les semaines ordinaires, elle le voyait plus souvent en chaire qu'à la maison, de sorte qu'elle trouvait bizarre qu'il fût assis là, sous ses yeux. Il lui inspirait comme une pitié douloureuse, tant il paraissait hors de son élément, pareil à un lion exhibé dans une foire sous une pluie torrentielle.

Myrtle avait ordonné à Faith de s'asseoir sur la plus grosse caisse de la famille, afin de décourager toute tentative de la déplacer. Habituellement, Faith réussissait à passer inaperçue, car personne ne faisait attention à une fille de quatorze ans arborant un visage fermé et une tresse d'un brun terne. Cette fois, elle tressaillait sous les regards furieux des autres passagers, en proie à tout l'embarras que sa mère ne ressentait jamais.

La silhouette menue de Myrtle était postée de façon à empêcher tout intrus de mettre à l'abri ses propres bagages. Un gros monsieur, doté d'un nez aussi imposant que sa personne, semblait sur le point de la bousculer avec sa malle, mais elle l'arrêta net en se retournant avec un sourire.

Myrtle le regarda de ses grands yeux bleus, qui s'agrandirent et se mirent à briller avec intensité, comme si elle venait tout juste de le distinguer. Malgré son nez rougi et sa pâleur épuisée, son sourire parvenait à être aussi confiant que délicieux.

– Merci de vous montrer aussi compréhensif, dit-elle d'une voix semblant presque brisée par la fatigue.

C'était l'une de ses tactiques pour manœuvrer les hommes, une petite coquetterie à laquelle elle recourait aussi aisément et machinalement qu'elle ouvrait son éventail. Chaque fois que cela marchait, Faith en avait mal au cœur. Et cela marcha cette fois encore. Le gros monsieur rougit, s'inclina brièvement et se retira, mais Faith sentait qu'il était plein de ressentiment. En fait, elle soupçonnait sa famille d'être maintenant mal vue d'à peu près tous les occupants du bateau.

Howard vouait à sa mère une adoration timide. Quand elle était plus jeune, Faith la voyait elle aussi sous ce jour flatteur. Les rares visites de Myrtle à la nurserie étaient presque trop d'émotion pour elle. Faith aimait jusqu'aux préparatifs rituels de toilette et d'habillement destinés à la rendre présentable pour l'occasion. Myrtle lui paraissait une créature d'un autre monde, joyeuse et chaleureuse, belle et inaccessible, telle une nymphe solaire toujours vêtue à la dernière mode.

Toutefois, depuis un an, Myrtle avait décidé de « prendre en main » sa fille, ce qui consistait apparemment à interrompre ses cours à l'improviste afin de l'emmener faire des visites ou se rendre à Londres sur un coup de tête, avant de l'abandonner de nouveau à la nurserie et la salle de classe. Durant cette année, la familiarité avait produit son effet habituel, en écaillant inexorablement la brillante couche de peinture dorée. Faith en était venue à se sentir comme une poupée de chiffon, qu'un enfant impatient et d'humeur changeante ramassait puis jetait au gré de ses caprices.

Pour l'heure, la cohue se calmait enfin. Myrtle s'installa sur trois malles empilées à côté de la caisse de Faith. Elle semblait très contente d'elle-même.

– J'espère vraiment que la maison que Mr Lambent a prévue pour nous aura un salon convenable, déclara-t-elle, et que les domestiques feront l'affaire. Je ne veux surtout pas d'une cuisinière française. Il me serait impossible de diriger une maisonnée si ma cuisinière pouvait faire semblant de ne pas me comprendre dès que cela l'arrangerait…

La voix de Myrtle n'était pas déplaisante, mais elle s'écoulait en un flot sans fin de paroles. Depuis plusieurs jours, ses bavardages avaient accompagné constamment sa famille, tandis qu'elle conversait avec le cocher du fiacre qui les avait conduits à la gare, avec les employés rangeant les bagages des Sunderly dans les trains à destination de Londres puis de Poole, avec le tenancier revêche de l'auberge où ils avaient passé une nuit, et avec le capitaine de ce bateau enfumé.

– Pourquoi allons-nous là-bas ? l'interrompit Howard.

Il avait les yeux vitreux à force de fatigue. On était à la croisée des chemins : soit il allait s'endormir d'un coup, soit il allait faire une scène.

– Tu le sais très bien, mon chéri, répondit Myrtle en se penchant pour écarter d'un doigt ganté et circonspect une mèche humide cachant les yeux du petit garçon. Il y a des grottes très importantes sur cette île, où des messieurs ont découvert des dizaines de magnifiques fossiles. Comme personne ne connaît les fossiles mieux que ton père, ils lui ont demandé de venir les examiner.

– Mais pourquoi devons-nous venir, nous ? s'obstina Howard. Il ne nous a jamais emmenés en Chine ni en Inde, en Afrique ou en Mongie.

Il n'arrivait pas encore à dire « Mongolie ».

Cela dit, sa question était fort pertinente, et une foule de gens devaient être en train de se la poser. La veille, les maisons de la paroisse des Sunderly avaient dû être submergées de cartes présentant des excuses et décommandant des rendez-vous à la dernière minute, telles des rafales éplorées de flocons de neige rectangulaires. À présent, la nouvelle du départ imprévu de la famille devait s'être répandue comme une traînée de poudre.

En fait, Faith aurait aimé elle-même connaître la réponse à la question de Howard.

– Oh, nous n'aurions jamais pu aller dans ces pays ! répliqua Myrtle d'un air vague. Il y a des serpents, là-bas, et des épidémies, et des gens qui mangent les chiens. Rien à voir avec cette île. Ce sera comme de petites vacances.

– Est-ce à cause de l'Homme aux Scarabées que nous devons y aller ? demanda Howard, le visage crispé par la concentration.

Le pasteur, qui n'avait pas paru écouter la conversation, poussa soudain un soupir désapprobateur et se leva.

– La pluie se calme et il y a trop de monde dans cette salle, déclara-t-il.

Il s'éloigna à grands pas sur le pont.

Myrtle tressaillit et regarda oncle Miles, qui frottait ses yeux encore ensommeillés.

– Peut-être devrais-je moi aussi faire, euh... une petite promenade, lança-t-il.

Il jeta un regard à sa sœur et haussa brièvement les sourcils d'un air ironique. Après avoir lissé sa moustache aux commissures de ses lèvres souriantes, il sortit à la suite de son beau-frère.

– Où Père est-il allé ? demanda Howard d'une voix perçante, en se tordant le cou pour regarder le pont. Je peux l'accompagner ? Je peux avoir mon pistolet ?

Myrtle ferma un instant les yeux. Ses lèvres remuèrent légèrement, comme si, dans son exaspération, elle priait pour garder patience.

– Oh, Faith, tu es un vrai roc ! s'exclama-t-elle.

Comme toujours, le sourire qu'elle adressa à sa fille était affectueux mais empreint d'une lassitude résignée.

– Ta compagnie n'est pas particulièrement divertissante... mais au moins, tu ne poses jamais de questions.

Faith réussit à esquisser un sourire impassible. Elle savait ce qu'entendait Howard par « l'Homme aux Scarabées », et elle soupçonnait sa question de s'être dangereusement approchée de la vérité.

Depuis un mois, sa famille vivait dans un brouillard glacé de non-dits. C'étaient des regards et des chuchotements, des attitudes se modifiant subtilement, comme si on les évitait en douceur. Faith avait remarqué ce changement mais n'avait pu en deviner la cause.

Un dimanche, alors que la famille revenait de l'église, un homme coiffé d'un feutre brun s'était approché d'eux et s'était présenté avec force courbettes. Il souriait, mais son regard restait froid. Il déclara avoir écrit un article sur les scarabées. Le révérend Erasmus Sunderly, ce savant respecté, consentirait-il à le préfacer ? Le révérend n'en avait aucune intention, et l'insistance de l'inconnu mit le comble à sa colère glacée. L'homme tentait de s'imposer, au mépris de toutes les bonnes manières, et le révérend finit par le lui dire carrément.

Le sourire du passionné de scarabées avait cédé la place à une expression moins agréable. Faith se rappelait encore le ton venimeux de sa réponse :

– Pardonnez-moi d'avoir cru que votre courtoisie égalait votre intelligence. Vu les bruits qui courent, révérend, je m'imaginais que vous ne seriez que trop heureux de trouver un de vos collègues scientifiques encore disposé à vous serrer la main.

À ce souvenir, elle sentit de nouveau son sang se figer. Elle n'aurait jamais cru possible de voir quelqu'un insulter ainsi son père. Le pire était que le pasteur s'était détourné de l'inconnu sans lui demander d'explication, furieux mais muet. Les vagues soupçons de Faith avaient commencé à se préciser. Des bruits couraient, et son père savait ce qu'ils disaient, alors qu'elle n'en avait aucune idée.

Myrtle se trompait. Faith était remplie de questions, qui se démenaient dans son esprit comme le serpent dans la caisse.

« Oh, mais c'est impossible, se dit Faith. Je ne dois pas céder à cette chose ! »

Faith l'appelait toujours en elle-même « cette chose ». En lui donnant un autre nom, elle aurait craint de lui conférer une emprise encore plus forte. Elle avait conscience qu'il s'agissait d'une véritable manie, à laquelle elle décidait sans cesse de renoncer – sans jamais y parvenir. Cette chose était aux antipodes de la Faith que le monde connaissait. Faith, l'enfant sage, un vrai roc. Tellement terne, fiable et digne de confiance.

Le plus difficile, c'était de résister aux occasions inattendues. Une enveloppe laissée sans surveillance, d'où dépassait la lettre immaculée, tentatrice. Une porte non fermée à clé. Une conversation oublieuse des éventuelles oreilles indiscrètes.

Faith avait comme une faim en elle, alors que les filles ne devaient pas avoir faim. Elles étaient censées grignoter avec modération lors des repas, et leur esprit aussi était censé se contenter d'un régime frugal. Quelques mornes leçons données par des institutrices fatiguées, quelques promenades ennuyeuses, des distractions d'écervelées. Mais pour Faith, cela ne suffisait pas. Le savoir – n'importe quel savoir – l'attirait irrésistiblement. Et elle trouvait un plaisir aussi délicieux qu'empoisonné à le dérober à l'insu de tous.

Pour l'heure, cependant, sa curiosité n'était que trop justifiée, et même pressante. En cet instant même, son père et l'oncle Miles parlaient peut-être de l'Homme aux Scarabées et des raisons de l'exode soudain de la famille.

– Mère... pourrais-je faire un petit tour sur le pont? Mon estomac...

Faith parvenait presque à croire ce qu'elle disait, car elle se sentait bel et bien au bord de la nausée – mais c'était l'effet de l'excitation, non du roulis.

– D'accord, mais ne réponds pas si quelqu'un t'adresse la parole. Prends le parapluie, fais attention de ne pas tomber par-dessus bord et reviens avant d'avoir pris froid.

Tandis que Faith longeait d'un pas lent le bastingage, en écoutant la pluie faiblissante tambouriner sur son parapluie, elle dut s'avouer qu'elle cédait une fois encore à «cette chose». L'exaltation faisait bouillir son sang et aiguisait tous ses sens avec une intensité douloureuse. Une fois parvenue posément à un endroit où Myrtle et Howard ne pouvaient la voir, elle flâna un instant au milieu des regards qu'elle sentait avec acuité se poser sur elle. Puis, l'un après l'autre, ils se désintéressèrent d'elle.

C'était le moment. Personne ne la regardait. Traversant furtivement le pont, elle se glissa au milieu des caisses entassées au pied de la cheminée tressautante et décolorée du bateau. L'air avait un goût de sel et de faute. Elle se sentait enfin vivre.

Elle passa d'une cachette à l'autre, en serrant sur elle ses jupes afin qu'elles ne révèlent pas sa présence en se gonflant au vent. Ses pieds larges et carrés, si peu commodes pour les chaussures à la mode, se posaient sur les planches en silence, avec une dextérité éprouvée.

Entre deux caisses, elle trouva une cachette d'où elle pouvait épier son père et son oncle, à trois mètres de là. Il lui semblait particulièrement sacrilège de voir ainsi son père sans être vue.

– Fuir mon propre foyer ! s'écria le pasteur. C'est se comporter en lâche, Miles. Je n'aurais jamais dû vous laisser me convaincre de quitter le Kent. À quoi bon ce départ, du reste ? Les racontars sont comme des chiens. Si l'on fuit devant eux, ils se lancent à vos trousses.

– Ce sont des chiens, vous avez raison, Erasmus, répliqua Miles en le regardant à travers son pince-nez. Ils chassent en bande, et à vue. Il fallait vous éloigner un moment de la société. Maintenant que vous êtes parti, ils se trouveront un autre gibier.

– En m'échappant à la faveur de l'ombre, Miles, j'ai donné à ces chiens de quoi se nourrir. On se servira de mon départ comme d'une preuve contre moi.

– C'est possible, Erasmus, approuva l'oncle Miles avec un sérieux insolite. Mais préférez-vous être jugé sur une île lointaine, par deux ou trois éleveurs de moutons, ou en Angleterre, par des personnalités éminentes ? Les fouilles de l'île de Vane sont le meilleur prétexte que j'aie trouvé pour justifier votre départ, et je me réjouis encore que vous vous soyez rendu à mes arguments.

« Hier matin, d'un bout à l'autre du pays, on a lu au petit déjeuner cet article de l'*Intelligencer*. Si vous étiez resté, vous auriez forcé toutes vos connaissances à choisir entre vous soutenir ou vous tourner le dos. Vu la façon dont la rumeur s'est propagée, vous n'auriez peut-être pas apprécié leur décision.

« Erasmus, l'un des journaux les plus respectés et les plus lus du pays vient de vous qualifier de tricheur et d'imposteur. À moins que vous n'ayez envie d'exposer Myrtle et les enfants à toutes les vilenies et les épreuves de la médisance, vous ne pouvez pas retourner dans le Kent. Tant que votre nom n'aura pas été blanchi, rien de bon ne vous attendra là-bas, vous et les vôtres.

2

Vane

Tricheur et imposteur… Ces deux mots résonnaient dans l'esprit de Faith tandis qu'elle poursuivait sa promenade détrempée, en observant d'un air égaré les îles défilant sous ses yeux. Comment pouvait-on soupçonner son père d'imposture ? Lui dont l'austère et redoutable honnêteté faisait à la fois la fierté et la consternation de sa famille. Avec lui, on savait où l'on en était, même si cela revenait à endurer le blizzard de sa désapprobation. De toute façon, qu'entendait l'oncle Miles par « imposteur » ?

Lorsqu'elle retourna à l'abri de la salle couverte, son oncle et son père avaient repris place sur leurs sièges. Elle s'assit de nouveau sur la caisse du serpent, incapable de soutenir le regard des autres.

L'oncle Miles jeta un coup d'œil à travers son pince-nez à un almanach mouillé de pluie, comme si la famille était vraiment en vacances, puis il observa la mer.

– Là-bas ! s'exclama-t-il. C'est Vane !

L'île parut d'abord plutôt petite à Faith, mais elle comprit bientôt qu'on n'en voyait que l'extrémité, comme la proue effilée d'un navire. Ce ne fut qu'après que le ferry contourna cette extrémité et commença à longer l'île que Faith s'aperçut qu'elle était beaucoup plus vaste que les autres. D'énormes vagues noires se fracassaient sur les falaises brun sombre, en faisant jaillir violemment des arches d'écume.

Sa première pensée fut que personne ne vivait sur cette île. «Personne ne pourrait s'y installer de son plein gré, se dit-elle. Elle doit être habitée par des parias. Des criminels, comme les convicts d'Australie. Et par des fuyards, comme nous. Nous sommes des exilés. Peut-être allons-nous devoir vivre là-bas à jamais.»

Ils passèrent devant des promontoires grêlés et des criques profondes, où des édifices solitaires se blottissaient le long du rivage. Puis le ferry ralentit et tourna péniblement, en provoquant force remous, pour pénétrer dans une baie plus vaste abritant un port entouré d'un mur élevé, derrière lequel s'étageaient des rangées de maisons aux façades sans expression et aux toits d'ardoise luisants de pluie. Des dizaines de petits bateaux de pêche tanguaient sur l'eau. Leurs cordages emmêlés semblaient fantomatiques dans la brume. La rumeur des mouettes se chamaillant de leurs voix rauques et monotones devint assourdissante. Sur le ferry, tout le monde parut pousser un soupir et se mettre à préparer ses bagages de concert.

À l'instant où le ferry s'immobilisa près du quai, la pluie redoubla soudain de violence. Tandis que les matelots hurlaient, jetaient des cordages et manœuvraient des passerelles, l'oncle Miles fit tomber des pièces dans quelques mains et les bagages des Sunderly furent transportés sur la terre ferme.

– Le révérend Erasmus Sunderly et sa famille? demanda un homme maigre qui attendait sur le quai.

Son manteau noir était trempé et de l'eau ruisselait de son chapeau à bord large. Son visage glabre paraissait à la fois agréable et soucieux – pour l'heure, il était légèrement bleui par le froid.

– Mr Anthony Lambent m'a chargé de vous accueillir.

Il s'inclina cérémonieusement en tendant une lettre passablement humide. Faith remarqua son cou enserré dans un col blanc et comprit qu'il s'agissait d'un ecclésiastique, comme son père.

Ce dernier lut la lettre, hocha la tête d'un air approbateur et tendit la main.

– Mr… Tiberius Clay ?

– C'est cela, monsieur, dit Clay en lui serrant la main avec respect. Je suis le vicaire de Vane.

Faith savait qu'un vicaire était une sorte de prêtre subalterne, qu'on engageait pour aider un pasteur ayant trop de paroisses ou de travail.

– Mr Lambent m'a demandé de vous présenter toutes ses excuses. Il voulait vous accueillir lui-même, mais cette pluie soudaine… (Clay regarda avec une grimace les nuages noirs.) Comme les nouvelles excavations risquent d'être inondées, il s'occupe de les faire toutes recouvrir. Puis-je charger des porteurs de s'occuper de vos bagages, monsieur ? Mr Lambent a envoyé sa voiture afin de vous emmener avec votre famille et vos bagages à Bull Cove.

Le pasteur ne sourit pas, mais il acquiesça d'une voix basse qui n'était pas dénuée de chaleur. Manifestement, les manières cérémonieuses du vicaire lui avaient plu.

Faith était certaine qu'on regardait sa famille. Le mystérieux scandale avait-il déjà atteint Vane ? Non, c'était sans doute simplement la curiosité devant des inconnus chargés d'une quantité absurde de malles. Elle entendit des chuchotements, mais sans comprendre un mot. On aurait cru une bouillie sonore, d'où toutes les consonnes avaient disparu.

Non sans peine, on hissa les bagages des Sunderly sur le toit de la voiture imposante mais branlante, et on les attacha avec des sangles en un édifice disgracieux, d'une hauteur inquiétante. Le vicaire eut tout juste la place de se glisser à l'intérieur avec la famille Sunderly. La voiture s'ébranla, en cahotant si fort sur les pavés que Faith en claquait des dents.

– Êtes-vous un naturaliste, Mr Clay ? demanda Myrtle en ignorant courageusement le fracas des roues.

– Dans une telle compagnie, je ne puis guère que me qualifier d'amateur, répondit Clay en inclinant brièvement sa tête humide à l'adresse du pasteur. Cela dit, mes professeurs de Cambridge sont parvenus à inculquer un peu de géologie et d'histoire naturelle à mon cerveau récalcitrant.

Faith ne fut pas surprise de cet aveu. Beaucoup d'amis de son père étaient des ecclésiastiques qui avaient ainsi pénétré par hasard dans le royaume des sciences naturelles. Les fils de bonne famille destinés à l'Église étaient envoyés dans une université de renom, où ils recevaient une éducation respectable, conforme à leur rang. Ils étudiaient les classiques, le grec et le latin, et avaient droit à un aperçu des sciences – ce qui suffisait parfois à leur en donner la passion.

– Ma contribution aux fouilles est avant tout celle d'un photographe, reprit-il. La photographie est mon dada. (La voix du vicaire s'anima quand il évoqua son passe-temps.) Comme le dessinateur de Mr Lambent s'est malheureusement cassé le poignet le premier jour, j'ai entrepris avec mon fils de photographier les découvertes.

Sortant de la ville, qui aux yeux de Faith se résumait plutôt à un village, la voiture se mit à gravir une petite route aussi accidentée que tortueuse. À chaque cahot, Myrtle s'agrippait craintivement au rebord de la fenêtre, ce qui rendait tout le monde nerveux.

– Cet édifice sur le promontoire est la tour du télégraphe, dit Clay.

Faith ne distingua qu'un énorme cylindre marron, d'aspect miteux. Peu après, une petite église au clocher effilé apparut sur leur gauche.

– Le presbytère se trouve juste derrière l'église, expliqua Clay. J'espère que vous me ferez l'honneur de venir prendre le thé chez moi pendant votre séjour à Vane.

La voiture donnait l'impression de se battre avec la colline. Elle craquait et vibrait si fort que Faith s'attendait à voir une des roues se détacher. Quand le véhicule s'arrêta enfin en trépidant, quelqu'un donna deux tapes énergiques sur le toit.

– Excusez-moi, lança Clay en ouvrant la portière pour sortir.

Suivit une conversation animée avec l'occupant du toit, dans un mélange de français et d'anglais où l'oreille inexercée de Faith ne put rien démêler.

Quand Clay reparut dans l'embrasure de la portière, son visage était aussi inquiet qu'affligé.

– Je suis absolument confus, dit-il. Il semble que nous soyons face à un dilemme. La maison que vous avez louée se trouve à Bull Cove, qu'on ne peut rejoindre qu'en suivant une route basse longeant le rivage ou en empruntant le chemin qui monte jusqu'au sommet puis descend de l'autre côté. Je viens d'apprendre que la route du rivage est inondée. Il y a un brise-lames, mais quand la marée est haute et que les vagues se déchaînent…

Il plissa le front et regarda d'un air désolé le ciel menaçant.

– Je suppose que le chemin du sommet est plus long et fatigant ? demanda vivement Myrtle en observant le visage morose de Howard.

Clay tressaillit.

– C'est une route… très raide. En fait, le cocher m'a informé que la voiture ne pourrait l'affronter dans, euh… l'état actuel de son chargement.

– Êtes-vous en train d'insinuer que nous devrions continuer à pied ? s'écria Myrtle.

Elle se raidit en dressant son petit menton bien dessiné.

– Mère… chuchota Faith, sentant qu'ils étaient dans une impasse. J'ai mon parapluie et je ne verrais aucun inconvénient à marcher un peu…

– Non ! lança Myrtle, juste assez fort pour faire rougir Faith. Si je dois prendre en main une nouvelle maisonnée, il est hors de question que j'aie l'air d'un rat noyé à mon arrivée. Et cela vaut aussi pour toi !

Faith sentit la colère et la frustration l'envahir. Elle avait envie de crier : « Quelle importance ? De toute façon, les journaux sont en train de nous déchirer à belles dents. Croyez-vous vraiment que les gens nous mépriseront davantage si nous sommes mouillés ? »

Le vicaire avait l'air accablé.

– Dans ce cas, je crains que la voiture ne doive faire deux trajets. Il y a une vieille cabane non loin d'ici, on s'en sert pour repérer les bancs de sardines. Peut-être pourrait-on y laisser vos bagages en attendant le retour de la voiture ? Je resterai volontiers pour veiller sur eux.

Myrtle sourit avec reconnaissance, mais son mari ne lui laissa pas le temps de répondre.

– Impossible, proclama le pasteur. Pardonnez-moi, mais certaines de ces caisses contiennent des spécimens irremplaçables de plantes et d'animaux. Il est absolument nécessaire que je procède au plus vite à leur installation dans la maison, de peur qu'ils ne périssent.

– Eh bien, je suis prêt à attendre dans cette cabane pour que ce cheval n'ait pas à me porter, moi, déclara l'oncle Miles.

Clay et lui sortirent de la voiture. On déchargea un par un les divers coffres et malles de la famille, de sorte qu'il ne resta sur le toit que les caisses et les boîtes de spécimens. Cependant, le cocher continua de faire la grimace en regardant la voiture et leur fit signe qu'elle était toujours trop affaissée.

Le père de Faith ne semblait nullement disposé à rejoindre les deux autres hommes.

– Erasmus… commença l'oncle Miles.

– Je dois rester avec mes spécimens, l'interrompit sèchement le pasteur.

– Peut-être pourrions-nous laisser ici au moins une de vos caisses ? suggéra Clay. Il y a une boîte dont l'étiquette indique « boutures diverses », et qui est beaucoup plus lourde que les autres…

– Non, Mr Clay ! s'écria le pasteur d'un ton glacé. Cette boîte est particulièrement importante.

Il observa sa famille d'un air froid et distant. Son regard glissa sur Myrtle et Howard, puis s'attarda sur Faith. Elle rougit, consciente qu'il évaluait son poids et son importance. Sa tête se mit à tourner, comme si on l'avait juchée sur une balance géante.

Faith se sentait mal. Elle préférait s'épargner la honte d'entendre son père annoncer sa décision.

Sans regarder ses parents, elle se leva en chancelant. Cette fois, Myrtle ne dit rien pour la retenir. Comme Faith, elle avait compris la décision silencieuse du pasteur et s'était soumise docilement au joug invisible.

– Miss Sunderly ?

Manifestement, Clay était surpris de voir Faith descendre de la voiture, en plongeant ses bottines dans une flaque d'eau.

– J'ai un parapluie, dit-elle en hâte, et j'avais envie de prendre un peu l'air.

Ce petit mensonge lui permit de sauver la face, au moins en partie.

Le cocher examina derechef son véhicule et, cette fois, il hocha la tête. Quand la voiture s'ébranla, Faith évita le regard de ses compagnons. Malgré le vent glacial, elle avait les joues brûlantes d'humiliation. Elle avait toujours su que Howard, le précieux fils, passait avant elle, mais maintenant elle comprenait qu'elle figurait même après les « boutures diverses » dans le classement.

La cabane se dressait à flanc de colline, face à la mer. C'était un bâtiment rudimentaire, taillé dans la roche sombre et luisante de l'île, et nanti d'un toit d'ardoise en pente et de fenêtres sans vitres. À l'intérieur, le sol était parsemé de flaques de boue. Au-dessus de leurs têtes, le crépitement de la pluie se faisait plus lent.

L'oncle Miles et Clay traînèrent les malles et les caisses de la famille dans la cabane, tandis que Faith secouait son bonnet trempé. Elle se sentait hébétée, inutile. Puis le coffre-fort de son père atterrit à ses pieds avec un bruit sourd, et son cœur bondit. La clé était restée dans la serrure.

Ce coffre contenait tous les papiers personnels de son père. Ses carnets intimes, ses notes sur ses recherches, sa correspondance. Peut-être y trouverait-elle un indice sur le mystérieux scandale qui les avait amenés ici.

Elle s'éclaircit la voix.

– Mon oncle... Mr Clay... mon... mon foulard et mes vêtements sont tout mouillés. Pourriez-vous me laisser un instant pour...

Sans achever sa phrase, elle indiqua son col trempé.

– Ah... bien sûr !

Clay semblait légèrement alarmé, comme les messieurs l'étaient souvent s'il risquait de se produire quelque incident mystérieux en rapport avec la toilette féminine.

– J'ai l'impression qu'il pleut moins, observa l'oncle Miles. Mr Clay, que diriez-vous de faire un petit tour sur la falaise avec moi, histoire de m'en apprendre davantage sur les fouilles ?

Les deux hommes sortirent et leurs voix s'éloignèrent bientôt.

Faith tomba à genoux près du coffre-fort. Le revêtement de cuir était glissant sous ses doigts. Elle songea à ôter ses gants de chevreau aussi étroits qu'humides, cependant elle savait que cela lui prendrait trop de temps. Les boucles étaient raides mais ne résistèrent pas quand elle les tira précipitamment. La clé tourna dans la serrure. Le couvercle s'ouvrit, et elle découvrit des feuilles blanc crème couvertes de diverses écritures. Faith n'avait plus froid. Son visage était brûlant, ses mains tremblaient d'impatience.

Elle entreprit d'ouvrir les lettres, en les sortant avec précaution des enveloppes et en les tenant par le bord, de façon à ne pas les tacher ni les froisser. Des communications de revues scientifiques. Des messages de l'éditeur des brochures de son père. Des invitations de musées.

C'était une tâche lente et minutieuse, et elle perdit la notion du temps. Elle tomba enfin sur une lettre dont quelques mots retinrent son attention.

« ... mettant en cause l'authenticité non pas d'un fossile mais de la totalité de ceux que vous avez présentés à la communauté scientifique et sur lesquels repose votre réputation. Ils prétendent qu'ils ont été au mieux délibérément modifiés, au pire fabriqués de toutes pièces. D'après eux, votre trouvaille de New Falton consiste en deux fossiles réunis avec ingéniosité, et ils assurent qu'il y a des traces de colle aux articulations des ailes... »

On frappa à la porte. Faith sursauta.

– Faith ! lança son oncle. La voiture est là !

– Un instant ! cria-t-elle en repliant précipitamment la lettre.

Elle se rendit compte soudain qu'il y avait une grosse tache bleue sur ses gants blancs et humides. Avec horreur, elle constata qu'elle avait laissé l'empreinte de son pouce sur la feuille.

3
Bull Cove

Tandis que la voiture avançait avec fracas sur la route, Faith serra étroitement ses mains l'une contre l'autre pour cacher la tache sur son gant. Elle s'en voulait tellement qu'elle en était malade. Si jamais son père parcourait les lettres, il découvrirait aussitôt la preuve du crime de sa fille. En dehors d'elle, qui s'était trouvé seul avec le coffre-fort ? Il ne mettrait pas longtemps à lui attribuer ce forfait.

Elle se ferait prendre. Elle le méritait bien ! Qu'est-ce qui n'allait pas chez elle ?

Cependant, tout en roulant ces pensées, elle ne cessait de songer à la teneur de la lettre, de s'indigner pour son père. Comment était-il possible de croire que ses trouvailles pourraient être des faux, et surtout son célèbre fossile de New Falton ?

Tout le monde l'avait reconnu comme authentique. Tout le monde. Tant d'experts respectables l'avaient examiné, palpé, avant d'écrire à son sujet avec exultation ! Une revue l'avait qualifié de « Nephilim de New Falton », même si son père n'avait jamais employé cette expression, et elle avait proclamé que c'était la « trouvaille de la décennie ». Comment auraient-ils pu tous se tromper ?

« Père doit avoir des ennemis, se dit-elle. Quelqu'un doit essayer de causer sa perte. »

Le soir tombait quand ils atteignirent le sommet de la colline, après quoi ils descendirent par une route rudimentaire et tortueuse. La voiture ralentit enfin et Faith distingua une lueur dorée derrière une porte ouverte.

La maison était une vieille ferme au toit d'ardoise, construite en pierres brunes d'aspect irrégulier, évoquant un caramel écrasé. De l'autre côté de la cour pavée se dressaient des écuries et une grange, derrière lesquelles la coupole de verre d'une serre brillait d'un éclat laiteux dans la pénombre. Plus loin, Faith aperçut une pelouse, puis le bord d'un bosquet sombre et broussailleux, puis la silhouette vague de ce qui était peut-être un autre bâtiment.

La voiture pataugea dans les flaques avant de s'immobiliser. Clay sauta dehors et aida Faith à sortir, tandis que l'oncle Miles donnait un pourboire au cocher.

– Bonsoir ! lança le vicaire en s'inclinant brièvement devant Faith et l'oncle Miles. Je ne veux pas vous retenir sous la pluie !

Un domestique accourut et entreprit de décharger les bagages. S'abritant sous le parapluie, l'oncle Miles et Faith se précipitèrent vers la porte ouverte. Une femme maigre entre deux âges s'écarta pour les laisser entrer.

– Mr Miles Cattistock et Miss Sunderly ? Je suis Jane Vellet, la gouvernante.

Elle avait une voix grave, masculine, et de petits yeux au regard perspicace et impitoyable. Sa robe rayée vert foncé était boutonnée jusqu'au cou.

Le vestibule était plus sombre que Faith ne s'y attendait, car il n'était éclairé que par deux lanternes posées sur des rebords de fenêtre. Le plafond s'ornait de poutres de bois noirâtres. Une odeur de paraffine flottait dans l'air, à quoi s'ajoutait une foule d'autres senteurs qui révélèrent à Faith que la maison était vieille, qu'elle avait ses propres habitudes et que ce n'était pas « sa » maison.

Faith se retrouva bientôt devant une cheminée où flambait un feu, à côté de l'oncle Miles et de Myrtle, un bol de soupe dans les mains. Si jamais Myrtle éprouvait le moindre remords d'avoir abandonné sa fille au bord de la route, elle le cachait bien. Le visage rose, l'air décidée, elle avait manifestement exploré la nouvelle demeure de sa famille et trouvait qu'elle laissait beaucoup à désirer.

– Ils n'ont pas du tout le gaz, informa-t-elle Faith d'un ton faussement confidentiel. Ils disent qu'on peut en avoir en ville, mais qu'ici nous devrons nous contenter de quinquets et de chandelles. Il n'y a pas de cuisinière, rien qu'une gouvernante, une bonne et un valet. Ils travaillaient tous pour les anciennes locataires, deux vieilles dames malades, et on les a gardés. Apparemment, la gouvernante et la bonne se débrouillaient pour la cuisine. Mais comment s'en tireront-elles avec une famille de cinq personnes ? Et il n'y a pas de nurse pour Howard. Tu devras t'occuper de lui, Faith, en attendant que nous trouvions quelqu'un.

– Où est Père ? demanda Faith quand sa mère s'interrompit pour reprendre son souffle.

– Il est allé mettre à l'abri un spécimen de plante dès son arrivée, répondit Myrtle avec lassitude. La serre ne peut pas faire l'affaire, semble-t-il. Il est donc allé dans la folie, où il s'occupe de sa chère plante depuis une éternité.

– Dans la folie ?

– Il s'agit d'une vieille tour, apparemment.

Comme la gouvernante traversait la pièce, Myrtle se racla la gorge et demanda :

– Mrs Vellet, qu'est-ce que la folie, en fait ?

– C'était censé être une tour de guet, madame, répondit aussitôt Mrs Vellet. Pour surveiller les navires de Napoléon. On n'a jamais construit de forts à Vane comme on l'a fait à Aurigny. Le monsieur possédant la maison à l'époque décida alors de construire son propre dispositif de défense, en bon Anglais.

– Cela a-t-il été utile ?

– Il n'a pas eu assez d'argent pour terminer, madame, puis la guerre a pris fin. On s'est servi de la tour pour entreposer des pommes, mais le plafond fuyait.

– Curieux endroit pour installer une plante... observa Myrtle d'un ton songeur. En tout cas, il est interdit à quiconque de déranger le pasteur ou d'approcher de la folie. Il semble que cette plante soit terriblement délicate et exotique. Il suffirait d'un regard maladroit pour faire tomber toutes ses feuilles, ou à peu près.

Faith se demanda si son père s'était retiré dans cette tour abandonnée parce que c'était l'unique endroit où il pouvait rester seul. Son cœur se serra, car elle savait que certains animaux quittaient leur horde quand ils étaient blessés.

Même la conversation inlassable de Myrtle commençait à se tarir. Après un long voyage, on est aussi épuisé qu'un pinceau ayant répandu toute sa peinture sur la toile. Comme Faith dodelinait de la tête, elle fut invitée à aller se coucher.

– Tu as la plus petite chambre, ma chérie, dit Myrtle, mais on ne pouvait faire autrement. Cela ne t'ennuie pas, n'est-ce pas ?

Mrs Vellet prit une bougie et proposa de la conduire à sa chambre. En traversant le vestibule, Faith jeta un coup d'œil à travers une porte ouverte et constata que la ménagerie de son père avait pris possession d'un petit salon. Les lézards regardaient fixement de l'autre côté de leur vitre. Le vieux wombat s'agitait en reniflant dans son sommeil, ce qui était à peu près sa seule occupation depuis quelques jours. S'apercevant que le serpent était invisible, Faith fronça les sourcils.

Des malles et des boîtes de la famille étaient empilées contre un mur du vestibule. Incrédule, elle vit la caisse du serpent vers le bas de la pile. On l'avait laissée dans le vestibule glacé comme une vulgaire boîte à chapeau.

Faith courut vers la caisse et s'accroupit à côté, en pressant son oreille contre la paroi. Elle n'entendit aucun bruit à l'intérieur.

– Mrs Vellet, pourriez-vous faire monter cette caisse dans ma chambre, s'il vous plaît ?

La chambre de Faith était minuscule, deux fois plus petite que celle qu'elle occupait dans la maison familiale. Un feu vigoureux dans la cheminée éclairait une table de toilette au dessus de marbre ébréché, une coiffeuse d'âge vénérable et un lit à baldaquin dont les rideaux avaient certainement connu le règne précédent. Faith distingua dans l'ombre derrière la coiffeuse une porte munie d'énormes verrous.

– Auriez-vous envie d'une infusion avant de dormir ? demanda la gouvernante.

– Vous n'auriez pas des souris mortes ?

À l'instant même où elle prononçait ces mots, Faith se rendit compte qu'ils ne constituaient peut-être pas la réponse la plus adéquate.

– Mon père possède un serpent ratier mandarin ! expliqua-t-elle en hâte.

Elle vit Mrs Vellet hausser les sourcils de plus belle.

– Il lui faut de la viande, balbutia-t-elle, consciente de ne pas faire la meilleure impression pour cette première entrevue. De petits morceaux de viande fraîche feront l'affaire. Il faudrait aussi quelques chiffons. Et je serais ravie d'avoir une infusion, merci.

Ce ne fut qu'une fois seule dans la chambre qu'elle ouvrit la caisse et souleva la cage se trouvant à l'intérieur. Le corps du petit serpent dessinait un huit, lové sur le fond d'un air triste. Il était d'un noir luisant, en dehors de quelques taches blanches et dorées, dont le motif faisait toujours penser Faith à un cortège aux flambeaux traversant une forêt noire comme de l'encre. Au presbytère, elle avait passé beaucoup de temps avec la petite ménagerie de son père, dont elle s'était même occupée lorsqu'il était absent. Cependant, elle avait toujours eu un faible pour le serpent, que le pasteur avait rapporté de Chine huit ans plus tôt.

Quand Faith caressa le dos du reptile, elle fut soulagée de le voir tressaillir légèrement. Au moins, il était vivant. Elle posa la cage sur la coiffeuse, loin du courant d'air glacial de la fenêtre mais pas trop près non plus du feu. Il s'agissait d'un serpent de climat tempéré, qu'une chaleur trop forte tuerait aussi sûrement qu'un froid excessif.

Mrs Vellet revint avec un assortiment de chiffons et un bol de morceaux de bœuf. Quand la gouvernante fut repartie, Faith confectionna une sorte de nid dans la cage avec les chiffons et remplit la cuvette d'eau du serpent avec l'eau de la carafe posée près de son lit. Le serpent ne toucha pas à la nourriture, mais il se baigna dans l'eau avec volupté.

Faith attendit d'être certaine que le serpent n'allait pas franchir subrepticement les portes de la mort, puis elle se souvint de la tache d'encre sur son gant. Elle tenta de l'ôter avec l'eau froide du broc de la table de toilette, mais en vain. En désespoir de cause, elle les cacha sous le matelas.

Les vêtements de Faith étaient des tyrans. Elle ne pouvait traverser une rue poussiéreuse, braver la pluie, s'asseoir dans un fauteuil d'osier ou s'adosser à un mur blanchi à la chaux sans qu'une partie de sa toilette s'abîme, se salisse, s'use ou se froisse. Ses vêtements semblaient toujours prêts à lui donner mauvaise conscience. « Eliza a passé des heures à enlever la boue du bas de ta robe... »

Pire encore, c'étaient des traîtres. Si jamais elle sortait de la maison en secret, se cachait dans un placard ou se pressait contre une porte poussiéreuse pour écouter, ils révélaient tout. Même si sa famille ne s'apercevait de rien, les domestiques comprenaient aussitôt.

Faith se coucha, mais elle peina à s'endormir. Des crins la piquaient à travers le matelas et les draps. Les rideaux du lit fermaient si mal qu'ils laissaient entrer un courant d'air froid et humide. La longue journée s'était gravée dans son cerveau. Dès qu'elle fermait les yeux, elle voyait des ciels gris et des vagues noires déchaînées.

Le vent secouait les volets et la porte verrouillée. Par moments, Faith entendait un rugissement lointain, évoquant le cri d'un animal. Elle avait beau supposer que c'était le vent, elle ne pouvait s'empêcher d'imaginer une énorme bête noire arpentant le promontoire en hurlant dans la tempête.

Elle se demanda si son père continuait de s'exiler lui-même dans la folie. Il lui semblait parfois qu'il existait un lien entre eux deux, pareil à la racine cachée d'un palétuvier l'unissant à ses petits « enfants » surgissant plus loin. Elle s'efforça un moment de se représenter ce lien, et se dit que son père sentirait peut-être ses sentiments si elle les éprouvait avec assez de force.

« Je crois en vous, lui dit-elle en silence. Quoi que puissent dire les autres, je crois en vous. »

Faith fut réveillée en sursaut par la rumeur de pas rapides martelant du bois. Ouvrant les yeux, elle vit le baldaquin insolite au-dessus d'elle et les souvenirs affluèrent d'un coup.

Elle repoussa ses draps, en s'attendant presque à voir quelqu'un courir dans sa chambre. Les pas avaient résonné si fort, comme à quelques mètres tout au plus de sa tête. Il n'y avait personne, évidemment, mais en prêtant l'oreille, elle entendit de nouveau des pas. Cette fois, elle identifia leurs craquements réguliers : quelqu'un montait ou descendait des marches en courant.

L'escalier des domestiques ! Sa chambre devait en être si proche qu'elle les entendait à travers le mur. Faith se leva et fit sans bruit le tour de la pièce, en pressant l'oreille contre le mur. Avec un frisson de triomphe, elle trouva l'endroit où les bruits résonnaient le plus clairement. Elle distinguait même le murmure lointain d'une conversation.

La plupart des gens se seraient indignés d'une telle découverte. L'escalier de service était censé permettre aux domestiques d'aller et venir sans que la famille soit forcée de s'apercevoir de leur présence. À quoi servait-il si les domestiques s'imposaient à votre attention et vous réveillaient à l'aube ? Mais cela ne dérangeait nullement Faith. Pour elle, c'était l'occasion d'épier le monde invisible de l'office.

Même si, bien sûr, elle n'entendait pas s'en servir pour « cette chose ».

Les verrous de la porte mystérieuse aperçue derrière la coiffeuse étaient rouillés, mais elle réussit à les tirer. La porte résista, puis s'ouvrit avec une saccade. Faith se retrouva en plein soleil, les yeux éblouis.

C'était un jardin en terrasse, aux dalles de pierre pâle humides de rosée. Il était entouré d'une grille en fer forgé couverte de plantes grimpantes, qui rendaient impossible de le voir d'en bas. Des enfants de pierre, au visage blanc grêlé par le temps et les lichens, tendaient des bassins d'où débordait une aubriète violette. Faith aperçut au fond du jardin une petite porte obstruée de vigne vierge, derrière laquelle des marches en pierre descendaient probablement jusqu'au sol.

Faith ne put s'empêcher de sourire. Si jamais elle avait été d'un caractère sournois, elle aurait disposé maintenant de son propre passage secret pour entrer ou sortir sans être vue.

Elle s'habilla et continua son exploration. En descendant l'escalier des maîtres, elle compta machinalement les marches et garda en mémoire celles qui craquaient et celles dont on pouvait escompter le silence. Elle se surprit à prendre note des verrous et des loquets qu'il faudrait huiler discrètement.

Non ! Faith avait renoncé à « cette chose ».

Se rappelant qu'elle devait bientôt faire sa confirmation, elle se sentit comme toujours pleine d'appréhension à cette idée. Elle allait devenir adulte aux yeux de l'Église et de Dieu. Elle serait désormais responsable de ses péchés. Bien entendu, elle avait toujours senti le jugement céleste osciller au-dessus de sa tête comme un énorme et fatal balancier, mais son jeune âge avait été comme une fragile protection – une excuse. À présent qu'elle grandissait, le balancier pourrait l'abattre d'un seul de ses coups mystérieux. Elle devait en finir avec toutes ses mauvaises habitudes.

Malgré tout, murmura une voix infâme en Faith, la maison de Bull Cove avait un certain potentiel...

En entrant dans la salle à manger aux boiseries sombres, Faith trouva sa mère en train de réprimander la bonne, une jolie brune d'une quinzaine d'années dotée d'un caractère difficile et arborant sans cesse un petit sourire satisfait.

– Non, Jeanne, cela ne va pas du tout !

Myrtle désigna d'un geste le plateau de la bonne où trônaient deux miches d'une longueur insolite, comme Faith n'en avait jamais vu.

– Quand je demande du pain et du beurre, je veux avoir des tranches coupées dans une vraie miche de pain, et elles doivent avoir cette épaisseur...

Elle écarta d'environ un centimètre le pouce et l'index.

– Je vous prie d'y veiller à l'avenir.

La bonne fit une moue évasive, comme si elle haussait les épaules intérieurement, puis s'en alla avec le plateau.

– Quelle maison ! s'exclama Myrtle. J'ai à peine fermé l'œil cette nuit. Je suis sûre que les pièces n'avaient pas été aérées. Et quel était donc ce vacarme épouvantable qui n'a pas cessé de la nuit ?

– Apparemment, c'étaient les beuglements du Grand Taureau Noir, répondit l'oncle Miles d'un air malicieux. Quand la tempête se déchaîne, le monstre surgit des entrailles de la terre et hurle à la mort. Mais il s'agit plutôt d'un phénomène parfaitement naturel, dû au vent qui souffle à travers des grottes marines.

– Eh bien, je trouve regrettable que le propriétaire nous ait loué cet endroit sans nous parler de ces bestiaux fantomatiques mais tonitruants, répliqua sèchement Myrtle.

– Ah, mais d'après les superstitions locales, il n'y a guère de recoin de cette île qui n'ait son fantôme ! déclara l'oncle Miles en souriant. Clay m'a raconté quelques-unes de ces histoires à propos de femmes poussant des gémissements, de bateaux fantômes et ainsi de suite. Et il semble aussi que Vane ait été un repaire de contrebandiers pendant la guerre contre les Français. On dit que l'un d'eux a enterré une bonne partie de son trésor avant de mourir, et que depuis cinquante ans son spectre essaie en vain d'y conduire les gens.

– Il ne doit pas être très doué pour les charades, dit tout bas Faith en s'asseyant à la table.

– Enfin, pour revenir un peu sur terre, lança Myrtle, on a déposé deux cartes à notre intention ce matin, apparemment.

Elle regarda son mari.

– La première est de la part du docteur Jacklers, mon ami. Il dit qu'il espère avoir le plaisir de passer chez nous cet après-midi à deux heures, pour vous emmener voir les fouilles.

« L'autre est de la part de Mr Lambent, qui nous annonce que la société géologique locale se réunit chez lui à quatre heures et qu'ils vous sauraient tous gré d'être leur invité d'honneur. Oh, et le reste de la famille est invité à prendre le thé. Il propose de nous envoyer sa voiture.

Le pasteur jeta à son épouse un regard vague, inclina la tête pour montrer qu'il avait entendu puis se remit à manger son petit déjeuner en silence.

– Peut-être pourrions-nous aller voir tous ensemble les fouilles du docteur Jacklers ? suggéra l'oncle Miles d'un ton plein d'espoir. Cela nous ferait une sortie en famille.

– Pourquoi pas ? s'exclama Faith en regardant ses parents avec excitation.

Dans la bibliothèque de son père au presbytère, elle s'était plongée pendant des heures dans des livres consacrés aux animaux préhistoriques, en s'émerveillant des dessins représentant les ossements de créatures depuis longtemps éteintes. L'idée de voir des fouilles bien réelles la transportait.

Myrtle fixa son époux, qui regarda la tablée d'un air distrait puis se racla la gorge.

– Il me semble que rien ne s'y oppose, déclara-t-il.

Jeanne revint avec un plateau qu'elle posa avec douceur, d'un air faussement innocent, avant de repartir. Les longues miches avaient été coupées sans ménagement en tranches d'un centimètre de largeur, opération qui leur avait été fatale. Les morceaux de pain s'entassaient en une pyramide de débris de croûte recollés tant bien que mal avec du beurre.

– Jeanne ! cria Myrtle à la bonne qui s'éloignait, frappée d'une surdité aussi soudaine que commode. Jeanne ! Oh, c'est trop fort ! Mrs Vellet va avoir de mes nouvelles, je vous le promets !

Un fracas assourdi s'éleva à l'étage. De petits pieds se mirent à courir avec insouciance, puis une main fit claquer des portes à titre d'expérience. Myrtle tressaillit et jeta un coup d'œil à son époux, qui observait le plafond d'un air froidement désapprobateur. On n'était pas censé voir Howard à cette heure matinale, et encore moins l'entendre.

– Faith, demanda-t-elle à mi-voix, aurais-tu la gentillesse de prendre ton petit déjeuner avec ton frère, aujourd'hui, puis de l'aider à apprendre ses leçons ?

Elle ne fit même pas mine d'attendre une réponse.

Faith dit adieu à regret au pilaf de poisson aux œufs durs, au bacon, aux toasts et à la marmelade, mais elle se leva de sa chaise.

Un jour, Myrtle lui avait expliqué comment il convenait de donner un ordre à un domestique. Pour être poli, il fallait tourner l'ordre comme une question : « Voulez-vous aller chercher le thé ? Pouvez-vous en parler à la cuisinière, je vous prie ? » Mais au lieu que la voix s'élève en fin de phrase, elle retombait, afin qu'il soit clair qu'il ne s'agissait pas vraiment d'une question et qu'il était exclu de répondre non.

Faith songea soudain que c'était exactement la façon dont sa mère lui parlait.

Howard avait reçu en partage deux pièces attenantes: une «nurserie de nuit» pour dormir et une «nurserie de jour» pour jouer, travailler et manger.

– Je déteste ces pièces, décréta-t-il en buvant à petites gorgées son eau panée. Il y a des rats tapis dans le noir. Je ne peux pas dormir sans Skordle.

«Skordle» était l'approximation de Howard pour «Miss Caudle», sa nurse, qui d'ordinaire dormait dans la même chambre que lui dans le Kent. Au fond d'elle-même, Faith aimait bien le mot «Skordle», car on aurait dit le nom d'un animal mythique.

Comme son frère, Faith n'aimait pas beaucoup les nurseries, mais pour des raisons différentes. Depuis un an, elle avait l'impression d'être suspendue inconfortablement entre l'enfance et l'âge adulte. Elle s'en rendait surtout compte lors des repas. Parfois, elle découvrait qu'elle était devenue adulte en une nuit, comme par magie, et avait l'honneur de prendre son repas avec ses parents dans la salle à manger. Puis, sans avertissement, elle se retrouvait de nouveau dans la nurserie avec Howard, à manger du porridge tandis qu'une chaise trop petite craquait sous son poids.

La nourriture destinée aux enfants était «simple» et «saine», ce qui signifiait d'ordinaire insipide et cuite au-delà du raisonnable. La nurserie de jour sentait donc la pomme de terre, le riz au lait et le mouton bouilli. Cette odeur donnait l'impression à Faith d'être engoncée dans une ancienne version de sa propre personne, dont elle brûlait de s'échapper.

– L'autre main!

Saisissant avec douceur la cuiller que Howard tenait dans sa main gauche, Faith la glissa dans sa main droite. Cette bataille reprenait chaque jour.

Le plus dur venait après le petit déjeuner, quand elle devait le forcer à mettre sa veste bleue. Howard détestait cette veste, qu'il devait porter pendant tous ses cours. La manche gauche était cousue au côté, de sorte que sa main gauche était emprisonnée dans la poche et qu'il ne pouvait s'en servir.

L'obstination que Howard mettait à se servir de sa main gauche n'était qu'une «lubie», affirmait Myrtle. Cela n'avait rien d'inquiétant, du moment qu'on ne l'encourageait pas. Cependant, la devancière de Skordle s'était montrée trop indulgente, et Howard avait pris de «mauvaises habitudes».

– Tu sais ce que dit Mère! Tu dois apprendre à manger et à lire comme il faut avant d'aller à l'école!

L'idée était d'envoyer Howard dans un pensionnat dès qu'il aurait huit ans.

Howard se renfrogna, comme toujours quand on parlait d'école. Faith ravala son amertume et son envie.

– Tu as beaucoup de chance, How. Bien des gens seraient heureux de pouvoir aller dans une bonne école.

Elle ne précisa pas qu'elle-même faisait partie de ces gens.

– Écoute! Si tu mets ta veste et si tu termines tes exercices d'écriture, nous irons ensuite explorer le jardin. Tu pourras emporter ton fusil!

L'enfant jugea le marché acceptable.

Dehors, Howard s'élança en courant et fit mine de tirer avec son pistolet en bois sur les fenêtres du haut de la maison en criant « Bang!». Il tira sur les corbeaux noirs qui sautillaient avec flegme pour s'éloigner quand il accourait, avant de le distancer en quelques coups d'aile indolents. Il tira tout le long du chemin boueux et embroussaillé menant à la mer.

Si un adulte avait vu son manège, il aurait sans doute reproché à Faith de laisser le petit garçon «s'épuiser». On craignait toujours que Howard, l'unique fils survivant, n'attrape quelque rhume fatal. Faith avait déjà vu cinq frères cadets dépérir et se replier sur eux-mêmes comme des fleurs refermant leurs pétales. Certains n'étaient que des bébés, d'autres avaient déjà passé plusieurs anniversaires. Les deux premiers s'appelaient Howard, puis les parents de Faith avaient essayé un James et deux Edward, sans plus de succès. Du coup, le Howard survivant paraissait fragile, comme s'il tenait les mains de ses frères portant le même nom que lui de l'autre côté du voile lugubre.

Toutefois, Faith connaissait Howard bien mieux que ses parents. Elle comprenait son besoin de courir et de tournoyer à en perdre haleine, de même qu'il avait besoin de son fusil d'enfant. Il tirait sur tout ce qui l'effrayait. À cet instant même, il s'efforçait de se sentir en sécurité dans un monde nouveau et étrange.

Le regard de Faith fut attiré par une tour trapue à la lisière d'un bosquet. À la lumière du soleil, elle constata que la folie n'était qu'une bâtisse d'un étage, aux étroites fenêtres obstruées de mortier et de lierre, et aux pierres d'un brun sale évoquant une tache de thé.

Cette vision éveilla la curiosité de Faith, mais elle avait des soucis plus pressants. Ses gants compromettants étaient dans sa poche. Il fallait qu'elle s'en débarrasse avant qu'un domestique ne les découvre.

Le chemin se divisait en approchant de la mer. Sur la gauche, un sentier montait jusqu'au sommet de la falaise. Faith et Howard prirent le sentier de droite, qui descendait vers la plage de galets. Une fois sur la plage, Howard se déchaîna, en tirant sur des huîtriers qui s'avançaient nerveusement, sur les falaises brunâtres s'élevant des deux côtés, sur son propre reflet dans le sable humide.

Devant un amas de rochers se dressait un petit hangar, à bateaux, qui abritait un canot à rames. Tandis que Howard courait sur les galets, Faith se glissa derrière le hangar, cacha les gants dans une fente sombre, entre deux rochers. Elle se sentit aussitôt plus légère. Elle ne savait pourquoi, mais elle se sentait toujours davantage coupable quand elle risquait de se faire prendre.

En retournant sur la plage, Faith se dit qu'elle lui plaisait assez, malgré ses couleurs austères et ses nuages gris courant dans le ciel. Elle se remémora les livres d'histoire naturelle de son père et fut capable de nommer ce qu'elle voyait. Des sternes aux ailes effilées volaient à toute allure dans la grisaille. Un pingouin noir et blanc au bec aplati lissait ses plumes sur un rocher. Les fleurs blanches des cristes marines tremblaient parmi les rochers.

Faith regarda les promontoires lointains, où des vagues couronnées d'écume blanche se jetaient contre les récifs. Elle distingua çà et là, à la base des falaises, des fentes noires et des ouvertures triangulaires.

– Regarde, How! cria-t-elle dans le vent. Des grottes marines!

Howard accourut, regarda du côté qu'elle indiquait et visa les falaises avec son pistolet.

– Il y a des monstres dedans? demanda-t-il d'un ton pensif.

– Peut-être.

– Pourrions-nous y aller en canot pour jeter un coup d'œil?

Faith observa le petit bateau dans le hangar puis interrogea des yeux la mer houleuse. Les ouvertures obscures piquaient sa curiosité.

– Un autre jour, peut-être, répondit-elle comme pour elle-même. Mais nous devrons demander la permission à Père et à Mère.

Quand Howard fut fatigué, elle lui fit remonter la pente vers la maison. En voyant de nouveau la tour brunâtre, elle s'immobilisa.

La nuit précédente, son père avait passé des heures dans la folie, à s'occuper d'une plante mystérieuse. Sur le moment, elle avait pensé qu'en fait il voulait simplement être seul. À présent, elle se surprit à songer à la caisse de «boutures diverses» qui lui avait coûté sa place dans la voiture. C'était une dénomination bien vague, à la réflexion. Son père faisait preuve de tant de précision, d'ordinaire...

– Howard, si nous allions voir s'il y a des lions dans les parages de la folie?

Faith dut faire le tour du bâtiment jusqu'au côté le plus proche des arbres avant de trouver sa lourde porte en bois. Personne ne pouvait la voir de la maison. La tentation était trop forte: elle souleva le vieux loquet et ouvrit la porte.

Il faisait sombre à l'intérieur. Elle sentit une odeur étrange, un froid aussi piquant que de la menthe, qui la fit larmoyer. Levant les yeux, elle vit des chevrons grisâtres où des araignées avaient édifié leurs cités. Non sans étonnement, elle s'aperçut que le toit était intact et empêchait la lumière du jour d'entrer. Pourquoi son père avait-il placé un spécimen précieux dans un endroit que le soleil ne pouvait éclairer?

Faith s'avança prudemment dans la folie. Ses bottines glissaient légèrement sur les pavés humides. Elle scruta dans les ténèbres la petite pièce ronde.

Quelque chose était blotti contre le mur du fond. Une silhouette arrondie enveloppée dans une toile cirée, d'où dépassait à peine le bas d'un pot de fleurs. La plante était assez petite pour avoir tenu dans la caisse, car elle ne mesurait guère que soixante centimètres de haut.

En s'approchant de la silhouette énigmatique, Faith se rendit compte que les « Bang! » dans son dos devenaient plus forts et plus nerveux. S'affolant soudain, elle sortit en courant et referma vite la porte de la folie. Elle regarda autour d'elle. Elle redoutait de voir apparaître son père, de retour de quelque promenade.

Toutefois elle ne vit que Howard, qui visait le bosquet avec son arme. Un inconnu avançait d'un pas lourd au milieu des fougères.

Ce n'était pas un domestique. Ses vêtements étaient usés, ses cheveux mal peignés, sa barbe hirsute. Il tenait à la main un seau de bois. Comprenant qu'il s'agissait d'un intrus, Faith prit soudain conscience de la menace. Elle sentit tous ses poils se hérisser, comme un animal reniflant l'odeur d'une autre espèce que la sienne.

Quatorze années de peurs cultivées avec soin se déchaînèrent en elle. Un inconnu! Et elle était une fille, presque une femme.

Elle ne devait à aucun prix approcher d'un inconnu sans avoir des témoins, des protecteurs. Devant elle s'ouvrait un abîme où toutes sortes de choses terribles pourraient arriver.

– Bang ! hurla Howard.

L'homme s'arrêta et se tourna pour les regarder.

Prenant Howard dans ses bras, Faith courut d'un pas trébuchant vers la maison. En faisant irruption dans le vestibule, elle faillit heurter de plein fouet dans sa mère, qui venait de sortir du salon.

– Au nom du Ciel ! s'exclama Myrtle en haussant les sourcils. Que se passe-t-il, Faith ?

Faith déposa Howard et s'expliqua en haletant. Myrtle s'empressa autour de Howard, lequel comprit qu'il devait avoir mal et se mit aussitôt à pleurer.

– Occupe-toi de Howard, Faith. Je vais mettre ton père au courant.

Quelques instants plus tard, le pasteur entra à grands pas dans le petit salon où Faith s'efforçait de distraire Howard.

– Où était cet homme ? lança-t-il.

– Près de la folie, répondit Faith.

– À quelle distance se trouvait-il ?

Faith ne l'avait jamais vu aussi sombre et agité. Devant son inquiétude, elle se sentit réconfortée.

– À une dizaine de mètres. Il passait devant la folie pour descendre la pente.

Mrs Vellet accourut à l'appel du pasteur. Voyant ses joues rouges et son expression mécontente, Faith se demanda si elle avait eu « des nouvelles » de Myrtle, comme celle-ci l'avait promis.

– Cela ressemble à Tom Parris, déclara Mrs Vellet après que Faith eut décrit l'inconnu.

– Peut-être pourriez-vous me dire pourquoi ce Parris a été autorisé à pénétrer indûment dans cette propriété ? s'enquit le pasteur d'une voix glaciale.

– Je suis désolée, monsieur, dit en hâte la gouvernante, mais c'est le chemin le plus court pour rejoindre la plage. Et comme c'est la meilleure plage de l'île pour ramasser des coquillages…

Elle étendit les mains, en un geste des plus familiers, qui semblait dire : « C'est ainsi, et je n'y peux rien. »

– De telles intrusions ne doivent pas se reproduire, proclama le pasteur avec sévérité. Je dois songer à la sécurité de mon épouse et de mes enfants, et il est hors de question que je laisse les précieux spécimens installés dans la serre à la merci des curieux et des voleurs. En tant que locataire de cette propriété, je considérerai tous les intrus comme des braconniers. Si vous connaissez ces indésirables, informez-les que je vais faire l'acquisition de pièges.

« À quelle distance ? » Au début, Faith avait pensé avec gratitude que cette question reflétait l'inquiétude de son père pour sa sécurité et celle de Howard. En retrouvant son calme, cependant, elle se demanda s'il n'avait pas voulu dire autre chose.

« À quelle distance se trouvait-il de la folie ? »

4
La caverne funèbre

À deux heures de l'après-midi, une voiture s'arrêta devant la maison. Un instant plus tard, un homme d'âge mûr d'aspect robuste, doté de joues rubicondes, d'une moustache noire et de solides dents blanches, fit son entrée dans le petit salon. Il se présenta comme le docteur Jacklers et serra la main du pasteur en tirant dessus par saccades, comme s'il essayait de la détacher.

– Révérend Sunderly ! Quel honneur de faire votre connaissance ! J'ai lu vos articles dans la revue de la Société royale.

Le médecin serra la main de l'oncle Miles avec moins d'énergie, bien que celui-ci se soit targué d'être un scientifique amateur et ait insinué que peut-être ce bon docteur avait-il entendu parler de sa petite brochure sur les fossiles de crustacés. Myrtle s'était mise à tousser pour interrompre son frère.

Quand on lui présenta Faith, le docteur Jacklers parut un instant déconcerté.

– Faith… oui, je me rappelle parfaitement cette histoire ! J'avais cru…

Il ne termina pas sa phrase et tendit la main, comme pour tapoter la tête d'une fillette imaginaire.

– Cela fait donc si longtemps ? Vous êtes une vraie jeune fille, à présent !

Faith le remercia, non sans embarras. Elle savait bien à quel événement il faisait allusion, et le souvenir de cette journée lointaine l'emplissait à la fois de bonheur, de nostalgie et de malaise.

Elle avait sept ans, à l'époque, et pour une fois son père lui avait proposé de venir se promener avec lui sur une plage. Faith l'avait accompagné en gambadant, folle de joie qu'il ait eu envie de passer un moment avec elle. Contre son habitude, il paraissait gentil et détendu. De temps à autre, il se penchait pour mettre des galets dans son panier. Il s'était même arrêté pour lui en montrer un, blanc, sillonné de petites bosses et de stries dessinant un motif.

– Crois-tu que tu pourrais trouver des pierres de ce genre ? lui avait-il demandé.

Ravie, Faith était partie en courant lui chercher toutes les pierres d'aspect insolite. Toutefois, la plupart étaient simplement luisantes d'eau de mer et se ternissaient en séchant dès qu'il les prenait dans sa main. À un moment, il s'était éloigné abruptement de l'eau et lui avait fait signe d'approcher de la falaise.

– Essaie de chercher de ce côté, Faith.

Tandis qu'il contemplait la mer, elle avait avancé péniblement parmi les rochers. Puis elle avait fini par la voir : une pierre plate creusée d'un motif en spirale. Elle la lui avait rapportée, en la tenant avec précaution dans ses deux mains. Elle tremblait presque, tant elle était pleine de doute et d'espoir.

– Bravo, Faith ! avait dit son père en s'accroupissant. C'est un fossile, et un beau. N'oublie pas cet instant. Rappelle-toi comment tu as trouvé ton premier fossile.

Beaucoup plus tard, Faith avait lu des articles de journaux consacrés à cette trouvaille. Alors que la petite Faith folâtrait innocemment sur une plage, elle avait rapporté à son père un galet qu'elle trouvait joli et où il avait reconnu aussitôt un fossile d'un intérêt exceptionnel. Les journalistes avaient adoré cette histoire. Ils avaient parlé de « l'ingénuité d'une enfant », de « cette main innocente ouvrant sans le vouloir la porte des merveilles de la nature ».

Chaque fois que le pasteur présentait sa fille à d'autres passionnés des sciences naturelles, ceux qui se souvenaient de cette histoire s'attendaient à voir l'innocence incarnée en une petite fille aux grands yeux. Face à un spécimen de féminité encore gauche et inachevée, ils savaient rarement comment réagir. Elle avait quitté le rivage béni, le havre sûr de l'enfance, pour se retrouver entre deux eaux, aussi ambiguë qu'une sirène. Tant qu'elle ne se serait pas hissée sur le rocher du mariage, elle poserait problème.

– Eh bien, jeune dame, avez-vous trouvé d'autres fossiles ? demanda le docteur Jacklers en s'efforçant bravement à la gaîté.

Faith secoua la tête. C'était là que le bât blessait. Son premier fossile avait été le dernier. Son père ne l'avait plus jamais emmenée en chercher.

Elle avait l'impression qu'il lui avait ouvert une porte, en cette journée radieuse au goût de sel, mais pour la refermer aussitôt. Elle tentait de se dire qu'elle ne resterait pas close à jamais, qu'il était simplement d'un tempérament réservé. Il lui permettait de lire les livres de sa bibliothèque, de mettre au propre ses notes et d'écrire sous sa dictée. Pour elle, c'étaient autant de signes qu'il désirait encore l'introduire dans son monde personnel, que la porte s'ouvrirait un jour de nouveau toute grande.

Le médecin cessa de regarder Faith. Elle comprit qu'elle avait perdu tout son brillant, comme les galets humides.

L'enthousiasme de Howard pour cette sortie en famille retomba dès qu'il apprit qu'il ne s'agissait pas d'aller braver les flots.

– Mais nous avons trouvé un petit bateau sur la plage, et Faith a dit que nous pourrions explorer les grottes !

– Faith plaisantait, chéri !

Myrtle lança un regard exaspéré à sa fille.

– Les courants marins sont beaucoup trop forts. Tu n'as pas envie de voir ton père au travail, Howard ?

Le petit garçon regarda nerveusement son père en se cramponnant à la main de Faith.

Tandis que la famille Sunderly s'assemblait dans la cour, Faith se sentit rougir sous les regards faussement impassibles des domestiques. Ses bottines lui semblaient lourdes, son col la serrait.

Quand la porte de la maison se referma, elle entendit des rires étouffés. Avec l'instinct affiné des solitaires, elle devina que les domestiques s'étaient déjà moqués de son retour affolé, un peu plus tôt dans la journée. Non seulement ses parents semblaient avoir à cœur de se mettre à dos tous les membres de la maisonnée, mais elle-même s'était arrangée pour être en butte à des plaisanteries malveillantes.

Comme la marée était basse, on pouvait prendre la route contournant le promontoire. Elle était bordée d'un côté par une falaise déchiquetée, et de l'autre par le brise-lames, consistant en une large digue d'environ un mètre cinquante de haut. Faith se demanda quelle force devaient avoir les vagues pour menacer la route, et cette pensée la remplit d'excitation.

– Où en sont vos découvertes ? demanda son père au médecin.

– Nous avons trouvé des pierres taillées. Et des os qui semblent appartenir à un hippopotame nain. Et une dent qui, d'après moi, devait appartenir à un mammouth. (Le médecin se frotta les mains.)J'espérais trouver des restes humains, peut-être même un crâne. Je suis passionné par les crânes, voyez-vous. Cela dit... pour être franc, je me réjouis que vous soyez là pour mettre de l'ordre parmi nous.

Il lança un regard de côté au père de Faith.

– Je crains que nous ne nous tapions tous sur les nerfs à l'occasion de ces fouilles. Lambent n'est qu'un amateur et manque de patience. Tout ce que nous pouvons faire, c'est l'empêcher d'avancer à coups d'explosifs. Mais comme la grotte se trouve sur ses terres, il est impossible de se passer de lui. Il y a aussi notre brave vicaire…

– Mr Clay semble tout à fait charmant, déclara Myrtle.

Cette affirmation était en fait une question.

– Oh, tout à fait ! Encore qu'il ait des conceptions étrangement démodées, pour quelqu'un de son âge.

Le médecin souriait beaucoup, mais ses sourires avaient quelque chose de crispé.

– Cela dit, nous ne pouvons pas non plus le mettre hors jeu, car c'est lui qui a découvert la grotte. Ou plus exactement, son chien l'a découverte. La pauvre bête s'est cassé une patte en tombant dans le gouffre. Nous avons eu toutes les peines du monde à la sortir de là.

« Quant à moi, j'ai lu les ouvrages les plus récents sur la spéléologie, que les autres ignorent, de sorte qu'ils ne peuvent pas non plus se passer de moi.

Le médecin esquissa un sourire sans joie.

Faith se sentait mal à l'aise. Les chercheurs de l'île avaient fait appel à son père en tant qu'expert, mais apparemment ils avaient surtout besoin d'un arbitre dans leurs différends.

La route s'enfonça dans l'intérieur, monta une pente puis s'aplanit. La voiture fit halte. Faith sortit du véhicule avec le reste de sa famille.

Le terrain alentour était rocailleux et accidenté. Des escarpements rocheux s'élevaient çà et là, entrecoupés de gorges miniatures où sinuait le cours asséché de ruisseaux. Du côté de la mer, la pente semblait alterner des terrasses grossières et de petites falaises, comme si un géant avait tenté tant bien que mal de tailler des marches au flanc de l'île.

Le docteur Jacklers conduisit les Sunderly sur un sentier couvert de sciure, d'où ils aperçurent au bout d'un moment la gorge la plus proche. En baissant les yeux, Faith vit un campement de tentes en toile. Avec une excitation croissante, elle se rendit compte qu'elles bordaient l'entrée d'un tunnel s'ouvrant dans la colline entre deux énormes rochers. On avait renforcé l'entrée avec un linteau de bois, et elle distingua d'autres étais à l'intérieur.

« Un tunnel qui mène au passé », songea-t-elle.

Quand le médecin leur cria bonjour, cinq hommes en tenue d'ouvrier maculée de terre interrompirent leurs activités et attendirent poliment.

Un sixième homme, vêtu en gentleman, regarda les nouveaux venus en s'abritant les yeux, puis s'élança à leur rencontre sur le sentier tortueux.

– Voici Mr Anthony Lambent...

Le médecin ne put en dire davantage : leur hôte les avait déjà rejoints.

Lambent mesurait plus d'un mètre quatre-vingts et paraissait plus grand encore, tandis qu'il accourait vers eux comme un ouragan blond. Faith lui donna une trentaine d'années, mais ses grands pas lui conféraient une allure terriblement jeune. Son manteau vert était parsemé de taches de boue, sa cravate d'un jaune éclatant pendait de travers.

– Révérend Sunderly ! hurla-t-il comme un cri de guerre en se précipitant sur la main du pasteur.

Le père de Faith eut un mouvement de recul et sembla songer un instant à se défendre avec sa canne. Lambent laissa à peine le temps au médecin de compléter les présentations avant de les presser tous de descendre au fond de la gorge.

– Venez, laissez-moi vous faire visiter !

Il y avait en lui quelque chose de dérangé et de dérangeant, comme un cheval toujours prêt à décocher une ruade.

Myrtle fit la grimace en descendant avec circonspection le sentier, et Faith imita sa prudence. Quand on ne voyait pas ses pieds, ce trajet n'avait rien d'évident. Lambent finit par remarquer qu'il avait distancé ses invités, et il revint sur ses pas.

– Pardonnez-moi ! lança-t-il. Je suis d'un tempérament désespérément agité. Il faut que je bouge sans cesse.

– Cela ne vous empêche-t-il pas de dormir ? s'enquit Myrtle.

– Oh, si. Cela fait des années que je ne dors guère plus de deux heures par nuit, malgré tous les efforts des médecins. J'aurais certainement fini par dépendre du laudanum. Dieu merci, j'ai maintenant ma chère épouse, qui exerce sur moi une influence merveilleusement calmante. Dès qu'Agatha commence de parler, je me surprends à bâiller.

Faith doutait que sa « chère épouse » le remercie pour ce compliment.

Quand ils arrivèrent en bas de la pente, Lambent remarqua le pistolet en bois de Howard.

– Holà !

Il se pencha pour rapprocher son visage de celui du frère de Faith.

– Aurions-nous ici un soldat ? Ou un amateur de sport ? Chassez-vous le gros gibier, monsieur ?

Howard se figea, leva les yeux sur le gros visage moustachu de Lambent et hocha timidement la tête.

– Magnifique ! s'exclama Lambent. Quelles bêtes avez-vous abattues, monsieur ?

Howard ouvrit la bouche, mais pas un son n'en sortit. Dans sa panique et sa concentration, il écarquilla les yeux. Il finit par émettre quelques sons censés être des mots.

– Des li… li… li…

Faith connaissait ces symptômes. Elle savait que la peur et la timidité avaient privé de voix le petit garçon. Plus les gens le regarderaient, plus il serait en difficulté. Elle accourut et plaça une main protectrice sur son épaule.

– Des lions, dit-elle en hâte. Howard a abattu des lions.

Lambent redressa la tête et éclata d'un rire tonitruant.

– Quel gaillard ! Je parie que vous êtes prêt à parcourir le monde comme votre père, pas vrai ?

Howard battit nerveusement des paupières, en regardant fixement la crinière blonde du géant.

– Crock! cria Lambent.

Un jeune homme hâlé, aux larges épaules, approcha et salua l'assistance. Il était presque aussi grand que Lambent, mais baissait légèrement la tête pour rendre sa stature moins intimidante. Il se mouvait avec la circonspection tranquille d'un colosse dans un monde fragile.

– Voici mon contremaître, Ben Crock. Crock, occupez-vous des dames, je vous prie, pendant que je montre le tunnel à ces messieurs.

Il fit un clin d'œil en souriant pour indiquer que le «gaillard» Howard faisait partie des «messieurs».

Et voilà. On alla chercher une lanterne, puis Lambent s'introduisit dans le tunnel, suivi du pasteur, de l'oncle Miles et même du petit Howard, qui se cramponnait à la manche de son oncle. Quant aux dames, on allait s'occuper d'elles. Faith eut l'impression qu'on lui claquait une porte en plein visage.

Au milieu des tentes destinées aux fouilles se dressait une charpente en bois qu'on avait couverte de riches étoffes rouges ornées de glands, ce qui lui donnait l'allure d'une tente de Bédouin ouverte sur les côtés. Elle abritait un divan, une petite table et plusieurs chaises. On épousseta prestement deux de ces chaises pour que Myrtle et Faith puissent s'asseoir. Une autre invitée avait laissé un reste de thé couleur d'ambre au fond d'une tasse en porcelaine. Manifestement, c'était là qu'on casait les dames en visite.

Toutefois, Faith n'était pas disposée à s'asseoir. Elle se trouvait enfin dans un champ de fouilles! Un vrai, avec des scientifiques. Elle regarda autour d'elle. Tout la fascinait, même les brouettes remplies de gravats.

Au bout de la gorge, elle aperçut Clay qui fixait un appareil photographique à un trépied maintenu par un garçon d'à peu près le même âge qu'elle. Elle se rappela que le vicaire avait dit qu'il avait un fils.

Dans la tente la plus proche, elle vit une longue table couverte de coffrets en bois.

– Mr Crock, puis-je jeter un coup d'œil ?

Elle pointa le doigt vers la tente, en oubliant, dans son enthousiasme, de se montrer timide.

– Faith, n'ennuie pas Mr Crock ! s'écria Myrtle avec un regard sévère.

Mais dans un instant pareil, Faith ne pouvait se taire.

– Je vous en prie !

– Je n'y vois aucun inconvénient, déclara Crock en souriant aux deux invitées avec douceur.

Il écarta la paroi de toile pour qu'elles entrent. En approchant de la table, Faith découvrit que les coffrets portaient de mystérieuses suites de chiffres et abritaient des débris brunâtres et ce qui ressemblait à des morceaux d'ossements.

– Mieux vaut ne pas les toucher, Miss, l'avertit Crock à voix basse. Vous saliriez vos gants. Ils sont encore humides de...

– De fixateur, compléta Faith d'un ton pensif en levant les yeux sur lui. Des sabots de chevaux bouillis ou ce genre de chose... De quoi empêcher ces ossements vénérables de s'effriter en séchant.

Elle avait entendu parler des fixateurs dans les livres de son père, mais c'était la première fois qu'elle sentait leur odeur et voyait leur couche visqueuse sur des os plus anciens que les pyramides.

– Oui, Miss, approuva Crock en la regardant posément.

Le regard patient de ses yeux bleus ne changea pas d'expression, mais Faith sentit qu'il révisait en silence son jugement sur elle.

Observant les fragments d'ossements, elle en remarqua un, très fin, qu'on avait séparé des autres. Elle ne put retenir un cri étouffé. Il se terminait par une pointe effilée, tandis que son bout plus large était percé d'un cercle parfait.

– Mr Crock ! Serait-ce une aiguille ?

– En effet, Miss, répondit-il aussitôt. D'après ces messieurs, elle a été taillée dans une ramure de renne avec un outil de pierre.

– Date-t-elle de l'ère glaciaire ?

– C'est ce que pense le docteur Jacklers.

Faith se rendit compte qu'elle souriait. Elle éprouvait un soulagement presque physique à obtenir des réponses simples, naturelles.

Elle songea au moment où l'on avait fabriqué cette aiguille, en cette lointaine époque de glaces éternelles, alors que même en Angleterre des rennes parcouraient des étendues neigeuses. Elle avait envie de tendre la main pour la tenir, au-delà des siècles innombrables, comme l'avait tenue celui qui l'avait fabriquée. Ce serait comme toucher une étoile.

Ce ne fut qu'en sortant de la tente que Myrtle la rattrapa.

– Faith, lança-t-elle, as-tu vraiment besoin de te couvrir de ridicule ?

Peu après, Lambent s'élança hors du tunnel avec les « messieurs ». Howard avait l'air poussiéreux et hébété.

– ... notre tunnel n'a donc pas encore rejoint la grotte, déclara Lambent, mais aucun obstacle ne peut résister à un tonneau de poudre. Laissez-moi vous montrer comment nous nous sommes rapprochés de la grotte à partir de la surface !

Tandis que Myrtle restait dans la tente de Bédouin, Lambent conduisit le reste de la famille Sunderly sur un sentier tortueux et nettement plus long que le précédent. Arrivée au sommet de la colline, Faith contempla un plateau herbeux bosselé, parsemé de broussailles.

– Faites attention en marchant ! les prévint Lambent d'un ton jovial. C'est ici que le chien de notre vicaire est tombé sur un précipice inattendu, et il se pourrait qu'il y en ait d'autres !

Devant eux, au fond du creux le plus important, se dressait une plate-forme en bois flambant neuve. Faith s'aperçut qu'elle était percée d'un trou allongé en son centre. Au-dessus du trou, un cadre robuste soutenait un pivot autour duquel était enroulée une grosse chaîne, un peu comme le mécanisme permettant de descendre un seau dans un puits. Toutefois, le seau était remplacé ici par une sorte de cage sans toit, à la base carrée en métal et aux parois hautes d'environ un mètre.

– J'ai récupéré ce vieux mécanisme dans une mine abandonnée de l'autre côté de l'île, expliqua Lambent. Et c'est ce brave vieux qui tire...

Il désigna un cheval vigoureux, dont le licou était attaché à la chaîne.

– Nous avions besoin d'un tel dispositif, car le précipice fait bien dix mètres de profondeur.

Saisissant la main de Faith, Howard se haussa sur la pointe des pieds pour observer l'entrée du puits.

– Ah ! s'exclama Lambent. Notre jeune chasseur est en train de jauger la cage ! Auriez-vous envie de faire un petit tour dedans, monsieur ?

Il jeta un coup d'œil au pasteur.

– Qu'en dites-vous, révérend Sunderly ? Cela lui plairait-il d'être l'une des premières personnes depuis l'âge de pierre à voir ces grottes ? Nous pouvons le faire descendre de trois ou quatre mètres avec un des hommes et une lanterne, juste assez bas pour qu'il puisse apercevoir la caverne.

Les yeux du pasteur se mirent à briller faiblement. Il regarda Howard, et Faith comprit que l'idée le séduisait. Il imaginait son fils contemplant une caverne préhistorique au mystère encore intact... Ce serait une sorte de baptême. Il acquiesça d'un signe de tête presque imperceptible, et Faith sentit la jalousie et la tristesse l'envahir.

Elle remarqua vaguement que Ben Crock parlait à l'oreille de Lambent d'un air contrarié. Elle entendit les mots « enfant » et « risque ». Mais ses arguments, quels qu'ils fussent, furent repoussés d'un geste.

Lambent fit signe à Howard d'approcher, mais le petit garçon se cramponna à la manche de Faith. Il agitait de nouveau sa mâchoire, le visage rouge tant il était frustré de ne pas arriver à articuler un mot.

– Il descendra si je l'accompagne, chuchota Faith à son père, mue par une impulsion subite.

C'était plus fort qu'elle. Bien sûr, elle aurait préféré que son père se tourne vers elle en disant : « Faith, je veux que tu voies ce spectacle, que tu sois présente. » Mais si le seul moyen de parvenir à ses fins était de suivre le sillage de son petit frère, cela vaudrait mieux que rien.

De fait, le pasteur ne la foudroya pas du regard. Peut-être avait-il remarqué que Howard paraissait un peu moins effrayé, à l'idée que sa sœur vienne avec lui.

Il hocha la tête. Faith regarda avec excitation les hommes préparer la cage, en fixant une lanterne à un crochet sur le cadre. Sur l'insistance de Ben Crock, ils accrochèrent également des cordes sur les côtés, afin d'empêcher la cage de tournoyer.

L'un des côtés de la cage avait des gonds comme une porte, et on l'ouvrit pour que Faith et Howard puissent entrer.

– Asseyez-vous, ce sera plus sûr ! lança Crock.

Ils s'exécutèrent. En voyant le front soucieux du colosse, Faith sentit elle-même la peur la gagner, mais l'excitation était la plus forte.

Elle passa son bras autour de Howard tandis que leur cage commençait à descendre au bout de la chaîne. Dépassant le cadre en bois, ils se retrouvèrent entre des parois rocheuses rougeâtres, d'aspect irrégulier. Les yeux de Howard brillaient à la lueur de la lanterne.

– Nous voilà en pleine aventure, Howard ! chuchota Faith. Nous allons remonter le temps ! Nous nous dirigeons vers une époque lointaine, où ceci n'était pas une île mais le sommet d'une montagne. Il n'y avait pas de mer, rien que la terre recouverte d'une couche de neige plus haute qu'une maison. Des mammouths la parcouraient en faisant trembler le sol. Il y avait d'immenses troupeaux de rennes secouant leurs ramures, des rhinocéros au pelage hirsute, gros comme des chevaux de labour, et des fauves aux crocs semblables à des sabres.

Le passé l'environnait. Elle sentait son odeur. Il n'avait pas l'air mort mais plein de vie, et aussi curieux d'elle qu'elle l'était de lui.

Le puits s'élargissait, comme s'ils traversaient le goulot d'une bouteille. La lanterne éclairait la roche déchiquetée autour d'eux. Sous eux, tout était noir.

La chaîne se déroulait avec un grincement monotone qui résonnait dans le précipice, puis on entendit un tintement léger, suivi d'un craquement sourd.

La cage se mit à tomber.

Il y eut comme un instant d'apesanteur, de désespoir vertigineux. Puis Faith entendit la cage racler les parois rocheuses, Howard pousser des hurlements. Une franche terreur l'envahit d'un coup. La cage s'immobilisa brusquement, avec une secousse qui l'inclina en avant. Faith retint avec son bras Howard qui s'effondrait, en agrippant de sa main libre le bord de la cage. Un objet métallique heurta violemment son dos. C'était le bout de la chaîne fixée à la cage. Elle se rendit compte que les cordes étaient tendues à se rompre. La cage se balançait au-dessus du gouffre obscur, et Faith poussa un gémissement. Seules les cordes avaient interrompu leur chute. Au-dessus d'eux, elle entendit des cris, mais les échos rendaient les mots incompréhensibles.

Sur un rythme hésitant, saccadé, la cage se mit à remonter. Levant les yeux, Faith ne distingua qu'un morceau de ciel où se détachaient des têtes. Tandis que la cage oscillait, elle voyait les cordes fines racler la roche et commencer à s'effilocher.

– Chut, Howard, chut, Howard, chut…

C'était comme une incantation. Rien n'était réel en ce monde, en dehors des sanglots du petit garçon.

Le ciel se rapprocha. Des bras se tendirent vers la cage. Faith attrapa Howard sous les aisselles et le souleva aussi haut qu'elle put. Elle sentit ses bras endoloris faiblir sous ce fardeau, puis Howard s'éleva en agitant les jambes – il faillit la frapper à la tête.

La cage commença à monter plus vite, les bras se tendirent de nouveau, et cette fois ils agrippèrent ses mains, ses bras. Ils la tenaient. Ils la firent sortir du gouffre, et elle se retrouva assise sur l'herbe. Elle avait peine à croire qu'elle avait survécu.

Ensuite, il y eut force vociférations. Lambent était particulièrement horrifié et furieux. Étant le magistrat de l'île, il voulait trouver un coupable, mais il s'avéra bientôt qu'on ne pouvait sans doute incriminer aucun des assistants. Son courroux se concentra alors sur l'homme qui lui avait vendu le vieux mécanisme de la mine.

Howard pleurait. Il avait besoin qu'on vérifie qu'il n'était pas blessé, qu'on l'essuie avec des mouchoirs, qu'on le cajole, qu'on le console, qu'on lui offre des bonbons. Le pasteur était en proie à une colère froide, mais il s'adoucit devant les excuses qu'on lui présentait. Après tout, qui aurait pu s'attendre à ce qu'une chaîne aussi grosse se casse ? Et grâce aux cordes, il n'y avait pas eu vraiment de danger.

Faith rejoignit d'un pas chancelant Ben Crock, qui s'était assis sur l'herbe pour reprendre haleine. Ses deux mains portaient les marques brûlantes de la corde.

– Merci, murmura-t-elle en regardant ses mains d'un air entendu.

– Aucune dame placée sous ma responsabilité ne devrait avoir une telle frayeur, se contenta-t-il de répondre. J'espère que vous pourrez me pardonner, Miss.

5
Crânes et crinolines

Les Sunderly rentrèrent chez eux pour se changer et se disputer au sujet des récents événements. Il sembla un moment que Myrtle, dans son indignation, refuserait d'aller prendre le thé chez les Lambent. Il fallut lui répéter une douzaine de fois que ses enfants n'avaient jamais été vraiment en danger pour qu'elle se laisse enfin fléchir.

Faith garda le silence. Elle se rappelait encore l'horreur qui l'avait étreinte quand Howard avait paru sur le point de tomber de la cage. À cet instant-là, elle avait bel et bien eu l'impression d'un danger mortel.

Myrtle n'était nullement certaine que Faith fût incluse dans l'invitation des «dames de la famille». S'il avait été question d'un dîner, l'adolescente serait évidemment restée avec Howard. Cependant, un thé constituait un cas légèrement différent. Myrtle finit par décider que Faith viendrait. Pour sa part, Faith soupçonnait sa mère d'avoir simplement envie d'une femme de chambre officieuse pour l'accompagner.

L'occasion fut jugée suffisamment importante pour que Myrtle accepte de serrer un peu plus que d'ordinaire le corset que Faith portait «pour s'entraîner». En revanche, elle refusa d'accorder à sa fille une jupe plus longue, à la manière des adultes. Faith connaissait quelques filles de son âge, et elle avait vu au fil des ans le bas de leurs robes se rapprocher du sol. La plupart avaient accédé à de vrais corsets de femme, ce qui accroissait l'embarras de Faith pour son propre corset d'enfant, flottant et incommode. Elle se demandait parfois si Myrtle ne la maintenait pas dans l'enfance par vanité, plutôt que d'admettre qu'elle était assez âgée pour avoir une fille presque adulte.

Au moment du départ, Myrtle remarqua les gants au crochet de Faith.

– Où sont tes gants de chevreau ? lança-t-elle.

– Je… je ne sais pas, répondit Faith en rougissant. Je suis certaine que je les avais sur le bateau…

Elle insinuait ainsi timidement que ces pauvres gants étaient tombés par-dessus bord.

– Oh, Faith !

Myrtle pinça les lèvres d'un air aussi impatient que contrarié.

La maison de Lambent se dressait au sommet d'un promontoire, à moins de deux kilomètres des fouilles. Un panneau en bois défraîchi annonçait que la maison s'appelait The Paints. Ses quatre étages de brique rouge bravaient le mauvais temps, mais la clôture et les petits arbres qui l'entouraient avaient rendu les armes devant le vent, et s'inclinaient peureusement jusqu'au sol herbeux. Les écuries et la remise étaient imposantes. Des beagles aboyaient dans le chenil.

Comme toujours, il fallut une manœuvre délicate pour sortir Myrtle de la voiture de Lambent. Sa crinoline, cette cage de toile et de baleines se bombant à l'arrière de ses jupes, oscillait avec force craquements et révélait en s'inclinant en arrière ses mignonnes chaussures à nœuds.

Les Sunderly avaient à peine pénétré dans le vestibule qu'ils furent interceptés par Lambent.

– Venez ! Laissez-moi vous présenter à tout le monde !

Il les conduisit dans une pièce apparemment vouée aux trophées de chasse. Le carrelage blanc et noir était jonché de bardanes et de poils de chien. Des bois de cervidés fixés aux murs y projetaient leurs ombres ramifiées. Il y avait aussi des masques africains, des sculptures chinoises en jade, une défense de narval, un boomerang, et d'autres souvenirs de pays étranges et exotiques.

Une douzaine d'invités étaient occupés à bavarder, des hommes pour la plupart. Faith reconnut le docteur Jacklers et Clay, mais les autres lui étaient inconnus.

Quand sa famille entra dans la pièce, Faith observa nerveusement l'assistance, en cherchant sur tous les visages des traces de froideur ou de mépris. Cependant, lorsqu'on présenta son père, elle ne vit que de l'enthousiasme, de la curiosité et du respect. Si jamais le venin de la médisance avait infecté le nom de son père, aucune personne dans l'assistance n'était au courant.

Comme toujours, les flatteries se heurtèrent à la réserve glacée du pasteur mais trouvèrent un exutoire dans le charme débordant de Myrtle, qui les absorbait comme un mouchoir de dentelle. Elle s'attira bientôt les bonnes grâces des messieurs, en se montrant spirituelle mais non trop intelligente. Pendant ce temps, l'oncle Miles sortit de sa boîte à tabac un fossile de crustacé qu'il tenta de montrer, malgré les efforts de Myrtle pour l'en empêcher.

Faith se retrouva à côté du docteur Jacklers, qui ne savait manifestement que lui dire.

– Parlez-moi des crânes ! chuchota-t-elle.

C'était une proposition hardie, peut-être déplacée chez une dame, et Faith ne l'aurait pas risquée si Myrtle avait pu l'entendre. Mais l'empressement de Crock à lui répondre avait donné à Faith comme une assurance nouvelle. Et si les règles étaient différentes à Vane ? Peut-être pourrait-elle montrer de l'intérêt pour les sciences naturelles sans paraître bizarre ?

– Ah, vous voulez faire plaisir à un vieillard ! répliqua-t-il en riant de toutes ses solides dents blanches. (Mais il ne demandait pas mieux, bien entendu.) J'ai une collection de crânes. Non que je veuille effrayer de charmantes demoiselles comme vous, mais je suis en train d'écrire une étude sur le cerveau humain et les origines de l'intelligence. Je mesure également les têtes de mes patients. Même s'ils arrivent avec un simple rhume, je trouve le moyen d'enrouler un mètre autour de leur crâne.

– Vous êtes donc un craniomètre ?

À peine eut-elle prononcé ce mot qu'elle vit s'effacer le sourire du médecin et comprit qu'elle avait commis une erreur. Alors qu'il prenait plaisir à lui donner des explications, elle avait tout gâché en se montrant trop savante.

– Est-ce… est-ce le mot exact ? (Elle le savait parfaitement, mais elle déglutit et prit un ton hésitant.) Il me semble l'avoir entendu quelque part…

– Oui, dit le médecin en reprenant peu à peu son assurance face à la timidité de Faith. C'est bien le mot exact, ma chère. Bravo !

Tandis qu'il continuait de décrire sa collection de crânes, Faith l'écouta avec amertume. Elle s'en voulait terriblement d'avoir utilisé un terme trop technique. Quelqu'un était en train de lui parler de science, et il s'interromprait sur-le-champ si elle donnait l'impression d'en savoir trop. Bien entendu, il lui expliquait des choses qu'elle connaissait déjà, comme si elle avait la moitié de son âge, mais elle devait s'estimer heureuse, même pour si peu.

Au temps où elle avait neuf ans et commençait à essayer de comprendre les livres de son père, Faith avait été si désireuse de faire parade de son savoir ! Chaque fois que des visiteurs venaient à la maison, elle ne pouvait se taire sur ses dernières découvertes et sur les mots qui venaient d'éveiller son imagination. Elle voulait les impressionner – prouver à son père et à tous les autres qu'elle était intelligente. Ses efforts étaient toujours accueillis d'abord par des rires étonnés, puis par un silence gêné. Les gens ne se montraient pas précisément hostiles, mais au bout d'un moment ils l'ignoraient poliment, comme si elle était une tache sur la nappe. Elle s'endormait en pleurant, ensuite, consciente de n'avoir pas été intelligente mais stupide, tellement stupide. Elle avait embarrassé tout le monde, elle avait tout gâché.

Les rejets avaient usé Faith. Elle ne luttait plus pour recevoir des éloges ou être prise au sérieux. Réduite à l'humilité, elle n'aspirait qu'à avoir le droit de participer d'une façon ou d'une autre à des conversations intéressantes. Malgré tout, chaque fois qu'elle feignait l'ignorance, elle se détestait et détestait son propre désespoir.

– Plus le crâne est gros, plus l'intelligence est développée, poursuivit le médecin, emporté par son sujet. Vous n'avez qu'à regarder la différence de taille entre le crâne de l'homme et celui de la femme. Le crâne de l'homme est plus gros, ce qui montre sa supériorité intellectuelle.

Le médecin sembla soudain se rendre compte qu'il manquait de tact.

– L'esprit féminin est tout à fait différent, se hâta-t-il d'ajouter, et certes délicieux à sa manière! Mais un intellect trop développé le gâterait, l'alourdirait, comme une pierre dans un soufflé.

Faith rougit. Elle se sentait accablée et trahie. Trahie par la science. Au fond d'elle-même, elle avait toujours cru que la science, contrairement aux gens, ne la jugerait pas. Les livres de son père s'étaient ouverts sans protester sous ses doigts. Les revues ne s'étaient pas dérobées à son regard trop féminin. Mais apparemment la science l'avait soupesée, étiquetée et jugée défectueuse. La science avait décrété qu'elle ne pouvait être intelligente… et que si jamais elle l'était, par miracle, cela signifiait qu'elle avait en elle une tare terrible.

– Ah, je connais ce refrain! lança une voix de femme dans le dos de Faith. Le docteur Jacklers nous dénigre une fois de plus à cause de nos petits crânes!

C'était la dame qu'on avait présentée comme «Miss Hunter,

notre receveuse des postes et télégraphiste ». Elle était petite, brune et soignée. Ses mouvements vifs rappelèrent à Faith une poule d'eau. Ses doigts dodus et gantés ne cessaient d'ajuster et de lisser ses vêtements, mais son regard était aussi ferme que perspicace.

– Pardonnez-moi, docteur, je ne voudrais pas vous rapetisser à mon tour !

Miss Hunter sourit d'un air affable. Faith se méprenait-elle en la trouvant passablement ironique ?

Cela dit, il était impossible de se méprendre sur la réaction du docteur Jacklers. Son visage rougeaud devint presque violet et il jeta à Miss Hunter un regard amer. Il n'était certes pas un homme imposant, et Faith se demanda si la télégraphiste ne s'était pas moquée subrepticement de sa petite taille. Néanmoins, elle avait l'impression que quelque chose lui échappait.

– Je disais simplement, s'obstina le médecin d'une voix légèrement tendue, que le Tout-Puissant avait destiné chacun d'entre nous à la place qui nous revenait en ce monde…

Mais ces propos furent fatals. La conversation vira aussitôt à un débat animé sur l'évolution.

Les naturalistes aimaient débattre et discuter. Au presbytère, Faith s'était habituée à voir les invités de son père boire leur thé en échangeant des compliments affables, tout en faisant courir leurs théories rivales comme des poneys primés. Toutefois, les désaccords sur l'évolution prenaient toujours un tour différent. On sentait une peur, derrière, une âpreté.

C'étaient cette âpreté et cette tension que Faith retrouvait maintenant dans la conversation. Non sans surprise, elle constata que Clay, toujours si doux et si courtois, se montrait l'un des orateurs les plus fervents et les plus virulents.

– Lamarck et Darwin sont en train de conduire le monde à une grave erreur ! proclama-t-il. En disant que les espèces se transforment, nous disons qu'elles ont été créées imparfaites ! Nous critiquons Dieu lui-même !

– Mais, Clay, que faites-vous des vestiges d'animaux éteints ? objecta Lambent. Le mastodonte ! Le grand ours des cavernes ! Les aurochs ! Les dinosaures !

– Ils ont tous péri lors du Déluge, répondit Clay sans hésiter. Ou dans des catastrophes du même genre. Notre Seigneur a jugé bon d'effacer le passé à plusieurs reprises, afin de créer à chaque fois des espèces nouvelles pour se réjouir de son monde.

– Mais les fossiles… la plupart d'entre eux doivent remonter à des centaines de milliers d'années au moins, bien avant le Déluge…

– C'est impossible, assura Clay d'un ton sans réplique. Grâce à l'Écriture, nous connaissons l'âge du monde. Il ne saurait avoir plus de six mille ans.

Les assistants les plus âgés accueillirent cette déclaration avec des hochements de tête approbateurs. Les autres paraissaient affligés et plutôt embarrassés. Clay sembla remarquer leur silence.

– Docteur Jacklers, lança-t-il. C'était aussi votre opinion ! Je me souviens que vous parliez de ces sujets avec mon père…

– Peut-être, il y a dix ans, répliqua le médecin d'un air gêné. Clay… tout a changé, dans les dix dernières années.

Faith était la fille d'un naturaliste et savait ce que le médecin voulait dire. Le monde avait bel et bien changé. Son passé avait changé – et tout le reste avec lui. Autrefois, tout le monde connaissait l'histoire de la Terre : elle avait été créée en une semaine, et l'homme avait été chargé de la gouverner. Et l'histoire du monde ne pouvait évidemment pas remonter à plus de quelques millénaires…

Puis des scientifiques avaient découvert combien de temps il fallait à la roche pour se plisser comme une pâte feuilletée. Ils avaient trouvé des fossiles, et d'étranges crânes d'hommes difformes, au front fuyant. Après quoi, alors que Faith avait cinq ans, un livre sur l'évolution appelé *De l'origine des espèces* avait paru et ébranlé le monde, qui avait été secoué comme un bateau touchant le fond.

Et le passé inconnu avait commencé à s'étendre. Des dizaines de milliers, des centaines de milliers voire des millions d'années… et plus les temps obscurs s'étendaient, plus la glorieuse humanité rétrécissait. L'homme n'avait pas été présent dès le début, et la création ne lui avait pas été offerte. Non, il n'était qu'un tard-venu, dont les ancêtres s'étaient péniblement arrachés à la boue pour se traîner sur la terre.

La Bible ne mentait pas. Tout scientifique honnête et pieux le savait. Mais les roches, les fossiles et les ossements ne mentaient pas non plus, et on avait de plus en plus l'impression qu'ils ne racontaient pas la même histoire.

– La vérité n'a pas changé ! s'écria un vieillard fluet aux longs cheveux blancs. Seul change l'esprit de ceux qui doutent ! Puis-je vous rappeler que nous avons parmi nous le révérend Erasmus Sunderly, dont la trouvaille la plus remarquable atteste la véracité de l'Évangile ?

Tous les yeux se fixèrent sur le père de Faith, qui ne daigna pas lever les yeux.

– J'ai été l'un des premiers conviés à examiner sa trouvaille de New Falton, continua le vieillard. En découvrant alors une épaule humaine fossilisée portant des traces indistinctes d'ailes, j'ai ressenti comme une crainte respectueuse. J'ai compris aussitôt de quoi il s'agissait. « Voici l'un des antiques Nephilim, ai-je dit, et il est aussi authentique que moi. Je suis prêt à mettre en jeu ma réputation pour lui ! »

Un tremblement nerveux agita la joue du pasteur au mot « réputation ». Faith fut envahie par une immense compassion. Elle aurait tellement voulu se réjouir que son père eût un partisan aussi ardent, mais la déclaration de vieillard avait quelque chose d'éperdu, qui la troublait malgré elle.

– Mes chers amis, dit Lambent, je ne pense pas que cette conversation soit appropriée en présence de dames.

Les dames s'éclipsèrent. Depuis un moment, on sentait une légère tension, comme une politesse forcée. La compagnie de leurs compagnes était charmante, mais à présent les messieurs avaient envie qu'elles s'en aillent savourer leur thé, afin que les hommes puissent avoir leur réunion scientifique et parler librement.

Le cœur de Faith se serra quand elle dut suivre les femmes. « Tel est ton avenir, dit en elle une voix cruelle. Tu passeras ton temps à quitter des réunions scientifiques auxquelles il ne t'est pas permis d'assister. »

À mi-chemin du couloir, elle remarqua une porte ouverte sur une pièce minuscule sentant la poussière et le formol. La lumière se déversant à travers les hautes fenêtres faisait briller des vitrines de verre et les yeux d'animaux empaillés. C'était un cabinet de curiosités, l'antre d'un naturaliste.

Faith lança un coup d'œil à Myrtle et aux autres dames, dont aucune ne faisait attention à elle. Elle eut un mouvement de révolte. Un refrain familier s'imposa à elle : « À défaut de manger à la table, je peux attraper quelques restes ! »

Elle se glissa dans la petite pièce et ferma adroitement la porte dans son dos, sans le moindre bruit.

Enchantée, fascinée, Faith examina les vitrines une à une. Des œufs d'oiseaux. Des papillons. Des peaux séchées de lézards et de petits de crocodiles. Des dépouilles parcheminées de plantes carnivores, aux dents en forme d'épines et aux étamines semblables à des langues. Chaque spécimen était pourvu d'une étiquette rédigée avec minutie.

Une mangouste empaillée était à jamais prisonnière des anneaux noir et jaune d'un serpent. La couleur et le motif des écailles rappelèrent à Faith le serpent de son père, ce qui la mit un peu mal à l'aise.

En examinant les spécimens exposés dans la vitrine la plus importante, elle se sentit gagnée par une étrange nausée. Un blaireau albinos empaillé était tapi entre une mouche conservée dans une goutte d'ambre luisante et une racine évoquant grossièrement un être humain. Un porcelet à deux têtes flottait dans un énorme bocal, plongé dans un pâle sommeil éternel.

L'étiquette principale annonçait: *Accidents de la Nature.*

« Moi aussi, je suis un monstre, se dit Faith, soudain écœurée. Un petit cerveau de femme rempli à craquer. Peut-être est-ce l'origine de tous mes problèmes, de ma tendance à la sournoiserie et à l'espionnage. »

À peine Faith fut-elle sortie de la petite pièce, Myrtle fit son apparition, impatiente, les lèvres pincées.

– Au nom du Ciel, pourquoi traînes-tu ainsi ?

– Je suis désolée, Mère, je me suis perdue...

Faith ne termina pas sa phrase et vit avec satisfaction sa mère passer de l'irritation à une résignation fatiguée.

– Ce n'est pas le moment de flâner et de rêvasser, déclara Myrtle en redressant le col droit de Faith. Ces dames vont se faire leur opinion sur notre famille et il est essentiel qu'il n'y ait aucun malentendu. Nous ne devons pas montrer trop d'empressement. Si nous les laissons nous prendre de haut, toute l'île le fera dès demain.

Faith suivit Myrtle dans un salon vert où une demi-douzaine de dames étaient assises pour le thé. Un feu féroce brûlait dans la cheminée. S'il régnait une tiédeur agréable dans la salle des trophées, cette pièce-ci était chaude et étouffante.

Une femme que Faith n'avait pas encore vue trônait dans un fauteuil en osier près du feu. Elle avait un grand front majestueux et un chignon vaporeux de fins cheveux blond pâle. À en juger par les couvertures qui l'enveloppaient, elle était malade.

– Entrez, je vous prie, que mon valet puisse fermer la porte. Il fait plus chaud près du feu. Je suis Agatha Lambent.

Sa voix grave était agréable mais retombait à la fin de chaque phrase d'un ton affligé, comme si elle succombait sous son propre poids.

Dans la salle des trophées, les messieurs devaient lâcher la bride à leur conversation. De même, dans ce salon, les dames se détendaient discrètement et s'affirmaient davantage, en profitant de l'espace laissé par les hommes. Elles ne changeaient pas en apparence, mais elles se déployaient comme des fleurs – ou des poignards.

Faith sentait que sa mère formait des jugements rapides. Tout le monde avait sa place sur une échelle invisible. Il était aisé de savoir que les ducs étaient au-dessus de vous, et les femmes de chambre loin en dessous. Mais il existait des milliers d'échelons, certains séparés par une distance presque imperceptible, et Myrtle tenait toujours à estimer le niveau des gens à un centimètre près.

Les yeux bleus de Myrtle firent promptement le tour de la pièce et de ses occupantes. Mrs Lambent paraissait aussi anglaise que les Sunderly, mais les murmures de bienvenue des autres dames avaient révélé un accent régional. Leurs robes étaient de bonne qualité, mais pas tout à fait à la mode. La plupart portaient d'énormes crinolines, lesquelles étaient en vogue deux ou trois ans plus tôt. Au contraire, Myrtle arborait la « demi-crinoline », aplatie sur le devant, qui était maintenant le dernier cri.

En tressaillant intérieurement, Faith vit sa mère s'avancer avec assurance, faire des révérences polies mais légèrement condescendantes. Elle comprit qu'elle prétendait à une position à peine moins élevée que celle de Mrs Lambent, et un peu supérieure à celle des autres dames. Peut-être étaient-elles éminentes dans l'île, mais elles n'étaient toutes que des provinciales.

– Comme c'est aimable à vous de nous avoir invitées ! dit Myrtle à Mrs Lambent.

Toute son attitude proclamait suavement : « Et comme c'est aimable à nous d'être venues ! »

Faith s'assit en s'efforçant de ne pas se tortiller sur sa chaise. Son corset resserré lui donnait l'impression d'être nettement plus adulte, mais elle avait toujours du mal à rester immobile, et les bretelles s'enfonçaient dans ses épaules.

Myrtle était plus jeune que la plupart des femmes présentes, mais elle ne se soumettait nullement à leurs opinions. Elle les contredisait au contraire, avec force « Ah, mais j'ai toujours trouvé à Londres... » ou « Eh bien, je me souviens qu'un Londonien m'a dit un jour... ». Avant son mariage, elle avait grandi dans la capitale, et c'était son atout majeur.

« Arrêtez, je vous en prie, la supplia Faith en silence. Devons-nous vraiment faire en sorte que tout le monde nous déteste ? Et si nous restons exilés sur cette île pendant des années ? »

Seule la brune Miss Hunter semblait indifférente au manège de Myrtle, qu'elle observait au contraire avec l'attention joyeuse et impatiente d'un spectateur assistant à une pièce amusante.

« Je ne suis pas à ma place ici, se dit Faith avec désespoir. Je n'ai rien à faire dans cette pièce remplie de tasses de thé, de bonnets et de commérages... »

Elle essaya de ne pas écouter sa mère, ni les chuchotements acerbes s'élevant dans les coins. En observant la pièce, elle s'aperçut qu'elle débordait d'objets religieux – livres de prières, canevas portant des extraits des psaumes, *momento mori* tels que crânes en porcelaine ou couronnes de fleurs noires. Peut-être la maladie de Mrs Lambent tournait-elle toutes ses pensées vers l'au-delà. En tout cas, elle semblait décidée à ne pas aller en enfer faute d'ornements pieux.

– Faith ! lança Myrtle.

Faith sursauta et découvrit que les grands yeux de Mrs Lambent la fixaient gravement. Comprenant qu'on venait probablement de lui poser une question, elle rougit.

– Veuillez excuser Faith, elle ne s'est pas encore remise de notre voyage d'hier, dit Myrtle en lançant à sa fille un regard qui ne l'excusait certes pas.

– Il a dû être très fatigant, approuva Miss Hunter. D'autant que vous n'avez emmené aucun de vos domestiques, si j'ai bien compris ?

Son sourire était un rien trop aimable.

– Nous avons loué la maison avec tout son personnel, se hâta de répliquer Myrtle.

– Oh, je vous comprends tout à fait ! déclara Miss Hunter en agitant ses jolies mains potelées. Lorsqu'on mêle les domestiques de maisons différentes, on s'expose à de tels ennuis. Nous connaissons toutes leurs commérages !

La tasse de Faith heurta bruyamment sa soucoupe. Les paroles de Miss Hunter faisaient écho trop nettement à ses propres soupçons. Si les Sunderly n'avaient pas emmené leurs domestiques, c'était pour éviter qu'ils ne bavardent.

– J'espère vraiment que vous trouverez tout ce qu'il vous faut à Vane, continua Miss Hunter avec affabilité. Nous ne manquons pas d'une certaine vie sociale, et les modes de la capitale finissent par nous arriver, tôt ou tard. Nous recevons même... les journaux de Londres. Avec un jour de retard, d'ordinaire, mais les nouvelles ne sont pas comme le lait, elles se conservent longtemps.

Son ton restait neutre, mais on ne pouvait se méprendre sur ses intentions polémiques.

– J'ai une prédilection pour l'*Intelligencer*. Vous arrive-t-il de le lire, Mrs Sunderly ?

– Je préfère le *Times*, répliqua Myrtle avec plus de morgue que nécessaire, en tournant nerveusement sa cuiller dans sa tasse.

Faith baissa la tête, en espérant qu'on ne pouvait lire ses sentiments sur son visage. Elle avait commencé à croire que les bruits malveillants sur son père n'avaient pas atteint Vane, mais les allusions de Miss Hunter n'étaient que trop claires.

Elle regarda sa mère et constata que les joues de Myrtle avaient blêmi.

« Mère sait tout, songea-t-elle. Elle devait connaître depuis le début les accusations contre Père.

« Finalement, nous n'avons pas réussi à distancer l'*Intelligencer*. Il nous a suivis jusque dans cette île. Miss Hunter doit déjà avoir appris le scandale… et bientôt tout le monde sera au courant. »

6
Les yeux jaunes

Tandis que la voiture de Lambent ramenait les Sunderly à Bull Cove, Faith tenta de rassembler son courage. Il fallait qu'elle parle à son père. Elle devait l'avertir des discours de Miss Hunter et lui dire que, quoi qu'il arrive, elle serait à son côté. Le voir endurer seul une telle épreuve la mettait au supplice.

Quand ils furent enfin chez eux et que Jeanne eut emporté leurs manteaux et leurs chapeaux, l'oncle Miles alluma une bougie et chercha à tâtons sa pipe, en se préparant à faire un petit tour en fumant, comme à son habitude.

Le pasteur l'arrêta sur le seuil.

– Miles, si vous sortez, restez à proximité de la maison. J'ai fait poser des pièges par le jardinier.

L'oncle Miles se mit à tousser, incrédule.

– Erasmus... est-ce bien sage ? Dans l'obscurité... si les gens n'ont pas conscience du danger...

– Je ne pense pas qu'on puisse considérer comme sage ou sans danger de laisser des intrus rôder la nuit dans la propriété, rétorqua le pasteur. Maintenant, si vous voulez bien m'excuser, je dois me rendre à la folie.

Il s'éloigna à grands pas dans le jardin.

Un peu plus tard, le pasteur revint avec une petite boîte en bois. En entrant, il tapa des pieds pour enlever la terre maculant ses chaussures. Faith prit son courage à deux mains.

– Père, pourrais-je... commença-t-elle.

Myrtle lança au même instant, en couvrant la voix plus hésitante de sa fille :

– Mon ami, pourriez-vous m'accorder un moment d'entretien ?

Son visage était empreint de cette vivacité circonspecte qu'elle arborait toujours pour aborder des sujets délicats avec son époux.

– Il faut que je vous parle de quelque chose.

– Cela va devoir attendre, répliqua sèchement le pasteur en contemplant la boîte dans sa main. Un autre problème réclame dès maintenant mon attention... toute mon attention. Je serai dans la bibliothèque. Qu'on ne me dérange sous aucun prétexte.

Dès le premier jour, le pasteur avait fait de la bibliothèque son bureau, de sorte qu'elle était interdite aux profanes.

Le père de Faith était passé maître dans l'art de faire de ses paroles des sentences définitives, de ses décisions des jugements sans appel. La porte de la bibliothèque se referma derrière lui. L'instant favorable était passé.

Faith alla dîner avec Howard, puis lui fit réciter ses prières et le coucha, en se demandant comment elle avait réussi à devenir à la fois sa nurse et son institutrice. Le petit garçon était somnolent mais opiniâtre, et jetait ses bras autour de son cou dès qu'elle faisait mine de partir.

Alors qu'elle caressait sa tête en lui chantant une berceuse, Faith fut arrachée à ses pensées par un bruit assourdi. Un cri bref et aigu retentit dans le jardin nocturne. Une renarde, peut-être, ou plutôt un enfant. Des portes s'ouvrirent puis se refermèrent au rez-de-chaussée. Il y eut des conversations à mi-voix, des exclamations inquiètes, des pas précipités.

Sortant furtivement de la chambre de son frère, Faith se

hâta de descendre et découvrit au salon sa mère, son oncle et Mrs Vellet, qui discutaient tout bas d'un air tendu.

– Madame, il faut faire venir un médecin... insistait Mrs Vellet.

– Je ne puis y consentir sans l'autorisation de mon époux...

Myrtle regarda nerveusement du côté de la bibliothèque.

– Erasmus a-t-il mis son veto ? demanda l'oncle Miles. Sait-il seulement qu'il y a un enfant blessé au seuil de sa maison ?

– Il a interdit qu'on le dérange, lança Myrtle.

Son ton était si éloquent que son frère sembla aussitôt se dégriser. Même sous l'influence du porto, l'oncle Miles n'était pas du genre à affronter la colère du pasteur.

– Miles, pourrais-tu par hasard...

– Myrtle, si j'avais de quoi payer le médecin, je le ferais venir sur-le-champ, mais je n'ai tout simplement pas assez sur moi pour le faire.

– Mrs Vellet...

Myrtle se tourna vers la gouvernante.

– Si l'on amenait l'enfant dans la cuisine, ne pourrait-on pas lui faire un pansement ?

– Bien sûr, madame. (Mrs Vellet semblait avoir quelque peine à garder son calme habituel.) Mais nous ne pouvons pas faire grand-chose de plus.

Tous trois étaient trop absorbés par leur conversation pour remarquer Faith, qui se dirigeait sans bruit vers la bibliothèque.

« Père voudrait qu'on le mette au courant, se dit-elle. J'en suis sûre. »

Elle frappa. Il y eut un silence, puis un bruit indistinct. Un raclement de gorge, peut-être, mais peut-être aussi un mot prononcé d'une voix étouffée.

Faith tourna la poignée, ouvrit la porte.

Les lampes à gaz étaient si basses qu'elles ne répandaient qu'une vague lueur dorée, mais la lampe en cuivre du bureau baignait la scène d'une clarté tremblante. Derrière le bureau, son père était renversé dans son fauteuil. Quand elle entra, il tourna très légèrement la tête dans sa direction et fronça les sourcils.

Faith voulait s'excuser, mais les mots moururent sur ses lèvres. Son père, qui se tenait toujours si droit, paraissait étrangement affaissé. Elle ne lui avait jamais vu ce visage pâle, ces traits relâchés. Soudain, elle eut la chair de poule.

Une odeur pesante flottait dans la pièce. C'étaient les mêmes relents froids que dans la folie, qui maintenant serraient sa gorge de leurs doigts glacés, faisaient claquer ses dents, larmoyer ses yeux. L'air en semblait imprégné.

– Père ?

Sa propre voix lui parut bizarre, comme étouffée par des soupirs. Tandis qu'elle avançait avec circonspection, ses pas étaient, eux aussi, étrangement assourdis. La pièce entière semblait haleter doucement.

Un porte-plume tremblait entre les doigts desserrés de son père. De l'encre s'amassait sur le papier sous la plume. Il avait griffonné quelques phrases, dont les lettres gauches et inégales ne ressemblaient en rien à son écriture habituelle.

Les pupilles de ses yeux étaient minuscules, d'un noir insondable. À la lueur de la lampe, on aurait cru que ses yeux gris avaient tourné à un jaune trouble et sale. Lorsqu'elle les observa, il lui sembla que les taches marbrant l'iris s'agitaient légèrement, comme des algues...

– Père !

Les yeux décolorés se fixèrent sur elle, leur regard se précisa. Il serra la mâchoire et son front se plissa peu à peu.

– Va-t'en.

Ce n'était qu'un chuchotement, mais elle n'avait jamais entendu un ton aussi venimeux dans la bouche de son père.

– Va-t'en !

Elle se détourna et sortit en courant, le cœur battant.

– Faith !

Myrtle pénétra dans le vestibule, juste à temps pour voir Faith fermer la porte dans son dos.

– Oh, ton père a terminé son travail pour ce soir ? Dieu soit loué ! Je dois lui parler…

– Non ! s'écria Faith en se plaçant machinalement devant la porte.

Même si elle ne comprenait pas vraiment ce qu'elle venait de voir, elle était sûre de vouloir le garder secret. Elle se rappelait des récits sur d'étranges narcotiques dont les vapeurs ravissaient la volonté des hommes et asservissaient leur esprit. Et si les ennuis de son père avaient fait de lui un opiomane ? Elle ne pouvait le dénoncer. Il avait déjà assez de mépris et de malveillance à affronter.

– Je… je suis allée l'informer qu'un enfant avait été pris au piège, lança-t-elle en hâte.

– Qu'a-t-il dit ?

Faith hésita. Le plus sûr était de répondre qu'il lui avait ordonné de sortir, sans lui donner la moindre instruction. Du reste, c'était la vérité.

– Il veut que nous fassions venir un médecin, déclara-t-elle à sa propre surprise.

Myrtle courut donner des ordres à Mrs Vellet. Le soulagement se lisait sur son joli visage rond.

Faith était sidérée d'avoir eu une telle audace. On découvrirait inévitablement qu'elle avait menti. Rendu agile par une longue expérience, son esprit chercha aussitôt une solution, mais aucune excuse, aucune explication ne lui vint. Elle n'osait s'imaginer face à son père, en train de lui apprendre qu'elle avait donné de fausses instructions en son nom.

« Père sera obligé de comprendre, se dit-elle. Si je n'avais pas agi ainsi, on l'aurait peut-être découvert, ou on lui aurait reproché d'avoir laissé cet enfant perdre son sang. Je n'ai fait que le protéger. »

En même temps, l'idée d'avoir un lien même insignifiant avec l'un des mystérieux secrets de son père l'emplissait d'une joie silencieuse.

Quelques instants plus tard, Faith regarda par la fenêtre et vit l'oncle Miles, le domestique de la maisonnée et Mrs Vellet aider une petite silhouette à rejoindre la maison. Quand ils furent assez proches pour être éclairés par la lumière de la fenêtre, elle distingua le jeune garçon, qui devait avoir autour de quatorze ans. Il était d'une pâleur inquiétante, les joues luisantes de larmes, le visage crispé par la douleur. En voyant l'étoffe nouée autour de sa cheville se tacher de noir, elle ne put retenir un frisson instinctif.

On ne l'autorisa pas à entrer dans la cuisine. Toutefois, assise dans la salle à manger voisine, elle entendait clairement les gémissements du garçon et les propos affolés des assistants.

– Non, tenez bien le bandage !

– Mrs Vellet, il est trempé ! Ça coule entre mes doigts !

Prythe, le domestique, accourut avec d'autres bandages improvisés. Quand il ouvrit la porte de la cuisine, Faith entrevit le jeune blessé allongé sur le tapis devant la cheminée. Jeanne pressait un linge rougi sur sa cheville et il poussait des jurons en serrant les dents, les yeux fermés.

– Je ne tolérerai pas un langage pareil dans ma cuisine, entendit-elle déclarer Mrs Vellet quand la porte se referma. Que ferez-vous, si vous mourez dans l'instant et si vous vous retrouvez en enfer pour avoir blasphémé ?

La voiture du docteur Jacklers arriva dans l'heure. Il s'inclina devant Mrs Sunderly et Faith, mais il arborait l'expression sérieuse du professionnel plutôt que le sourire de l'homme du monde.

– Comment va le garçon ? s'enquit-il aussitôt. Son état est grave, dites-vous ? Je l'espère bien ! Je viens de laisser une bonne tasse de cidre aux épices en train de refroidir sur mon buffet, et j'aurais été furieux qu'elle soit perdue pour rien !

Il demanda un peu de laudanum pour atténuer la souffrance du patient, ainsi qu'une tasse de thé brûlant pour se remettre de son voyage dans le froid.

– Je n'aime pas travailler avec les doigts gourds, et c'est de l'intérieur qu'on réchauffe le mieux un homme.

Après l'arrivée du médecin, la maison devint un peu plus calme. Il s'en alla au bout d'une heure, non sans s'être lavé les mains et avoir bouclé son sac.

– Comment va le pauvre enfant? demanda humblement Myrtle.

– Eh bien, les dents du piège n'ont pas atteint l'os, Dieu merci, mais elles se sont enfoncées à deux endroits dans la chair de la cheville. J'ai nettoyé ces deux plaies de mon mieux, et je les ai désinfectées au phénol.

Le médecin parut s'apercevoir que Myrtle pâlissait en l'écoutant. Il changea de sujet.

– Maintenant qu'il a un bandage étanche, je pense que je ferais aussi bien de le ramener chez lui. Je connais la famille Parris.

Ce nom disait quelque chose à Faith. Elle se rappela que l'homme devant lequel elle s'était enfuie après l'avoir rencontré dans les bois s'appelait Tom Parris, d'après Mrs Vellet. Vu son âge, le blessé pouvait très bien être son fils. Peut-être que toute la famille aimait ramasser des coquillages.

Quand on eut apporté son manteau au médecin, il regarda autour de lui en fronçant les sourcils, d'un air légèrement vexé. Faith se demanda s'il ne s'attendait pas à ce que son père vienne le saluer.

– Merci mille fois d'être venu à une telle heure!

Myrtle lui adressa un sourire aussi charmant que vulnérable, en lui tendant la main. Le mécontentement du docteur Jacklers s'évapora aussitôt comme rosée au soleil.

Beaucoup plus tard, après que toute la maisonnée fut allée se coucher, Faith quitta son lit sans bruit et mit sa robe de chambre. Se glissant au rez-de-chaussée, elle regarda par le trou de la serrure de la bibliothèque. Elle ne vit pas grand-chose, en dehors d'une étagère chargée de livres et d'un morceau de parquet, mais tous deux étaient encore éclairés par la lampe. En pressant son oreille contre la porte, elle perçut le grincement furtif d'une plume sur du papier, quelques grognements et un bruit évoquant un fauteuil changeant de place.

Le soulagement l'envahit d'un coup. Elle avait imaginé son père prostré, immobile, ou tentant désespérément de respirer. Ces images s'étaient dissipées et elle le voyait maintenant en elle-même assis à son bureau, vivant, conscient, occupé à écrire avec fièvre.

Sa main se referma sur la poignée, mais elle hésita. Le métal était glacé sous sa paume. Elle n'arrivait pas à oublier les yeux étrangement mobiles de son père, l'atmosphère malsaine de la pièce, son ton venimeux quand il lui avait ordonné de sortir. Elle préféra remonter sans bruit et se glisser dans son lit refroidi.

Quand elle s'endormit enfin, son esprit resta perturbé. Elle rêva qu'elle avançait péniblement dans un jardin glacé, rempli d'arbres enveloppés de givre. Au milieu du jardin, elle vit l'énorme tête en pierre de son père surgissant du sol, comme s'il avait été enterré jusqu'au cou. Il avait des yeux en verre jaunâtre, derrière lesquels s'agitaient des silhouettes sombres, qui ternissaient et atténuaient leur lumière. Son visage était couvert de mousse, mais quand elle tenta de l'arracher, la pierre se détacha aussi.

7
Un froid sournois

L'esprit de Faith resta vigilant, même dans son sommeil. Quand la maison commença à s'animer au petit matin, elle sortit de ses rêves sans s'éveiller tout à fait. Elle entendit une porte claquer au loin, de l'eau clapoter, un tas de bois s'effondrer.

Enfilant son manteau sur sa chemise de nuit, Faith descendit furtivement l'escalier, juste à temps pour voir Jeanne se diriger vers la bibliothèque avec le plateau du thé.

– C'est parfait, Jeanne, lança-t-elle en s'efforçant d'imiter l'air assuré de sa mère. Je vais porter le plateau.

Jeanne la regarda avec étonnement, puis jeta un coup d'œil à la porte. Faith crut voir sa curiosité sortir ses griffes comme un chat.

– Oui, Miss.

Après le départ de Jeanne, Faith prit le plateau et se glissa dans la bibliothèque, où régnait une obscurité presque complète. Les mêmes relents froids continuaient d'y flotter, auxquels s'ajoutait maintenant une odeur aigre évoquant des oranges pourries. Posant le plateau, Faith courut ouvrir la fenêtre et les volets, afin de laisser entrer l'air et la lumière. Si cette odeur était celle d'un opiacé, elle ne voulait pas que quelqu'un d'autre la remarque.

Tandis que le jour s'infiltrait dans la pièce, Faith constata que son père était toujours assis dans son fauteuil et portait les mêmes vêtements que la veille. Il était affalé sur le bureau. Faith sentit la panique la gagner, puis elle se rendit compte qu'elle l'entendait respirer.

Le bureau était couvert de livres ouverts et de papiers griffonnés. L'écritoire et le coffre de voyage du pasteur étaient ouverts, leur contenu éparpillé sur les sièges et même par terre. Au bord de l'étagère à livres, une bougie était restée à se consumer, de sorte qu'il y avait une marque noire sur le rayonnage du dessus et que des stalactites de cire pendaient en dessous.

Faith avait l'impression de commettre un blasphème en le regardant dormir. Même au repos, son visage avait la sévérité tranquille des monuments funéraires ou des statues antiques. Il semblait taillé dans une pierre inaltérable. Il était comme un jugement sculpté dans le marbre, un lieu où il fallait marcher sans bruit et chuchoter.

– Père ?

Le pasteur bougea, puis leva la tête avec lenteur et se redressa.

Il avait retrouvé ses yeux gris, même s'ils semblaient un peu lointains. Cependant, les brumes qui les voilaient se dissipèrent avec une rapidité troublante et il transperça Faith du regard.

– Que fais-tu ici ?

Elle se figea. Un instant plus tôt, elle avait eu l'impression de le protéger. À présent, cette idée paraissait aussi enfantine que présomptueuse.

– Jeanne apportait votre thé du matin. J'ai pensé… j'ai pensé que vous n'auriez pas envie qu'elle entre ici. Vous aviez l'air… hier soir, vous aviez l'air malade…

– J'avais pourtant demandé que personne ne vienne dans cette pièce !

Il plissa les yeux et sembla regarder à travers Faith. Il fronça les sourcils, comme si elle était un bien piètre télescope. Au moins, ses yeux avaient de nouveau leur éclat de silex.

– Je… je ne suis pas malade. Tu t'es trompée. (Son regard se durcit.) As-tu raconté à quelqu'un que j'étais malade ?

– Non, répondit Faith en secouant la tête avec énergie.

– Quelqu'un d'autre est-il entré ici ?

– Je ne crois pas...

Faith ne termina pas sa phrase. Elle suivit le regard de son père et aperçut près de la cheminée un nouveau tas de petit bois et un seau rempli de charbon. Elle avait oublié qu'on allumait la plupart des feux à cinq heures du matin. Manifestement, un domestique était entré pour allumer le feu, avait trouvé le pasteur endormi et s'en était allé en laissant de quoi faire une flambée dès que nécessaire.

Le pasteur observa ses papiers répandus. Il semblait maintenant en proie à une violente inquiétude.

– Ces papiers étaient-ils éparpillés ainsi la première fois que tu es entrée ?

Elle hocha la tête, et il entreprit de les ramasser pour les ranger de nouveau dans son écritoire. Quelques pages s'ornaient de dessins rudimentaires à l'encre. Il s'interrompit et les examina.

– Que signifient-ils ? murmura-t-il. Je mérite une réponse. J'ai tout sacrifié pour une réponse ! Comment tirer un sens d'un tel tissu d'absurdités ?

Faith accourut pour l'aider. Les dessins étaient étranges, imprécis. Une créature rappelant un rat appuyait ses pattes de devant sur un ovale mal tracé. Un animal aux allures de dragon dressait sa tête hâtivement griffonnée. Un visage à moitié humain, au front fuyant, lançait un regard hostile et stupéfait. Elle n'eut guère le temps d'en voir davantage avant qu'il lui arrache les dessins.

– Ne touche pas à ça ! lança-t-il avec brusquerie.

– J'essayais seulement de vous aider... (Le désespoir de Faith prit le pas sur sa prudence.) Je veux vous aider, Père ! Je vous en prie, dites-moi ce qui ne va pas ! Je vous promets que je n'en parlerai à personne !

Il la regarda un instant avec étonnement, puis l'impatience assombrit son regard.

– Tout va bien, Faith. Apporte-moi mon thé et laisse-moi travailler.

Le rejet faisait mal, comme toujours. Elle ne semblait jamais assez endurcie pour le supporter.

Faith prit un petit déjeuner typique de la nurserie : du thé froid et des œufs à la coque tellement cuits qu'ils semblaient sur le point de fondre. Elle était si soucieuse et affaiblie par le manque de sommeil qu'elle ne s'aperçut qu'à la fin du repas que Howard tenait subrepticement son couteau et sa fourchette dans les mauvaises mains.

Quand elle redescendit, elle s'aventura du côté de la salle à manger. Son père buvait du thé avec sa mère et son oncle, devant les restes de leur petit déjeuner. Il semblait aussi calme que d'ordinaire et tournait d'une main ferme les pages de son journal.

– Te voilà, Faith ! s'exclama Myrtle en l'apercevant. Il faut que tu ailles en ville avec moi aujourd'hui. Nous devons t'acheter de nouveaux gants de chevreau, puisque tu as perdu les tiens... Je me demande comment tu peux être aussi négligente !

Faith rougit et marmonna quelques mots d'excuse.

– Dépêche-toi de te préparer, lança Myrtle.

Elle regarda son époux d'un air passablement plus hésitant.

– Mon ami... si vous voyez le docteur Jacklers aux fouilles aujourd'hui, pourriez-vous en profiter pour le régler ?

– Le docteur Jacklers ? (Le pasteur observa son épouse comme si elle était un gribouillis incompréhensible sous son microscope.) Que voulez-vous que je règle ?

Le cœur de Faith se serra et elle regretta éperdument de ne pas avoir tout avoué à son père le matin même. C'était trop tard, le moment critique était arrivé. On allait découvrir qu'elle avait eu l'impudence incroyable de parler au nom de son père.

– Les honoraires pour ce jeune garçon pris dans un piège la nuit dernière... balbutia Myrtle.

– Comment ?

Le pasteur se leva d'un bond et lança un regard furieux sur le jardin.

– Vous… vous avez dit que nous devions faire venir le médecin, reprit Myrtle d'un air incertain.

Elle regarda du côté de sa fille.

Faith déglutit et affronta le regard de son père. Son expression était menaçante, changeante, difficile à interpréter. Faith eut l'impression qu'une tempête se préparait. Elle le vit parvenir en silence à une conclusion, mais elle n'aurait su dire laquelle.

Il se rassit avec lenteur, lissa son journal froissé.

– En faisant venir le médecin, déclara-t-il calmement, je supposais que la famille du garçon se chargerait de payer. Je ne vois pas pourquoi des intrus auraient ainsi le droit de vider nos poches, mais… puisque je dois voir le docteur Jacklers, je lui réglerai ses honoraires. Bien entendu, je parlerai également au magistrat, afin que la loi s'intéresse sérieusement à cette affaire.

Faith l'écouta avec un soulagement incrédule. Par miracle, la tempête semblait s'être calmée sans faire aucun dégât. Son père avait confirmé les dires de sa fille. Elle avait maintenant l'impression de partager plus qu'un secret avec lui : il lui semblait qu'ils étaient comme deux conjurés, même si elle ne comprenait pas vraiment pourquoi ni comment.

– De quel piège s'agissait-il ? demanda le pasteur.

Apparemment, il venait seulement d'y songer.

– Il se trouvait au milieu des arbres, un peu après la folie, répondit l'oncle Miles. Erasmus, j'espère vraiment que vous allez déplacer ce piège. Il est juste au bord d'une pente raide qui descend jusqu'au fond du vallon. En rentrant dans ce piège, quelqu'un pourrait tomber et se casser le cou. Et puis… ce n'est pas très légal, vous savez.

Le pasteur hocha la tête d'un air grave, mais Faith se demandait ce qu'il avait entendu du conseil de l'oncle Miles. En fait, elle n'était pas certaine qu'il ait rien écouté après le mot « folie ».

Lors de la réunion chez les Lambent, un des messieurs avait galamment proposé de mettre son cocher et sa voiture à la disposition de Myrtle pour la matinée, afin qu'elle puisse «se faire une idée de la ville». En découvrant que la voiture en question était un dog-cart, Myrtle ne put cacher un instant sa surprise et son dédain avant de sourire de nouveau. Elle s'installa à côté du cocher, tandis que Faith se juchait sur le siège arrière, d'où elle était exposée à tous les vents et voyait la route défiler à ses pieds.

Tandis que la carriole avançait sur la route côtière, Faith essayait encore de comprendre le comportement de son père et la grâce inespérée dont elle avait bénéficié. Le vent violent poussait des nuages gris dans le ciel bleu et la forçait à se cramponner à son bonnet. Des embruns chatouillaient sa joue, luisaient sur ses cils.

Le petit port lui parut plus amène au soleil de cette journée humide que lors de leur arrivée. Les maisons étaient peintes en blanc, jaune foncé ou bleu vif. Le soleil faisait briller les enseignes des auberges et la cloche de la petite place biscornue de la ville. L'odeur de la mer était partout.

Myrtle demanda au cocher de les attendre sur la place, puis elle descendit gracieusement, suivie de Faith. Ce jour-là, la cape, la robe et le bonnet de Myrtle étaient d'un bleu qui faisait ressortir celui de ses yeux.

L'une des boutiques les plus pimpantes arborait au-dessus de sa fenêtre une enseigne présentant des bonnets et des gants élégants. À l'intérieur de cette boutique minuscule mais impeccable, cinq ou six têtes en osier mettaient en valeur des bonnets à la dernière mode. Sur le comptoir de marbre s'alignaient fièrement des gants de différents styles, certains longs, avec une boutonnière au poignet, d'autres courts et pratiques à porter dans la journée.

La marchande était une petite femme au nez imposant et à l'air modérément suffisant. Après avoir écouté Myrtle, qui choisit un certain style de gants de chevreau, elle alla dans l'arrière-boutique chercher des paires que Faith puisse essayer. Quand elle revint, cependant, elle paraissait plus raide que jamais.

– Veuillez m'excuser, madame, mais il semble que nous n'ayons actuellement aucune paire à la pointure de votre fille.

– Aucune ? s'exclama Myrtle en haussant les sourcils. Mais c'est absurde ! Ma fille n'a même pas encore essayé un gant !

– Je suis désolée, madame, répliqua la marchande d'un ton suave, mais je ne peux rien pour vous.

En sortant dans la rue avec sa mère, Faith eut l'impression d'entendre des chuchotements enthousiastes dans l'arrière-boutique.

– C'est vraiment singulier, commenta Myrtle avec un calme affecté. Je me demande comment… Oh, regarde, Faith, voilà deux des dames que nous avons rencontrées hier !

En effet, la brune Miss Hunter marchait d'un pas vif de l'autre côté de la rue, en compagnie d'une femme plus âgée aux cheveux grisonnants. Myrtle leur adressa un charmant sourire en faisant une petite révérence.

Le regard de Miss Hunter se posa sur elles puis se détacha, comme une goutte d'eau glissant sur de la cire. Se tournant vers sa compagne, elle lui murmura quelques mots d'un air pince-sans-rire, et les deux femmes continuèrent de marcher sans prêter la moindre attention à Myrtle et à Faith.

– Elles ne nous ont pas vues, dit Myrtle d'une voix légèrement tremblante.

Son regard avait quelque chose d'enfantin, d'égaré.

Faith sentit soudain un poids sur son estomac. Ce n'était plus de l'inquiétude mais l'appréhension accablante de l'inévitable. Elles venaient d'essuyer un affront. Les affronts étaient réservés aux gens qu'on jugeait indignes de votre attention. Hier, elles avaient été admises dans la bonne société de Vane. Quelque chose devait avoir changé, car Miss Hunter savait désormais qu'elle pouvait les offenser impunément.

– Mère… si nous rentrions ?

En observant la foule, Faith aperçut quelques regards furtifs mais aucun visage bienveillant.

– Non ! s'écria Myrtle en s'enveloppant dans sa cape. Après avoir bravé cette horrible route côtière, j'ai l'intention de voir tout ce que peut nous offrir cette minable petite ville.

La modiste ferma soudain boutique à leur approche. La patronne de la pâtisserie était trop française pour comprendre Myrtle, mais n'avait apparemment aucun problème avec les autres clients. Le petit apothicaire était tellement occupé qu'il sembla ne jamais s'apercevoir qu'elles attendaient qu'on les serve.

– Je vous en prie, si nous rentrions ? implora tout bas Faith.

Elle sentait des regards sournois et railleurs s'abattre sur elles comme une grêle assourdie.

– Faith, tu ne peux vraiment pas t'empêcher de pleurnicher ? lança Myrtle, qui était maintenant très rouge.

À cet instant, Faith détesta presque sa mère. Pas tellement pour son refus obstiné de battre en retraite face à l'humiliation. Mais sa remontrance était si injuste ! Faith avait passé sa vie à ravaler plaintes et protestations, et elle avait amèrement conscience de tous les sentiments qu'elle refoulait chaque jour. L'accuser de *pleurnicher* était d'une telle malhonnêteté qu'elle eut une impression de vertige, comme si elle était tombée dans le vide.

Tandis qu'elles marchaient, le visage de Myrtle s'éclaira soudain.

– Nous allons nous rendre à l'église, déclara-t-elle. J'ai dit à Mr Clay que nous lui rendrions peut-être visite pour choisir un banc.

Le dog-cart les conduisit en haut de la colline et elles descendirent devant la petite église. Comme elle était vide, Myrtle se dirigea vers le presbytère, un modeste bâtiment semblant succomber sous le poids d'un énorme chèvrefeuille en maraude.

On avait disposé contre la fenêtre la plus vaste une série de photographies, dont certaines étaient coloriées. De ce fait, la maison ressemblait fâcheusement à une boutique. Faith se demanda si

Clay mettait à profit son « hobby » pour gagner un peu d'argent supplémentaire.

Quand elles approchèrent, Clay ouvrit la porte en personne, l'air stupéfait de les voir.

– Je... Mrs Sunderly... Miss Sunderly...

Il jeta un coup d'œil par-dessus son épaule, comme s'il cherchait des renforts.

– Voulez-vous... euh... me faire le plaisir d'entrer ?

Faith ne put s'empêcher de remarquer qu'il paraissait extrêmement mal à l'aise.

– Ah... voici mon fils, Paul.

Un garçon d'environ quatorze ans s'avança et prit poliment leurs capes et leurs bonnets. C'était certainement lui que Faith avait vu avec Clay sur le champ de fouilles. Il était brun et fluet, comme son père, avec une bouche plutôt charnue qui pouvait sans doute, songea Faith, se faire boudeuse ou mécontente dans les circonstances critiques.

– Asseyez-vous, dit Clay. Euh... que puis-je pour vous, mesdames ?

– Eh bien, je suis venue vous demander si je pouvais louer un banc à l'église pour la famille, déclara Myrtle, mais... pour être sincère, Mr Clay, j'espérais surtout voir enfin un visage amical.

Sa voix se brisa légèrement et une lueur poignante s'alluma dans ses grands yeux bleus.

– Nous avons été mal reçues dans toute la ville ce matin et je... peut-être suis-je vraiment stupide, mais je ne comprends pas pourquoi. S'il vous plaît, soyez honnête avec moi, Mr Clay. Ai-je commis un horrible impair, pour me mettre ainsi à dos tout le monde ?

Faith enfonça ses ongles dans ses mains. Tout à l'heure, Myrtle avait été l'image d'une obstination intraitable, et maintenant qu'elle se trouvait en présence d'un homme, voilà qu'elle n'était plus soudain qu'un petit faune tremblant.

– Oh, Mrs Sunderly, n'allez pas imaginer une chose pareille!

Clay était attendri. Les hommes s'attendrissaient toujours.

– C'est à cause de cette affreuse histoire, la nuit dernière, avec ce pauvre garçon qui s'est blessé dans notre propriété? demanda Myrtle.

– Cela… cela n'a rien arrangé, Mrs Sunderly. Cependant, mon fils Paul m'a dit que le petit se portait mieux que prévu.

– Il pourra peut-être garder son pied, précisa Paul d'un ton désinvolte.

Ses yeux marron ne souriaient pas. Il devait avoir le même âge que le jeune blessé, et Faith se demanda s'ils étaient amis.

– Cela dit, le principal problème…

Clay s'interrompit en lançant à Faith un regard hésitant.

Myrtle comprit et se tourna vivement vers sa fille.

– Faith, tu n'aurais pas envie de regarder les photographies de Mr Clay?

– Mais oui! approuva aussitôt Clay. Paul vous servira de guide.

Faith laissa Paul la conduire à l'autre bout de la pièce avec une politesse glacée. Les étagères et la tablette de la cheminée étaient couvertes de clichés encadrés, aux modèles posant avec raideur. La plupart n'étaient pas plus gros que la paume d'une main.

– Voici une photographie truquée, dit Paul en montrant deux hommes se faisant face.

L'un jouait du violoncelle, l'autre arborait une tenue de chef d'orchestre, mais Faith s'aperçut en regardant mieux qu'ils se ressemblaient comme des jumeaux.

– C'est le même homme photographié deux fois, expliqua Paul. On ne distingue même pas l'endroit où les deux images ont été collées.

Un autre cliché attira le regard de Faith. Un petit garçon d'environ deux ans était assis au premier plan, mais il était dominé par une silhouette humaine enveloppée dans une étoffe noire, de façon à être presque invisible sur le fond sombre.

– Il arrive que les petits enfants pleurent ou s'agitent si nous les faisons asseoir seuls. Du coup, les clichés sont flous. (Paul pointa le doigt sur la silhouette noire.) Nous demandons donc aux mères de s'asseoir derrière eux pour les calmer, mais elles sont dissimulées sous un voile.

Jetant un coup d'œil à l'autre bout de la pièce, Faith vit Clay tendre un journal à Myrtle en désignant un gros titre. Myrtle se mit à lire. Le journal tremblait dans ses mains.

L'*Intelligencer*... En fait, Faith avait déjà deviné ce qui avait tout changé. Le scandale autour de son père était arrivé officiellement à Vane, noir sur blanc.

– Voulez-vous regarder là-dedans ?

La voix de Paul la tira de ses pensées. Il pointait le doigt sur une petite boîte en bois pourvue de deux lunettes pour les yeux, comme des jumelles. Elle reconnut immédiatement le stéréoscope, cet engin astucieux montrant à chaque œil une photographie légèrement différente, de façon à donner l'illusion du relief. Elle le porta machinalement à ses yeux et regarda.

Quand l'image se précisa, elle eut comme un choc en pleine poitrine. Il s'agissait d'un meurtre dans une ruelle. L'assassin brandissait un poignard au-dessus du corps écroulé et sanglant d'une femme. Une longue plaie s'ouvrait dans le ventre de la malheureuse.

Un peu tremblante, Faith abaissa lentement le stéréoscope. Jusqu'à maintenant, les images qu'elle avait vues avec cet engin représentaient des paysages exotiques ou des scènes de fantaisie, comme des fées versant de beaux rêves dans les têtes d'enfants endormis. On ne montrait pas ce genre d'image horrible à des dames.

Paul la regarda d'un air un peu trop froid et assuré. Il était en colère, Faith le savait à présent. Il en voulait à toute la famille Sunderly à cause de la blessure de son ami. Pour épancher sa rage, il avait décidé de faire peur à la proie facile que constituait la fille de la famille, cette créature terne, guindée et timide. C'était une méchanceté aussi stupide qu'imprudente. Il la défiait du regard de lui causer des ennuis.

Soudain, Faith sentit la colère l'envahir à son tour. Elle était furieuse contre Vane, contre la sottise de ce piège dans leur jardin, contre sa mère, contre tous ces affronts, ces ricanements, ces chuchotements, ces secrets et ces mensonges. Elle était surtout furieuse de savoir que si elle poussait un cri étouffé, se mettait à tempêter ou entreprenait de causer des ennuis à Paul, en un sens il aurait gagné. Elle aurait prouvé qu'il avait raison, qu'elle était vraiment la fille Sunderly, terne, guindée et timide, et rien de plus.

Elle se contenta donc de sourire.

– J'ai aidé une fois mon père à empailler un iguane, dit-elle à voix basse. Nous avons dû faire une entaille exactement comme celle-ci avant de sortir les entrailles.

Les secondes qui suivirent lui semblèrent longues, périlleuses. Puis elle sentit que les règles avaient volé en éclats.

Elle n'aurait su dire si Paul était pris de court par sa réaction. En tout cas, il resta un instant silencieux.

– Je suis habitué à manier des objets un peu plus gros qu'un lézard, dit-il enfin.

Il se dirigea vers une autre étagère, suivi de Faith.

Elle observa le premier carton posé sur l'étagère. Il comprenait deux clichés de la même jolie petite fille, aux cheveux peignés avec soin. Sur l'un, elle avait les yeux fermés, et une étiquette annonçait : « Profondément endormie ». Sur l'autre, proclamant « Bien éveillée », elle regardait droit devant elle.

– Mon père peint les yeux, si la famille veut qu'ils aient l'air naturels, déclara Paul.

Faith mit un instant à comprendre ce qu'il venait de dire et ce qu'elle était en train de regarder.

La petite fille était morte, et ces deux clichés étaient des souvenirs. Ses parents aimants avaient pris soin de lui donner l'apparence d'un simple repos.

Maintenant qu'elle savait ce qu'elle cherchait, Faith se rendit compte que les autres photographies de l'étagère étaient toutes du même genre. On voyait de nombreux groupes de famille, où l'un des participants était un peu plus alangui que les autres, ou avait dû être étayé par des coussins, le dos d'une chaise ou des bras secourables.

On n'avait pas pris de telles photographies des défunts petits frères de Faith. D'autres souvenirs les maintenaient présents – leurs biberons pieusement conservés, leurs cheveux cousus dans des canevas. Elle avait pourtant vu une fois un mémorial de ce genre, l'image d'une femme semblant dormir paisiblement dans un fauteuil, un livre sur son genou.

– J'aide à les mettre en position, déclara Paul. Il faut le faire avant qu'ils ne soient trop raides.

Il arborait de nouveau une expression d'une politesse doucereuse. « À vous ! », disait son regard.

– Comment avez-vous fait pour celui-là ? demanda Faith en désignant une petite photo d'enfant.

Le garçonnet se tenait assis tout seul, sans soutien extérieur, dans une salle de jeux, un soldat de plomb à la main.

– Cette image est différente, expliqua Paul non sans hésitation. Mon père a photographié ce petit garçon... puis il a coupé soigneusement la tête et l'a collée sur une vieille photo de moi. Il en a toujours pris beaucoup, si bien qu'il peut les transformer en portraits de clients défunts quand il en a besoin.

– Possédez-vous des exemplaires des clichés originaux ? demanda Faith.

– Bien sûr que non, répondit-il avec un haussement d'épaules. À quoi bon gaspiller du papier albuminé pour quelqu'un d'autre qu'un client ?

– Que ressentez-vous, chuchota Faith, quand vous vous tournez vers vos souvenirs et découvrez que vous avez disparu, et qu'un mort vous remplace ? Moi, j'aurais l'impression de disparaître peu à peu. Je me demanderais si mon père veut vraiment se souvenir de moi. Faites-vous parfois des cauchemars où vous vous réveillez et voilà qu'il ne reste rien de vous, rien qu'un mort assis dans son fauteuil avec le visage d'un autre ?

Elle vit Paul tressaillir. Sentant qu'elle avait touché un point sensible, elle fut remplie d'une joie féroce.

8
Une réputation ternie

Myrtle et Faith retournèrent à Cove Bull en silence. En descendant du dog-cart, elles remarquèrent toutes deux une silhouette solitaire debout au coin de la maison, à l'abri du vent. C'était l'oncle Miles, le front plissé, la main refermée sur sa pipe pour la protéger. Il leur fit signe d'approcher d'un air à la fois pressant et furtif.

– Miles ! s'exclama Myrtle en le rejoignant. Je pensais que tu étais sur le champ de fouilles ! Mon mari est-il parti sans toi ?

– Oh, non, nous sommes déjà allés là-bas, c'est bien le problème, répliqua l'oncle Miles à voix basse. Je voulais te parler avant que tu ne sois rentrée dans la maison. Il y a eu une scène épouvantable, et maintenant nous marchons tous sur des œufs. (Il haussa les sourcils avec éloquence.) Une certaine personne est rentrée des fouilles dans une humeur massacrante. Gare à nous si nous osons même penser trop haut !

Faith sentit son corps se tendre. Quand son père était de mauvaise humeur, il ne fallait l'aborder qu'avec précaution. Ce n'était pas un homme violent, mais s'il prenait une décision dans un accès de colère froide, il s'y tenait obstinément.

Myrtle s'avança et prit son frère par le bras.

– Allons faire un petit tour au jardin, Miles, murmura-t-elle.

Faith les suivit sur la pelouse, en s'arrangeant pour être assez près pour les entendre mais assez loin pour qu'ils ne s'en doutent pas. Le trio s'éloigna de la maison en flânant.

– Ma petite Myrtle, dit l'oncle Miles, je crois que la plupart des gens me considèrent comme quelqu'un de patient. Mais aujourd'hui, ma patience a été mise à rude épreuve. Notre cher pasteur m'a poussé à bout.

– Que s'est-il passé sur le champ de fouilles ? Pourquoi êtes-vous revenus si tôt ?

La voix de Myrtle était morose, comme si elle avait déjà deviné la réponse.

– Aucune voiture n'est venue nous chercher ce matin. Nous avons finalement dû payer un type pour qu'il nous emmène dans sa carriole. Et quand nous sommes arrivés, nous nous sommes vu interdire l'accès au site ! Après toutes leurs lettres proclamant qu'ils avaient absolument besoin du grand Erasmus Sunderly, ils nous ont chassés de leurs précieuses fouilles ! Pire encore, ce sont les ouvriers et le contremaître, Crock, qui nous ont barré la route. Lambent n'est même pas venu nous parler.

– Ne pourrait-il pas s'agir d'un malentendu ? demanda Myrtle, manifestement sans grand espoir.

– Eh bien, c'est ce que j'ai tenté de suggérer, mais le pasteur ne l'entendait pas de cette oreille. On lui a remis une lettre, à notre arrivée près des fouilles, et une fois qu'il l'a lue, il n'était plus question de lui faire entendre raison. Il a insisté pour se rendre à The Paints, défoncer à moitié leur porte et laisser un message d'une telle brutalité que je ne serais pas surpris que Lambent lui fasse un procès en diffamation. Myrtle, tu sais que je fais toujours de mon mieux, mais chaque fois que j'essaie d'éteindre un peu l'incendie, il rajoute de l'huile pour tout faire flamber.

Faith, qui les suivait en silence, se sentit furieuse du traitement infligé à son père. Du jour au lendemain, il était passé du statut d'invité d'honneur, adulé et courtisé, à celui d'individu peu recommandable à tenir à distance.

– L'*Intelligencer* est arrivé sur l'île, chuchota Myrtle.

– Voilà qui explique tout, dit l'oncle Miles avec un soupir. Malgré tout, juger ainsi quelqu'un sans même entendre sa version… (Il secoua la tête.) Tu ferais mieux de parler de l'*Intelligencer* à Erasmus. Il s'est mis dans la tête que ce sont les domestiques qui ont répandu l'histoire à force de fouiner et de bavarder. Qui est au courant ?

– Tout le monde, lança Myrtle d'une voix légèrement tremblante. Ce matin, nous avons été snobées par la ville entière.

– Ç'aurait été cent fois pire dans le Kent, rétorqua l'oncle Miles, un peu sur la défensive. Bien entendu, ton mari ne voit pas les choses de cette manière. J'ai fait de mon mieux pour aider ta famille à échapper à ses malheurs, Myrtle, mais, à entendre Erasmus, on croirait que je vous ai attirés dans cette île dans une intention malveillante.

– Ses paroles dépassent sa pensée, assura en hâte Myrtle.

– Erasmus dit toujours exactement ce qu'il pense, répliqua l'oncle Miles.

Il paraissait vraiment irrité. Contrairement à sa sœur, il n'était pas sujet à des accès soudains de mauvaise humeur. Son caractère accommodant amortissait les chocs, la plupart du temps, et les offenses semblaient rebondir sur lui. Mais quand il se vexait, c'était définitif.

– Nous devons quitter Vane, Miles, dit Myrtle en rajustant son écharpe blanche pour protéger sa gorge. Il faut que nous partions plus loin, peut-être même sur le Continent, si nécessaire. J'ai besoin que tu m'aides à le convaincre.

– Désolé, Myrtle, mais pour l'instant j'aurais moi-même besoin que ton époux me présente un semblant d'excuses, déclara son frère d'un ton sévère. Et je suis prêt à parier dix guinées qu'il n'en a aucune intention. En attendant…

L'oncle Miles soupira et haussa les épaules, comme pour dire que la suite ne le regardait pas.

Même si l'oncle Miles ne les avait pas averties, Faith n'aurait eu qu'à pénétrer dans la maison pour comprendre qu'une tempête se préparait. Les silencieux ont un sens de l'atmosphère qui fait défaut aux gens bruyants. Ils sentent les sautes de vent dans les conversations et frissonnent dans l'air glacé des ressentiments inexprimés.

Ce fut Mrs Vellet, et non Jeanne, qui vint les débarrasser de leurs bonnets et de leurs capes.

– Mrs Sunderly, auriez-vous la bonté de m'accorder un instant d'entretien ? (La gouvernante s'efforçait de modérer sa voix, mais son ton était pressant.) Pardonnez-moi, madame, mais il s'agit d'une affaire importante.

– Oh... (Myrtle poussa un soupir et lissa ses cheveux.) D'accord, mais faites-nous d'abord servir le thé au salon. J'ai besoin de me rafraîchir pour pouvoir affronter encore des affaires importantes.

Même si elle dut manifestement prendre sur elle, Mrs Vellet ne dit rien avant que Faith et Myrtle soient installées au salon devant une tasse de thé. Myrtle hocha enfin la tête pour l'inviter à parler.

– Madame, Jeanne Bissette est une brave petite, honnête et travailleuse. Elle peut se montrer parfois un peu sotte et effrontée, comme toutes les filles de son âge, mais elle sert dans cette maison depuis l'âge de treize ans et jamais son honnêteté n'a été remise en cause. Madame, elle avoue elle-même que ce journal était en sa possession, mais ce n'est certainement pas un crime...

– Mrs Vellet ! l'interrompit Myrtle en ouvrant de grands yeux. Au nom du Ciel, de quoi parlez-vous ? Jeanne s'est-elle plainte de la façon dont elle était traitée ici ?

Mrs Vellet reprit son souffle, joignit ses mains et se calma avec un effort visible.

– Madame... votre époux croit que quelqu'un a fouillé dans ses papiers. L'une de ses lettres est un peu tachée... (Elle secoua la tête avec impatience.) À mon avis, c'est une goutte d'eau qui est tombée dessus, mais le révérend Sunderly est absolument certain que c'est l'empreinte d'un doigt humide.

Faith se sentit soudain brûlante. Elle avait caressé l'espoir que la tache passerait inaperçue, mais non, son père l'avait remarquée. Elle était sûre d'avoir le visage rouge, l'air coupable.

– Il a tenu à ce que tous les domestiques lui montrent leurs mains. Comme Jeanne a été surprise en train de se laver les mains à la pompe derrière la maison, les soupçons sont tombés sur elle.

Le premier accès de panique passé, les battements du cœur de Faith redevinrent assez lents pour lui permettre de penser clairement et de comprendre ce que disait la gouvernante. Elle-même n'était pas soupçonnée. Son père avait découvert la preuve de son crime, mais il n'était pas remonté jusqu'à elle.

– Et… elle avait de l'encre sur les mains ? demanda Myrtle.

– Oui, madame. Mais ce n'était pas l'encre d'une plume, mais d'un journal. (Mrs Vellet baissa les yeux en s'agitant, un peu mal à l'aise.) Quand on l'a interrogée à ce sujet, elle a vidé sa poche et donné aussitôt le journal. Elle dit l'avoir trouvé en ville. Elle sait qu'elle aurait dû le laisser là où il était, mais elle l'a pris par curiosité, elle espérait le lire après avoir terminé son travail.

Il y eut un bref silence éloquent, où Mrs Vellet et Myrtle s'abstinrent toutes deux d'évoquer ce qui avait éveillé la curiosité de Jeanne. Faith n'eut aucun mal à lire entre les lignes et à deviner de quel journal il s'agissait.

– Qui a le journal, maintenant ? s'enquit Myrtle.

– Votre époux l'a confisqué, répondit la gouvernante.

– Je garderai en mémoire tout le bien que vous m'avez dit de Jeanne, déclara Myrtle non sans lassitude, mais je crois qu'il faut que je lui parle moi-même, afin de décider ce qu'il convient de faire. Envoyez-la-moi dès que son travail le lui permettra.

– Son travail ? Madame, votre époux lui a donné son congé ! Elle est en train de faire ses bagages. Il lui a ordonné de quitter cette maison demain à la première heure.

Seule Faith, qui connaissait très bien sa mère, la vit se raidir légèrement et s'efforcer de ne pas réagir. Tenir la maison et s'occuper des domestiques relevait des attributions de Myrtle. Le pasteur s'attendait à ce que son épouse respecte sa volonté, mais il ne la lui avait encore jamais imposée sans la consulter.

Faith avait les mains tremblantes. Le blâme qui aurait dû s'abattre sur elle l'avait manquée pour accabler une autre. Elle reposa si gauchement sa tasse sur la soucoupe qu'elle se renversa, en répandant du thé brûlant sur son poignet et sa robe.

– Oh… Faith ! lança Myrtle au comble de l'exaspération. Que tu es donc sotte et maladroite ! Va te changer et ensuite… eh bien, lis ton catéchisme.

Faith descendit au rez-de-chaussée dans sa robe bleue fraîchement lavée. Elle se sentait encore plus mal dans des vêtements propres, pareille à une lettre anonyme dans une enveloppe toute neuve.

L'idée d'avouer la vérité à son père la terrifiait. S'il la rejetait, le soleil s'obscurcirait, ses rêves tomberaient en poussière. Elle avait besoin de cet espoir, même infime, de gagner un jour son estime, son respect et son amour. Elle ne pouvait supporter de le perdre à jamais.

« Jeanne pourra toujours trouver une autre place, murmura une voix éperdue en elle. Moi, je ne pourrai pas trouver un autre père. »

Elle comprit bientôt que le dîner risquait d'être morne. L'oncle Miles avait consenti à rentrer, mais il avait demandé qu'on lui monte son repas dans sa chambre sur un plateau.

Le père de Faith arriva en retard pour le dîner, l'air hautain, sévère et taciturne. Cependant il n'était pas aussi en retard que le dîner lui-même. Les trois convives durent attendre une demi-heure le premier plat.

Une jeune fille inconnue de Faith l'apporta. La nouvelle servante semblait affolée par sa tâche. Elle répandait de la soupe sur la nappe chaque fois qu'elle tentait de se servir de la louche. Quand elle fit tomber bruyamment la cuiller de Myrtle en la frôlant de sa jupe, elle sursauta si violemment qu'elle renversa le pot de crème. Le pasteur fut forcé de reculer sa chaise pour échapper à l'inondation.

– C'est intolérable !

Il ne criait pas, mais sa voix glaciale semblait transpercer tous les autres sons.

– Cette enfant est-elle un spécimen local de faible d'esprit ? Ou quelqu'un a-t-il hissé un âne sur ses jambes de derrière en l'affublant d'un tablier ?

Au bord des larmes, la jeune fille essaya d'essuyer la crème avec son tablier.

– Arrêtez, vous ne faites qu'empirer les choses, lança Myrtle d'une voix un peu impatiente mais moins mordante que celle de son mari. Allez changer de tablier, et demandez à Mrs Vellet d'apporter une nappe propre.

La servante s'empressa de fuir.

– Elle est vraiment impossible, déclara Myrtle d'un ton presque léger. Mais nous n'avons pas eu le temps de trouver mieux. Je me demande... (Elle s'interrompit, et Faith vit son col en dentelle impeccable frémir légèrement, comme si elle déglutissait.) Je me demande s'il ne vaudrait pas la peine de garder Jeanne un peu plus longtemps, pour nous épargner de telles épreuves.

– Elle partira demain matin, lança le pasteur d'un ton tranchant.

– Malgré tout, j'aurais aimé... j'aurais vraiment aimé, mon ami, que vous me laissiez parler à cette fille, afin peut-être de régler moi-même cette affaire...

Le père de Faith posa violemment son couteau et sa fourchette près de son assiette. Il foudroya des yeux son épouse.

– Peut-être l'aurais-je fait, si j'avais eu la moindre preuve que vous étiez capable de vous en occuper ! J'avais cru que vous étiez à même de diriger cette maisonnée, mais apparemment je vous faisais bien trop d'honneur.

« Le foyer d'un homme devrait être son refuge, le seul endroit où il n'ait pas à se battre pour être le maître. Est-ce trop demander ? À la place, j'ai droit à des déchets froids en guise de dîner, servis par des servantes malpropres qui traînent les pieds, renversent les plats, claquent les portes et manquent du respect le plus élémentaire. Quant aux bonnes, elles ne se gênent pas avec mes papiers personnels, et la moitié de la maisonnée ferme les yeux sur les braconniers et les vagabonds qui arpentent la propriété. Je suis contrarié et tourmenté là même où mes désirs devraient être des ordres.

Les yeux bleus de Myrtle s'agrandirent, puis elle baissa la tête. Elle rougit avec lenteur et son couteau se mit à trembler légèrement dans sa main.

– Je… je suis vraiment désolée, mon ami, murmura-t-elle d'une voix presque inaudible.

– Je sais à mes dépens que l'intelligence féminine a ses limites, reprit le pasteur d'un ton amer. Toutefois, je me suis laissé dire que d'autres épouses réussissaient à imposer un semblant d'ordre à leurs domestiques et à empêcher leur maison de sombrer dans un chaos écœurant.

Faith était horriblement mal à l'aise, comme toujours lorsque son père parlait ainsi à sa mère. Elle voulait être du côté de son père, et elle souffrait quand sa sympathie se tournait malgré elle vers sa mère. Elle croyait presque sentir les oreilles aux aguets de l'autre côté de la porte, la joie mauvaise des domestiques devant l'humiliation de Myrtle. Sa mère sentait assurément leur présence, elle aussi.

Myrtle alla se coucher de bonne heure, en se plaignant d'une migraine. On nettoya le carnage de la table du dîner et on emporta les plats dans l'arrière-cuisine.

En sortant de la salle à manger, Faith entendit des sanglots étouffés. Le bruit semblait venir de l'escalier de service, près de la cuisine. En regardant de ce côté, elle aperçut Jeanne, prostrée en bas des marches, qui pleurait à chaudes larmes.

Le visage de la servante était tiré, elle paraissait bouleversée et hébétée. Ses yeux étaient bouffis, même ses lèvres avaient l'air gonflées à force de pleurer.

Faith recula aussitôt, mais c'était trop tard. Elle ne voyait plus en Jeanne Bissette une jolie fille pleine d'assurance et de dédain. À présent, elle se rappellerait uniquement son expression d'enfant battu. Peut-être Jeanne ne pensait-elle pas trouver une nouvelle place. Peut-être n'avait-elle pas d'autre endroit où aller.

9
L'aveu

« Je ne peux pas, se dit-elle. C'est impossible. »

Et pourtant, Faith était bel et bien devant la bibliothèque, prête à frapper à la porte.

Elle se sentait mal. Son esprit cherchait désespérément des raisons de fuir. Elle tenta de s'imaginer que Dieu la regardait, l'encourageait à agir noblement. Mais en elle-même, Dieu avait le visage de son père. Maintenant encore, elle avait par moments l'impression stupide que si son père ignorait ce qu'elle avait fait, Dieu ne le saurait pas non plus, de sorte que ce ne serait pas vraiment un péché.

Elle frappa à la porte. C'était trop tard, désormais. Elle ne pouvait plus reculer.

Son père ouvrit brutalement. En voyant Faith, il eut l'air un peu moins irrité. Manifestement, il s'attendait à une visite encore plus importune.

– Faith. Quelque chose ne va pas ?

– Père… il faut que je vous parle, lança-t-elle aussitôt, afin de s'empêcher de perdre de nouveau courage.

Son père l'observa un instant en silence, puis il hocha la tête.

– D'accord, dit-il en tenant la porte pour qu'elle entre. (Il la ferma dans le dos de sa fille.) Assieds-toi, Faith.

Elle obéit, sans savoir si la douceur dont faisait preuve son père devait la rassurer ou la rendre nerveuse.

– Je crois que je sais de quoi tu veux me parler, dit son père en s'asseyant au bureau.

Sa colère semblait avoir reflué, et il ne paraissait plus que sombre et fatigué.

– Tu t'inquiètes encore pour ma santé, n'est-ce pas ? Et tu crains que je ne t'en veuille d'être entrée dans mon bureau sans y avoir été conviée.

Il lui lança un regard non dénué de gentillesse.

Faith déglutit et garda le silence. Ces choses l'inquiétaient, en effet, mais ce n'était pas sa priorité.

– Avant tout, tu ne dois pas t'inquiéter pour ma santé, continua son père. Comme je te l'ai déjà dit, tu t'es trompée. Je n'étais pas malade, hier soir, simplement fatigué et trop pris par mon travail pour pouvoir t'accorder beaucoup d'attention. Quant à ton intrusion dans mon bureau, ce soir-là et le lendemain matin… (Il joignit les mains et regarda Faith avec sérieux.) C'était très inopportun et je serais extrêmement déçu si tu recommençais. Cela dit, je veux croire qu'en l'occurrence tu n'avais pas de mauvaises intentions et ne voulais pas me manquer de respect. Je vais fermer les yeux sur cet incident, Faith. N'en parlons plus.

Il hocha brièvement la tête. Manifestement, il s'attendait à ce que Faith sorte. Elle ne bougea pas, tétanisée.

– Tu as autre chose à me dire ?

Il avait déjà pris un porte-plume et ouvert son carnet, comme pour indiquer que l'entretien était clos.

– Père…

Faith avait l'impression que sa vue se troublait à chaque battement affolé de son cœur.

– Je… c'est… c'est moi qui ai taché votre lettre.

Il posa le porte-plume, ferma le carnet.

– Qu'est-ce que tu racontes ?

Toute gentillesse avait disparu de son regard.

– Ce n'était pas Jeanne. C'était… moi.

Faith n'était même pas sûre que sa voix fût audible.

Il la fixa pendant un instant interminable.

– Cette lettre est restée dans mon coffre depuis notre départ du Kent, lança-t-il en se levant de son siège. Veux-tu dire que tu as ouvert délibérément mon coffre ?

– Je suis tellement désolée… balbutia Faith.

– Tu as eu l'audace incroyable de fouiner dans mes papiers ? As-tu regardé cette lettre ? Quels autres papiers as-tu lus ?

– Seulement la lettre ! assura-t-elle. J'ai… j'ai jeté un coup d'œil sur d'autres papiers, mais sans les lire. Je suis désolée, je n'aurais pas dû, mais j'étais à bout ! (Dans sa frustration, elle haussa la voix.) Je savais que nous avions un motif plus que sérieux de quitter le Kent, et personne ne voulait me le dire ! Il fallait que je sache !

– Comment ? Essaierais-tu de justifier ton comportement ? (Son père était maintenant tremblant de colère.) Non ! Plus un mot ! Tais-toi et écoute-moi bien.

« Apparemment, je dois réviser mon jugement sur toi. Je te prenais pour une fille dévouée, dotée d'un cœur sincère et consciente de ce qu'elle devait à ses aînés et ses supérieurs. Je ne t'aurais jamais crue capable de cette action aussi sournoise que déloyale. Il est clair qu'on a laissé ton caractère s'écarter dangereusement du droit chemin. L'honnêteté est louable chez un homme, mais elle est essentielle chez une femme ou une jeune fille, si jamais elle veut avoir la moindre valeur.

« Écoute, Faith. Une fille ne peut pas être courageuse, intelligente ou habile comme un garçon. Si elle n'est pas honnête, elle n'est rien. Tu comprends ?

Faith avait l'impression d'avoir reçu un coup. Au fond de son cœur, elle avait gardé un espoir, même infime, d'être comprise et pardonnée. En cet instant où il ne restait plus rien de cet espoir, elle savait qu'elle devrait implorer le pardon de son père. Et pourtant, ce ne fut pas ce qu'elle fit.

– Mais je suis intelligente !

Elle ne le dit pas très fort, mais elle le dit. Elle sentit le mot s'échapper de ses lèvres.

– Qu'est-ce que tu viens de dire ?

– Je suis intelligente ! Je l'ai toujours été ! Vous savez que c'est vrai ! J'ai appris toute seule le grec ! Tout le monde parle de Howard, du fils brillant qu'il sera pour vous, mais à son âge, j'avais lu *Le Voyage du pèlerin* et *L'Histoire d'Angleterre pour les enfants*, et j'apprenais le nom latin des plantes du jardin ! Howard est à peine capable de rester tranquille assez longtemps pour qu'on lui lise *La Gentille Petite Deux-Chaussures* !

– Comment oses-tu ! l'interrompit son père en s'avançant vers elle d'un air menaçant. Comment oses-tu élever la voix devant moi ! Comment oses-tu parler de toi en te vantant avec une telle arrogance ! Où as-tu appris cette vanité répugnante ? Est-ce ainsi que tu me récompenses pour t'avoir donné accès à ma bibliothèque et à mes collections ?

« As-tu perdu l'esprit, ou bien oublies-tu simplement la gratitude la plus élémentaire ? Crois-tu que les vêtements que tu portes, le toit qui t'abrite et les repas qu'on te sert te reviennent de droit ? Ce n'est certes pas le cas. Au début de sa vie, tout enfant est le débiteur de ses parents, qui le logent, l'habillent et le nourrissent. Il est possible à un fils de payer un jour cette dette, en jouant un rôle éminent dans le monde et en augmentant la fortune de la famille. Tu ne pourras jamais le faire, puisque tu es une fille. Il est exclu que tu te couvres de gloire dans l'armée, que tu te distingues dans les sciences, que tu te fasses un nom dans l'Église ou au Parlement, ou que tu gagnes honorablement ta vie en embrassant une profession libérale.

« Tu ne seras jamais qu'un fardeau, sans compter que tu vides ma bourse. Même quand tu te marieras, ta dot mettra à mal les finances de la famille. Toi qui parles de Howard avec tant de dédain, si jamais tu ne te maries pas, tu devras un jour faire appel à sa charité, sous peine de te retrouver à la rue.

Faith était incapable de parler. Elle se sentait assommée, le souffle coupé. Des larmes brûlantes ruisselaient sur ses joues. Elle revit en elle-même la plage inondée de soleil où elle avait trouvé son fossile, son premier fossile. Un soleil avait disparu derrière une muraille de nuages noirs, un père était parti à jamais et une petite fille marchait en chancelant, seule, un débris de roche à la main.

– Tout ce qu'une fille peut faire, reprit le pasteur d'une voix plus calme, pour compenser la dette qu'elle est hors d'état de payer, c'est de rester avec constance sur la voie du devoir, de la gratitude et de l'humilité. N'est-ce pas le moins que puisse attendre un père ?

Faith approuva de la tête, en étouffant ses sanglots d'une main. Elle s'en voulait de l'approuver, mais la lumière sur la plage se mourait.

Son amour-propre venait de heurter de plein fouet son amour. Le résultat d'un tel choc est toujours le même, d'ordinaire. L'amour n'est pas un combattant loyal. En cet instant, la fierté de Faith, sa certitude viscérale d'avoir raison, même sa conscience de ce qu'elle était, n'étaient rien face à la perspective de n'être pas aimée.

Le pasteur retourna à son bureau et tourna le dos à sa fille, en remuant nerveusement ses papiers. Elle profita de ce répit pour sortir son mouchoir d'une main tremblante et essuyer son visage. Elle avait l'impression d'avoir été écorchée. Tous ces sentiments et ces pensées qu'elle avait refoulés pendant des années s'étaient enfin exprimés... pour être réduits à néant en une apocalypse sans pitié. Elle ne savait plus ce qu'elle ressentait.

Elle s'aperçut confusément que son père avait cessé de remuer ses papiers. Saisissant un feuillet, il l'examina.

Au bout d'un instant, il prit le fauteuil de son bureau, le tira du côté de Faith et s'assit, de sorte que quelques centimètres les séparaient maintenant. Elle le distinguait encore mal à travers ses larmes.

– Faith, lança-t-il d'une voix qui avait perdu une partie de son énergie glacée. Tu regrettes sincèrement ton comportement et tes propos, n'est-ce pas ?

Elle hocha de nouveau la tête.

– Et si tu as commis cette sottise, c'était vraiment parce que tu t'inquiétais pour moi et que tu voulais m'aider ?

– Oui ! réussit-elle à articuler.

– Et tu as encore envie d'aider ton père ?

– Bien sûr !

Faith sentit quelque chose monter en elle. Quelque chose à quoi se raccrocher. Un peu d'espoir.

– Bien.

Le pasteur tendit à Faith le feuillet qu'il tenait. Elle vit qu'il s'agissait d'une carte de Vane.

– Howard a dit que vous aviez vu tous deux des grottes marines depuis la plage. J'ai besoin que tu les indiques sur cette carte.

Déconcertée, Faith regarda les côtes dentelées tracées à l'encre, puis indiqua les endroits où elle croyait se rappeler avoir aperçu les entrées obscures des grottes.

– Il a parlé également d'un petit bateau sur la plage. Réfléchis bien… Était-il en état de naviguer ?

– Je pense que oui, répondit Faith en fouillant dans sa mémoire. Il avait l'air d'avoir été peint récemment, et il ne semblait pas percé.

Le pasteur fronça les sourcils, puis parut prendre une décision.

– Faith, va chercher ta cape. Mais arrange-toi pour qu'on ne te voie pas. J'ai besoin de ton aide et personne, tu m'entends, personne ne doit être au courant.

10
La grotte marine

Quand Faith, enveloppée dans sa cape, sortit furtivement par la porte arrière de la maison, son père l'attendait déjà. Il portait son robuste manteau, son écharpe épaisse et sa casquette de chasseur.

– Prends ça, chuchota-t-il en lui tendant une lanterne recouverte d'un tissu opaque. Écarte légèrement le tissu, mais de façon que la lumière ne soit pas tournée vers la maison.

La lanterne pesait lourd et sentait l'huile de baleine. Il se détourna et précéda Faith en direction de la folie.

La nuit était sombre, sans étoiles. On n'apercevait que quelques traînées mauve pâle à l'ouest. Une chauve-souris solitaire les frôla puis disparut, aussi rapide qu'un battement de cœur.

Faith avançait avec circonspection, terrifiée à l'idée de marcher sur un piège dans l'herbe haute. Dans son appréhension, elle sentait un fourmillement dans ses chevilles. Son père lui lança un regard impatient et lui fit signe de presser le pas.

– Il faut que je sois rentré avant minuit, chuchota-t-il d'un ton brusque quand elle l'eut rattrapé. Dépêche-toi, s'il te plaît.

Dans l'obscurité, la folie paraissait plus large et rappelait sinistrement une prison. Son père ouvrit une porte, disparut dans les ténèbres.

Quand il sortit, il avait dans ses bras un objet enveloppé dans une étoffe, qu'il portait visiblement avec peine tant il était lourd. Il le posa avec précaution dans la brouette placée près de la porte, et il y eut un tintement assourdi de terre cuite heurtant du bois. Une nouvelle fois, Faith sentit une odeur froide, étrange.

Le pasteur leva les bras de la brouette.

– Éclaire le chemin devant moi, que je puisse éviter les pierres, chuchota-t-il en indiquant le sentier descendant vers la mer.

À mesure que la plage approchait, le sentier se fit si accidenté et embroussaillé qu'il devint plus difficile d'avancer. Chaque fois que la roue tressautait, on entendait sous l'étoffe un bruissement de feuilles tombées, et chaque fois son père poussait un soupir.

Sur la plage, le vent se fit plus froid et violent. La mer était noire, en dehors des brèves balafres d'écume blanche des vagues bouillonnant sur le rivage. Les falaises semblaient plus hautes que dans la journée, comme des entailles gigantesques dans la masse du ciel.

Le vent redoubla soudain, et un gémissement lancinant s'éleva d'une fente invisible ou d'un creux dans la falaise. Le père de Faith se tendit, en tournant la tête vers ce bruit qui rappelait une voix. Il lâcha la brouette et porta la main à sa poche en écoutant, puis il se détendit.

Tandis qu'ils reprenaient leur marche, Faith jeta un coup d'œil sur la poche du pasteur, qui semblait plus gonflée que d'ordinaire. C'était là qu'il glissait toujours son petit pistolet quand il partait collecter des spécimens de plantes. Ce pistolet n'avait qu'un petit canon courtaud, mais il était assez puissant pour abattre un chat sauvage écossais à six mètres.

Si la lanterne couverte était synonyme de secret, le pistolet était synonyme de danger. De qui son père avait-il peur ? Faith regarda autour d'elle. À chaque frisson des feuillages, son imagination peuplait le sommet de la falaise de têtes aux aguets et de silhouettes furtives. En entendant les galets remuer sous le ressac, elle croyait à des pas s'approchant bruyamment.

Non sans peine, son père traversa la plage avec la brouette jusqu'au petit hangar à bateaux. Se penchant sur le canot, il l'examina à la lueur de la lanterne, tapota le bois. Au bout d'un moment, il hocha la tête d'un air approbateur.

Saisissant l'amarre, il entreprit de traîner le canot sur les galets en direction de la mer. Le bateau avançait lentement, à contrecœur.

– Mets-toi derrière et pousse ! ordonna le pasteur en haussant la voix pour couvrir le vent.

Le cœur de Faith se serra. Ses pires soupçons se confirmaient : son père avait bel et bien l'intention de mettre le canot à la mer en pleine nuit.

Remplie d'appréhension, Faith se glissa dans le hangar. Elle enleva ses gants, les rangea dans sa poche puis pressa ses mains contre le bois humide, en poussant de toutes ses forces. Tandis qu'elle avançait péniblement, elle entendait les galets crisser sous la proue. Quand son père lui cria d'arrêter, elle avait mal aux bras et l'eau froide entourant ses bottines trempait ses pieds. Elle sentit le canot bouger et se détacher de ses bras, tandis que la mer le soulevait.

Avec un effort visible, son père hissa à bord la plante précieuse. Faith maintint le canot de son mieux pendant que son père installait le pot à l'arrière de l'embarcation.

– Père, comment verrons-nous les récifs ? hasarda Faith.

Il n'y avait aucun rapport entre éviter quelques pièges dans l'herbe et échapper aux écueils par une nuit sans lune. Elle se rappela les mises en garde de sa mère sur les courants, et les histoires de naufrages le long de la côte.

– Tu t'assiéras à la proue avec la lanterne. Surveille l'eau pendant que je rame. Tu m'avertiras si tu vois des rochers.

Faith regarda fixement l'immensité mouvante et noire de l'océan. Chaque fois qu'une crête d'écume brillait au loin, elle s'imaginait qu'elle allait se briser sur des rochers invisibles. Elle retroussa pourtant sa robe de son mieux et monta tant bien que mal dans le canot, que son père maintenait immobile. Son père avait besoin d'elle. Quels que fussent les dangers qui les attendaient, ils les affronteraient ensemble.

Sous le poids de Faith, le canot toucha de nouveau les galets, mais son père lui donna une ultime poussée qui le mit à flot, après quoi il se hissa à son tour à bord.

– Prends ça, dit-il en tendant à Faith la carte de Vane. Il faut que tu me guides jusqu'aux grottes.

Tournant le dos à sa fille et à la proue, il saisit les rames.

Faith s'assit de biais, de façon à voir aussi bien vers la proue que du côté de son père et de la plage. La carte s'agitait dans sa main, menaçait de s'envoler. La pressant sur ses genoux, elle la maintint avec la lanterne. Son père commença à ramer.

Au début, chaque vague semblait avoir à cœur de les ramener au rivage. Le père de Faith ramait avec une énergie farouche, tandis que le ressac se déchaînait autour d'eux. Quand le canot réussit à entrer dans des eaux plus profondes, le caractère des vagues changea. À présent, elles basculaient et bousculaient le petit bateau, comme de grands loups noirs d'humeur joueuse.

Les lointains promontoires étaient des silhouettes d'un noir de jais. Il était vain d'espérer distinguer l'obscurité plus profonde des grottes. Faith tenta de se rappeler à quoi le paysage ressemblait dans la journée, les falaises et les criques, les promontoires étagés, les nuées poudreuses d'oiseaux de mer au loin.

Les vagues parurent moins joueuses à mesure qu'elles grossissaient, en déferlant sous le canot avec une indifférence menaçante. Chaque fois que le bateau penchait, Faith se tendait dans l'attente du choc glacé de l'eau lorsqu'il chavirerait. Elle n'avait jamais appris à nager, mais son bon sens lui disait que cela n'avait guère d'importance. Si elle tombait par-dessus bord, ses jupes superposées la maintiendraient peut-être un instant à la surface, mais dès qu'elles seraient imbibées d'eau elles deviendraient un terrible poids mort, emprisonneraient ses jambes et l'entraîneraient vers le fond.

Tandis que le bateau se cabrait et que les rames plongeaient dans les flots, Faith eut l'impression désagréable que les falaises obscures sur sa gauche semblaient plus hautes qu'elles n'auraient dû, alors que la plage derrière eux se déportait sur la droite. Dès que les rames restaient un instant au repos, de petits sillages blancs se dessinaient à la surface de l'eau.

– Il y a un courant ! s'écria Faith.

Elle leva les yeux sur les diverses falaises noires et indistinctes, en tentant de se repérer.

– Il nous entraîne vers la gauche… je veux dire, à bâbord !

Elle s'abstint d'ajouter : « Vers les falaises et les rochers ! »

Son père ne dit rien mais se mit à ramer avec une vigueur redoublée. À chaque coup de rame, la proue du canot se tournait vers tribord, mais elle recommençait aussitôt à dériver à bâbord.

Faith était tellement tétanisée qu'elle faillit ne pas voir l'éclat d'un flot d'écume à dix mètres devant eux. Il se souleva en une gerbe évoquant la floraison d'un volubilis. Ce ne fut qu'une fois retombée l'ondée mousseuse qu'elle vit se dessiner sous elle un éperon blanchi par l'écume…

– Un récif ! hurla-t-elle en brandissant la lanterne pour mieux voir. Un récif droit devant !

– À quelle distance ?

Avant qu'elle ait pu répondre, elle aperçut à la lueur de la lanterne une traînée blanche beaucoup plus proche. Dans la vallée soyeuse se creusant entre deux vagues, une forme noire et déchiquetée déchira la surface pendant un instant révélateur.

– À trois mètres !

En équilibre au bord du bateau, Faith retint son souffle quand un nouvel éperon rocheux apparut, tel un croc acéré, plus près encore. Autour d'elle, les vagues se dressaient en tourbillonnant.

– Il y en a tout autour de nous !

Elle entendit un crissement sous le canot, comme si une énorme griffe tentait de taillader la coque. Se guidant d'après les remous, Faith se pencha sur le côté, plongea sa main dans l'eau glacée et s'écorcha sur les coquillages recouvrant un rocher submergé. Elle le repoussa de toutes ses forces, en manquant perdre l'équilibre, puis retomba dans le canot, la manche trempée, les doigts endoloris. Dans son autre main, la lanterne se balança en cliquetant, la flamme bleuit, décrut, avant de retrouver sa taille et son éclat doré.

Derrière elle, Faith entendit des éclaboussures, un fracas de bois et de métal, le souffle haletant de son père se battant avec les rames. Cependant les crissements avaient cessé et elle ne vit aucune voie d'eau.

Les mèches imprégnées de sel de ses cheveux cinglaient son visage et lui brûlaient les yeux. Pendant ce temps, la falaise grandissait sournoisement et cachait de plus en plus le ciel. À sa base, les vagues en furie se précipitaient les unes contre les autres, se déchiraient et saignaient d'un sang argenté.

Faith se rendit compte qu'elle entendait comme un déferlement rythmique, inlassable. Un peu plus loin du côté de l'océan, elle vit une vague se jeter contre la falaise. La vague explosa presque tout entière en une gerbe d'écume, mais sembla disparaître en partie dans les profondeurs de la roche. Faith entendit l'eau pousser un rugissement caverneux, avant de ressortir un instant plus tard, impétueuse et luisante. Elle mit un instant à comprendre ce qu'elle voyait.

– Père, je vois une grotte !

À mesure que le canot approchait, le rugissement se fit plus fort et plus menaçant. Bientôt, Faith distingua l'entrée de la grotte, une masse plus sombre semblant s'ouvrir comme la gueule d'un chat en train de bâiller.

Les vagues s'emparèrent d'eux. Les rames ne pouvaient rien contre le bouillonnement blanchâtre de l'eau. Faith sentit les embruns lui piquer les yeux. Un brisant les saisit enfin et les souleva irrésistiblement en avant, à l'intérieur de la grotte. Le ciel sembla s'éteindre et il ne resta plus que la clarté de la lanterne. Les grondements de l'eau et de la roche étaient assourdissants, retentissants.

Une fois encore, le canot racla une pente glissante de galets. Il poussa un gémissement avant de s'échouer. L'eau jaillit encore en sifflant, les galets remuèrent bruyamment, puis le rugissement se tut. Faith vit devant elle que le sol de la grotte montait vers des ouvertures déchiquetées, derrière lesquelles d'autres cavités apparurent à la lueur pâle et tremblante de la lanterne.

Faith entendit dans son dos son père lâcher les rames, se lever.

– Reste où tu es! lança-t-il comme elle changeait de position. Ton poids maintiendra le bateau en place.

Il lui prit la lanterne, sortit du canot et pataugea vers la proue dans l'eau qui refluait et montait jusqu'à sa cheville. Saisissant l'amarre, il grimpa sur une saillie rocheuse, où il l'attacha à un pilier s'évasant vers le haut.

La vague suivante arriva avec une rapidité terrifiante. Le canot se souleva puis retomba de nouveau sur le sol. Le pasteur, qui avait accroché la lanterne à son bras, revint et sortit avec précaution du bateau l'énorme pot.

– Attends-moi ici.

Il disparut dans les cavernes, en tenant le pot avec autant de tendresse que si ç'avait été un enfant blessé. La lumière s'éloigna avec lui et Faith resta seule dans l'obscurité.

La grotte sentait la mer, mais ce n'était pas l'odeur allègre de la côte. Cette puanteur donnait l'impression que la mer était une créature vieille et méchante, qui suçait la chair des naufrages en dénudant les ossements de bois au fond des abîmes sans lumière. Ses sirènes avaient la peau verte, des yeux de calmar, de longs doigts crochus et une haleine empestant le vieux poisson.

Quand le père de Faith revint enfin, il ne portait plus que la lanterne. Sans un mot, il détacha l'amarre et sauta dans le canot. À la première vague qui les souleva, il rama avec vigueur pour les éloigner du sol en pente, de sorte que l'embarcation flottait encore quand l'eau reflua. Ils furent entraînés rapidement hors de la grotte. Le ciel refit son apparition, blême mais brillant auprès des ténèbres de la grotte.

Il ne fut pas aisé d'échapper à la grotte, mais le pasteur rama infatigablement et Faith vit enfin s'éloigner la falaise, les récifs se clairsemer et les vagues se calmer peu à peu.

Le retour au rivage fut long. Faith ne voyait plus la plage d'où ils étaient partis, mais heureusement elle se souvenait d'un peuplier se dressant au sommet de la falaise. Les yeux rivés sur l'arbre solitaire se détachant sur le ciel, elle les dirigea de ce côté.

Le rivage frangé d'écume apparut et la quille toucha enfin le sol. Le père et la fille sortirent péniblement du bateau, le hissèrent sur la plage. Faith avait les jambes flageolantes, ses mains trop engourdies avaient du mal à se serrer. Ils s'appuyèrent tous deux un moment au canot pour reprendre haleine, non sans embuer l'air glacé.

– Bravo, Faith, dit enfin le pasteur. Tu es une bonne petite.

Et d'un coup, Faith n'eut plus froid.

Ils retournèrent à la maison. Faith poussait la brouette. Elle avait légèrement le vertige mais, aussi incroyable que cela parût, le sol était ferme sous ses bottines. Ils avaient affronté le danger ensemble, et ils avaient survécu. Elle avait été mise à l'épreuve, et elle avait réussi.

Ils laissèrent la brouette près de la serre. Cependant, en approchant de la maison, le pasteur s'arrêta et consulta de nouveau sa montre à la lueur de la lanterne.

– Il est près de minuit, murmura-t-il. Je n'ai plus le temps. Faith, rentre te coucher.

– Vous ne rentrez pas ?

L'inquiétude de Faith se réveilla aussitôt, comme un chien de garde.

– Quelque chose ne va pas? Voulez-vous que je vous accompagne?

– Non, répondit-il avec brusquerie. Non, ce ne sera pas nécessaire.

Il y eut un long silence.

– Faith, reprit-il d'un ton plus calme. Personne ne doit savoir que je suis sorti de la maison cette nuit. Écoute-moi. Si jamais quelqu'un t'interroge, tu devras dire que nous sommes restés à parler dans mon bureau jusqu'à plus d'une heure du matin. Tu comprends?

Faith hocha la tête. Elle mentait à moitié, toutefois, car elle ne comprenait pas vraiment.

– Je ne vais pas loin, déclara son père. Je serai de retour très bientôt.

Il hésita un instant.

– Faith, tes bottines sont-elles mouillées?

– Oui, admit Faith, émue de sa sollicitude.

En revenant de la plage, elle avait pataugé désagréablement.

– Fais en sorte qu'elles soient sèches demain matin, sans quoi les domestiques s'en apercevront et feront des commérages. Personne ne doit se douter de ce que nous avons fait, ni de l'endroit où nous sommes allés. Tu dois t'assurer qu'il n'y ait aucun indice, aucune preuve.

Il s'écarta de la porte, hésita de nouveau. Il regarda Faith pardessus son épaule, mais l'étoffe recouvrait la lanterne et on ne pouvait voir son expression dans l'obscurité.

– Montre-moi combien tu peux être intelligente, Faith.

Intelligente... Ce petit mot lui fit chaud au cœur, tandis qu'elle montait furtivement l'escalier extérieur de sa terrasse privée et ouvrait sans bruit la porte de sa chambre. Une fois dans la pièce, elle enleva en hâte sa cape, sa robe et ses jupons.

« Montre-moi combien tu peux être intelligente. » Cela voulait certainement dire qu'elle avait le droit d'être intelligente – qu'il reconnaissait qu'elle pouvait bel et bien être intelligente !

Elle allait faire ses preuves. Personne ne la prendrait en défaut, elle ne trahirait pas le secret de son père.

Ôtant le pare-feu devant la cheminée, elle ranima les braises avec un peu de bois et de papier, puis alluma la bougie posée sur la tablette de la cheminée. À la lueur de la flamme, elle examina les dommages subis par ses vêtements. Sa cape était couverte de bardanes et de crasse. Le bas de sa robe et de ses jupons était trempé d'eau de mer, de même que ses bas. Même les trois centimètres de talon de ses bottines ne les avaient pas empêchées d'être imbibées d'eau, et le cuir détrempé risquait fort de rétrécir et de se craqueler en séchant.

Cela dit, ce n'était pas la première fois que Faith effaçait les traces d'une expédition secrète. Enfilant sa chemise de nuit, elle se glissa hors de sa chambre et descendit au rez-de-chaussée en tenant comme un baluchon ses vêtements abîmés.

Comme elle l'espérait, l'arrière-cuisine était déserte et obscure. Elle remplit d'eau sans bruit un évier, où elle mélangea des morceaux de savon, de l'amidon pour empeser les tissus, ainsi qu'une poignée de sel pour les empêcher de déteindre. Puis, très soigneusement, elle rinça ses bas, de même que les parties humides de sa robe et de ses jupons. Elle avait les nerfs à fleur de peau et sursautait au moindre cliquetis des volets.

Quand ses vêtements ne sentirent plus la mer, elle les essora, déroba un peu de son dans l'office et remonta discrètement l'escalier. Elle drapa sur le garde-feu ses vêtements fraîchement lavés, afin qu'ils sèchent. À l'aide de son tire-bouton, elle défit les boutons minuscules et peu maniables de ses bottines, qu'elle remplit ensuite de son, destiné à chasser l'humidité. Après les avoir reboutonnées, de façon qu'elles gardent leur forme, elle les laissa près du feu.

La chambre était encore froide. Faith se glissa dans son lit. Elle regretta de ne pouvoir demander une bouillotte, et elle espéra qu'elle n'allait pas s'enrhumer. S'enveloppant dans une couverture, elle entreprit de brosser sa cape crasseuse et d'enlever les bardanes. Au moins, l'odeur du son chauffant près du feu avait quelque chose de sec et de réconfortant. Mais ses pensées étaient encore plus ardentes et consolantes.

Son père avait fait appel à elle dans sa détresse. Elle avait l'impression qu'une porte longtemps fermée s'était ouverte entre eux, ou du moins entrebâillée.

« Il ne peut pas m'exclure, chuchota une voix en elle. Pas cette fois. J'en sais trop long. »

À l'instant même où cette pensée traversa son esprit, la brosse se figea dans sa main. Dès qu'ils s'étaient mis en route pour leur aventure nocturne, elle s'était sentie rongée par une sensation affreuse, une idée qu'elle s'efforçait de chasser mais qui se rapprochait furtivement, comme un piège caché dans l'herbe.

Son père bien-aimé, son père qu'elle révérait, avait été horrifié d'apprendre son comportement sournois et déloyal. Pourtant il lui avait ordonné de l'accompagner en cachette dans la nuit, à la lueur d'une lanterne camouflée, et de n'en rien dire à personne. Il l'avait vouée aux gémonies pour avoir effacé les traces de ses actes secrets… et maintenant, il l'avait lui-même invitée à recommencer. Son père. L'austère parangon de l'honnêteté. La lumière impitoyable du jugement. Il lui avait demandé de garder ses secrets.

Et voilà qu'il était sorti de nouveau dans les ténèbres, avec un pistolet dans sa poche, en lui demandant de lui fournir un alibi.

11
Le fer à cheval

Un coup violent à la porte réveilla Faith en sursaut.

Elle resta un instant au milieu des débris acérés de son rêve. Debout sur un quai peu à peu submergé par la mer, elle passait en jugement. Le tribunal lui en voulait de ne pas livrer le nom de son complice. Le juge avait le visage de son père.

– Fa-a-aith ! (Elle reconnut la voix de Howard, manifestement contrarié et de mauvaise humeur.) Je n'arrive pas à attacher mon col !

Si Howard était réveillé, l'heure du petit déjeuner devait approcher. Faith avait trop dormi.

Elle se leva d'un bond, en essayant de rajuster ses pensées. Elle prit sur le garde-feu sa robe et ses jupons. Ils étaient secs, maintenant, pas impeccables mais nettement moins compromettants que la veille. Faith couvrit de nouveau le feu et se hâta de balayer la moindre trace de boue.

En ouvrant les volets de ses fenêtres, elle découvrit que le monde était plongé dans le brouillard. Elle secoua ses bottines sur les dalles de sa terrasse pour enlever le son, et vit avec satisfaction les moineaux et les pigeons entreprendre de faire disparaître toutes les preuves.

– Fa-a-aith !

Elle ouvrit la porte. Howard entra gauchement, son col dur pendant en arrière.

– Ça fait mal ! gémit-il en tirant dessus. Je veux Skordle !

Faith le calma, rajusta sa veste et son col, puis lui chanta des chansons tout en faisant ses tresses et en s'habillant. Lorsque Mrs Vellet leur monta leur petit déjeuner, ils étaient tous deux assis à la nurserie, à peine un peu décoiffés.

Après le petit déjeuner, Howard ne voulut pas laisser partir Faith. Il mourait d'ennui et tenait absolument à ce qu'elle reste pour lire et jouer avec lui. Elle ne put s'éclipser qu'au bout d'une heure.

En bas, tout était silencieux. Nulle trace de ses parents. Elle ne vit que l'oncle Miles, qui lisait au salon.

– Bonjour, dit-il en lui adressant un clin d'œil par-dessus son livre.

– Où sont-ils tous, oncle Miles ? demanda-t-elle.

– Ta mère affirme qu'elle a la migraine et a pris son petit déjeuner dans sa chambre. Ton père ne s'est pas encore levé, et personne n'est pressé de frapper à sa porte.

– Il doit être fatigué, dit Faith en s'asseyant sans regarder son oncle. C'est ma faute. Je l'ai retenu pour parler, hier soir, et nous ne sommes pas allés nous coucher avant une heure.

– Si tard ? Quelque chose ne va pas ?

– Non, se hâta d'assurer Faith en rougissant. Je... je m'inquiétais juste pour ma confirmation.

– Seigneur, c'est vrai ? (L'oncle Miles semblait un peu déconcerté.) Eh bien, je te félicite pour ta piété. Je ne suis pas sûr que j'aurais été capable de m'inquiéter pour ma confirmation pendant dix minutes d'affilée, et encore moins jusqu'à une heure du matin.

Voilà, c'était dit. Pour le meilleur et pour le pire, Faith avait fourni un alibi à son père. Elle savait qu'elle s'était montrée convaincante. Elle aurait dû se sentir fière et contente d'avoir réussi à prendre un ton aussi timide que naturel, mais elle n'éprouvait en fait qu'un obscur sentiment de culpabilité.

Qu'avait-elle fait? Elle avait docilement ouvert une porte et s'était avancée dans l'obscurité, sans même savoir si le sol ne se déroberait pas sous ses pas de l'autre côté.

« Tu ne fais que ton devoir envers ton père, se dit-elle. Il ne peut y avoir là rien de répréhensible. Tu dois avoir confiance en lui. C'est comme Abraham. Quand Dieu lui a ordonné de tuer son fils, il est allé chercher un couteau. Il a eu raison, en dépit des apparences. Il a compris que Dieu savait mieux que lui ce qui était bien ou mal. »

Mais une autre voix chuchota en elle: « Malgré tout, il n'aurait peut-être pas dû obéir. Et de toute façon, Père n'est pas Dieu. »

Faith serra les dents et banda sa volonté. Cependant, une pensée sournoise s'insinua en elle, à la fois terrifiante et excitante:

« Je peux contraindre Père à me dire la vérité.

« Il n'a pas le choix. J'en sais trop long. Il doit tout me raconter, maintenant – la plante, le scandale, l'endroit où il est allé après notre retour, la nuit dernière. Il ne peut plus m'exclure. »

– Vous êtes sûre? dit l'oncle Miles.

Faith sursauta, puis elle comprit que son oncle ne lui parlait pas. Mrs Vellet s'était penchée discrètement près du fauteuil de l'oncle Miles pour lui murmurer quelques mots.

– Oui, monsieur.

La gouvernante baissait la voix avec tact, mais Faith arrivait à saisir ce qu'elle disait.

– Toutes les autres chaussures étaient devant la porte ce matin, mais pas les siennes. J'ai regardé alors les portemanteaux, et il manque également son manteau et son chapeau.

Faith sentit son sang se glacer.

– C'est singulier.

L'oncle Miles fronça les sourcils et se leva.

– Peut-être devrions-nous essayer de frapper de nouveau à sa porte.

Faith se leva à son tour, mais elle ne le suivit pas tandis qu'il montait à l'étage d'un air préoccupé. Elle seule savait que son père était sorti au cœur de la nuit. Apparemment, il n'était pas rentré.

Elle se représentait toutes sortes de scènes encore pires que celle du stéréoscope de Paul. Elle imaginait son père en sang, pris à l'un de ses propres pièges, ou blessé par un ennemi et trop faible pour appeler à l'aide.

Incapable d'attendre pendant que les autres fouilleraient en vain la maison, elle se glissa vers la porte de la maison et sortit sans bruit.

Le brouillard aplanissait tout, estompait les couleurs. Les arbres ressemblaient à des napperons compliqués aux teintes indistinctes. Les bâtiments n'étaient que des masses informes d'un gris d'édredon.

Faith arpenta sur la pointe des pieds la zone des pièges, et ne trouva aucune victime de leurs crocs acérés gisant par terre. La serre et la folie étaient désertes. Elle s'enfonça même dans le vallon, en appelant au milieu des arbres fantomatiques. Personne ne répondit. Il n'y avait pas trace de son père sur la route, celle-ci s'effaçait peu à peu en montant la colline dans le brouillard.

Les sons semblaient étonnamment réels, dans ce monde de spectres. Faith entendait sa propre respiration, et le crissement des cailloux sous ses pieds tandis qu'elle descendait le sentier jusqu'à la plage. À l'endroit où le chemin bifurquait, elle passa devant la brouette couchée sur le côté, dont le bras levé paraissait la saluer comme une complice.

Au sentier raboteux succédèrent les galets de la plage, qui poussaient des gémissements aigus à chaque pas. La nuit précédente, les falaises avaient paru massives, noires comme de l'encre. Ce matin-là, elles étaient comme du papier gris. Elle aurait pu leur jeter une pierre et les déchirer.

Elle observa la plage, dans l'espoir d'apercevoir la silhouette de son père. Le brouillard voilait le bout de l'étendue de galets. En tressaillant, elle se rendit compte qu'elle ne voyait pas le canot.

Elle se mit à courir d'un pas chancelant, en relevant sa robe. Non, non ! Il fallait que le canot soit là ! Son père ne pouvait pas l'avoir mis à la mer une seconde fois ! Sans Faith pour tenir une lanterne, ç'aurait été une folie. Cette idée ne lâchait plus son imagination. C'était trop horrible pour ne pas être vrai.

Faith trébucha, faillit se fouler la cheville... puis elle ralentit. Avec une innocence tranquille, le brouillard s'était dissipé juste assez pour révéler une forme blanche indistincte, le dessin familier d'une proue. Le canot était bien là, finalement. Elle avait été trompée par le brouillard.

Elle se couvrit la bouche des deux mains, ne sachant si elle devait éclater en sanglots ou s'évanouir de soulagement. Elle se tourna pour regagner la maison.

Et c'est alors qu'elle le vit, évidemment.

À mi-chemin de la falaise la plus proche, une forme noire était suspendue à un arbre. On aurait cru un fer à cheval aux extrémités pointées vers le bas, pour en faire s'écouler la chance.

Ce n'était qu'une silhouette, mais Faith savait ce dont il s'agissait. Les humains ne cessent de se chercher les uns les autres, et leurs yeux ont un don pour repérer toute forme humaine. Avec une netteté cruelle, Faith comprit qu'elle regardait deux jambes, deux bras ballants, la courbe d'un dos.

Un homme était étalé sur cet arbre. L'air froid était comme un couteau sur la gorge de Faith, quand elle courut vers la maison.

Dix minutes plus tard, Faith et Myrtle étaient assises sur la méridienne du salon. Le thé refroidissait dans leurs tasses. L'oncle Miles et Prythe, le domestique, s'étaient précipités à la plage avec une grosse corde.

Myrtle était emmaillotée dans plusieurs chemises de nuit, sur lesquelles elle avait passé un châle oriental de soie jaune tombant jusqu'au sol. Les mains crispées sur sa soucoupe, Faith marchandait avec les instants silencieux.

« Faites que ce soit quelqu'un d'autre, ou qu'il soit vivant, implorait-elle le Destin. Faites qu'il soit sain et sauf, et vous pourrez me prendre mon pied gauche. » La pendule scandait sans pitié chaque seconde, et elles restaient sans nouvelles. « Faites qu'il soit sain et sauf, et vous pourrez me prendre toute ma jambe gauche », reprit-elle, augmentant son offre. Elle entendait le tic-tac de la pendule, rien de plus. « Faites qu'il soit sain et sauf, et vous pourrez me prendre mes deux jambes. » La pendule était implacable.

Une porte s'ouvrit quelque part. On parla à voix basse dans le vestibule. Puis on frappa doucement à la porte du salon, et la tête de l'oncle Miles apparut dans l'embrasure.

Le cœur de Faith battait si fort qu'elle le sentait s'agiter dans sa poitrine. Le regard de l'oncle Miles croisa son regard éperdu. Il baissa aussitôt la tête.

– Myrtle, dit-il tout bas. Pourrais-je te parler une minute ?

À cet instant, Faith comprit.

Elle était terriblement consciente d'elle-même, de ses poumons s'emplissant d'air puis se vidant. Elle sentait la soucoupe de porcelaine marquant ses doigts, la forme de ses dents contre sa langue sèche. Un liquide brûlant s'échappait de ses yeux, coulait sur ses joues. D'un coup, avec une intensité insupportable, elle se sentit vivante.

La pièce n'avait pas bougé. Sa mère se levait, la pendule faisait tic-tac, le ciel livide semblait les épier de l'autre côté de la fenêtre. Cependant, comme si une vague invisible avait reflué, tout ressemblait maintenant à une épave échouée sur une plage. Faith regarda ses propres mains poser la soucoupe et la tasse.

Myrtle rejoignit l'oncle Miles à la porte, et il se mit à

murmurer sans fin à son oreille. Il gardait l'une de ses mains levée en un geste protecteur. Sans aller jusqu'à saisir le coude de sa sœur, il était prêt à la soutenir.

– Où ? lança Myrtle d'une voix brisée, sans défense. Où est-il ?

– Nous l'avons installé dans la bibliothèque.

Myrtle sortit précipitamment, en bousculant son frère. Il la suivit, sans paraître vraiment s'apercevoir que Faith lui emboîtait le pas.

Dans la bibliothèque, Prythe se tenait devant le mur, la casquette à la main, l'air horriblement mal à l'aise. Les deux fauteuils où Faith et son père s'étaient assis se faisaient toujours face en un entretien silencieux, mais on les avait poussés sur le côté pour faire de la place.

Il y avait une couverture déployée sur le sol. Il y avait quelqu'un sur la couverture. Faith regarda encore et encore, incapable de détourner les yeux, mais son cerveau décida de ne rien voir. Ce ne fut qu'à l'instant où elle battit des paupières qu'une image se grava en elle, un demi-masque de sang noir, des yeux ouverts, des mains pâles et inertes. D'innombrables espoirs s'éteignirent comme des bougies.

Faith était debout sur le seuil, appuyée contre le chambranle. Son bras tremblait.

« J'aurais dû mieux marchander, dit en elle une voix stupide, absurde. J'aurais dû offrir tous mes bras et mes jambes, dès le début. »

12
Le temps s'arrête

Myrtle regarda fixement la forme de son époux sur la couverture. Ses yeux brillaient mais son regard était vide. Peu à peu, toute couleur, toute expression se retira de son visage.

– Nous allons faire venir un médecin, dit l'oncle Miles à voix basse. Mais… nous avons tenu un miroir au-dessus de sa bouche, et il n'y a aucune trace de respiration. Nous l'avons piqué avec une aiguille, et il ne réagit pas.

Jetant un coup d'œil devant lui, il sembla horrifié de découvrir Faith dans la pièce. Il garda le silence, cependant : il était trop tard pour l'épargner.

Myrtle ne parut pas l'entendre. S'éloignant de son frère et de Prythe, qui semblaient tous deux prêts à la soutenir à tout moment si elle tombait, elle s'arrêta à côté de Faith, face au miroir du mur.

L'une de ses boucles blondes pendait contre sa joue et frémissait sous un courant d'air. Elle paraissait si enfantine, si émouvante, que Faith eut soudain un élan de tendresse tourmentée. Elle tendit instinctivement la main vers sa mère, mais ses doigts se figèrent sur la soie glacée de son châle jaune. Finalement, elle était incapable de serrer sa mère dans ses bras. Si elle l'avait fait, quelque chose en elle se serait brisé.

Myrtle serra brièvement la main de sa fille, mais continua de fixer le miroir d'un air lointain, hébété. Avec lenteur, ses mains sans gants se levèrent et commencèrent à mettre de l'ordre dans ses cheveux, à repousser des mèches rebelles, à regonfler des boucles aplaties. Frottant énergiquement sa lèvre inférieure, elle regarda le sang affluer et la rosir de nouveau. Elle baissa les yeux sur son châle oriental, son front se plissa légèrement.

– Je suis trop pâle pour porter du jaune, marmonna-t-elle tout bas.

Les mots étaient presque indistincts, mais Faith était assez près pour les comprendre.

– Myrtle... lança l'oncle Miles.

– Vous l'avez trouvé dans le vallon, dit-elle sans se retourner.

– Non, ma petite. Je te l'ai dit, il était sur la plage, tout près de la falaise. Il a dû tomber du sommet...

– Combien de gens sont au courant? demanda-t-elle avec brusquerie.

L'oncle Miles parut déconcerté.

– Seulement les quatre personnes présentes dans cette pièce, répondit-il après un instant de réflexion.

– Dans ce cas, vous l'avez trouvé dans le vallon.

Myrtle se tourna pour regarder son frère dans les yeux.

– Miles... tu as dit toi-même qu'il y avait une pente raide, où n'importe qui pourrait tomber et se casser le cou.

– Mais...

– Miles, je t'en prie! s'exclama-t-elle. Nous n'avons pas le choix. Songe à ce qu'on pensera, s'il est tombé du sommet de la falaise. Songe à ce que cela signifierait pour nous.

Ces paroles furent un choc pour Faith. À quoi bon se soucier de ce qu'on pouvait penser, désormais? Mais Myrtle se tournait déjà vers le domestique.

– Prythe... ma famille vous doit beaucoup pour ce que vous avez fait pour mon époux ce matin. Permettez-nous de vous témoigner notre gratitude. Si nous pouvons compter sur votre discrétion dans cette affaire, notre reconnaissance n'en sera que plus grande.

Sur ces mots, elle alla s'accroupir, raide et impassible, à côté du corps étendu sur la couverture. Faith regarda les mains roses et soignées de sa mère ouvrir la veste et se glisser dans les poches intérieures, pour en sortir le portefeuille et la bourse de son père. Myrtle se releva et posa sur la paume ouverte de Prythe une pièce de monnaie.

– Merci, Prythe. Pouvons-nous compter sur vous ?

Prythe regarda avec stupeur le souverain. Son visage blêmit.

– Madame...

Il avait l'air bouleversé, presque affligé, mais ses yeux brillaient tandis qu'il contemplait la pièce.

– En général, je sais tenir ma langue, mais... si le gendarme m'interroge, je ne voudrais pas l'induire en erreur. Et si on me demande de jurer sur la Bible, je ne pourrai pas mentir.

Il lui tendit la pièce d'une main hésitante, manifestement à contrecœur.

– Je n'exigerais jamais rien de tel d'un honnête homme, assura Myrtle sans faire mine de reprendre l'argent. Il ne devrait pas être question de gendarmes ni de bibles. Tout ce que je demande, c'est votre silence.

– Oui, madame, chuchota Prythe.

Faith perçut un bruit assourdi, comme des pas furtifs sur un carrelage.

– Il y a quelqu'un dehors, dit-elle machinalement.

L'oncle Miles entrebâilla la porte et regarda le vestibule.

– On nous a entendus ? s'inquiéta Myrtle.

– Je ne sais pas, répliqua son frère. Je crois bien avoir vu une silhouette se diriger vers l'escalier de service. Il me semble que c'était Jeanne.

– Jeanne...

Myrtle feuilletait avec soin, d'un air absent, la liasse de billets dans le portefeuille.

– Il faut que quelqu'un dise à cette fille que j'ai décidé de la garder, finalement.

L'oncle Miles s'en fut parler à Jeanne et aux autres domestiques, tandis que Prythe allait chercher le docteur Jacklers.

Myrtle observa la pièce puis se dirigea d'un pas rapide vers le bureau de son époux, dont elle se mit à examiner fébrilement les papiers. Avec écœurement, Faith regarda les doigts manucurés de sa mère manier négligemment les dessins et les notes que le pasteur protégeait avec tant de zèle.

– Qu'y a-t-il ? demanda Faith en résistant à l'envie d'arracher les papiers à sa mère. Que cherchez-vous ?

– Il y a peut-être une lettre, répondit Myrtle sans lever les yeux. Une lettre... personnelle, qu'il serait préférable que d'autres ne lisent pas.

– Laissez-moi regarder, lança Faith entre ses dents. (Elle déglutit et se força à parler avec calme.) Je vais m'en charger.

Myrtle hésita.

– Cela me permettrait d'aller me changer, marmonna-t-elle. D'accord, Faith. Mais fais vite ! Nous n'avons pas beaucoup de temps.

Faith hocha la tête.

– Tu es une bonne petite, dit Myrtle d'un ton pressé.

S'élançant vers la porte, elle caressa au passage la joue de Faith, qui tressaillit. Ces mots prononcés par Myrtle la brûlaient.

Dès que la porte se fut refermée sur sa mère, Faith se précipita vers le bureau, empila les divers feuillets, puis explora rapidement les tiroirs, l'écritoire et le coffre-fort posé dans un coin. Elle prit aussi des enveloppes qu'elle trouva dans des livres, glissées entre les pages.

Tout le reste était perdu, mais elle pouvait encore protéger les secrets de son père. Elle sentit ses mains trembler, en voyant sur ses paumes ces feuilles couvertes de l'écriture du pasteur, elle avait les joues brûlantes. Cependant c'était son seul moyen de l'aider : elle allait cacher ses papiers dans un endroit où personne ne les trouverait.

Après avoir enveloppé la liasse de papiers dans la têtière d'un fauteuil, Faith sortit furtivement de la bibliothèque.

Alors qu'elle traversait le vestibule à pas de loup pour remonter l'escalier, son ouïe fine lui permit d'entendre la rumeur d'une conversation dans la cuisine, où tous les domestiques semblaient s'être terrés. Les voix étaient basses, légèrement hystériques, mais leur ton était dur, excité, plein de curiosité. À en juger par l'odeur, ils recouraient tous au cidre chaud pour se « réconforter ».

Devant la porte de son père, elle hésita un instant avant de tourner la poignée et d'entrer. Puisqu'on allait bientôt fouiller la chambre, autant qu'elle le fasse la première. L'obscurité sentait le livre moisi, le vernis et le tabac de son père, dont l'habit de soirée, suspendu à un crochet sur la porte, semblait la regarder d'un air sombre.

Elle attrapa quelques lettres et un registre sur la table de chevet, déroba deux carnets dans les poches de la veste du pasteur. Saisie d'une impulsion soudaine, elle passa la main sous le lit. Ses doigts touchèrent une surface rêche et elle sortit un mince volume relié de cuir.

Ayant ainsi enrichi son butin, elle se glissa dans sa propre chambre, qu'éclairait seule la pâle clarté du jour de l'autre côté de la fenêtre.

Quand Faith écarta le voile recouvrant la cage du serpent, il s'enroula nerveusement sur lui-même puis leva sa tête d'un air curieux, en dardant sa petite langue rose foncé. Elle le calma par des gestes imitant sa grâce indolente, le laissa se glisser autour de son bras.

Sortant de la cage tous les chiffons où se nichait le serpent, elle fit deux piles avec les papiers de son père et les plaça sur le fond. Après quoi, elle les recouvrit avec les chiffons de façon qu'ils soient invisibles.

– Garde-les pour moi, chuchota-t-elle au serpent en le remettant dans sa cage avec douceur.

Lorsqu'elle retourna dans la bibliothèque, sa mère s'y trouvait déjà.

– Où étais-tu ? lança aussitôt Myrtle, mais sans attendre de réponse. Reste avec moi. Le docteur ne va pas tarder.

Myrtle portait sa robe bleue au col haut plein de modestie, mais plusieurs des boutons de nacre n'étaient pas fermés et laissaient entrevoir sa gorge blanche. Bien qu'elle eût coiffé avec soin sa chevelure d'or, une boucle mutine pendait librement sur sa tempe. Elle était toujours pâle, mais la poudre avait égalisé son teint et rendait cette pâleur charmante. Son apparence était échevelée, affligée, vulnérable et extrêmement séduisante.

Une odeur puissante flottait dans la pièce, à la fois sombre et fougueuse. En regardant le bureau de son père, Faith aperçut la carafe de sherry qu'on laissait d'ordinaire dans la salle à manger. Il restait un fond de sherry dans un grand verre. Le verre et la carafe se trouvaient-ils là auparavant ? Elle ne les avait pas remarqués, mais peut-être était-ce l'effet de sa hâte.

Myrtle se raidit et fit signe à Faith de ne pas bouger.

– Voilà le docteur Jacklers ! J'entends sa voiture.

Myrtle sortit de son réticule son flacon de sels en cristal taillé. Elle l'ouvrit et le porta à son nez, non sans tressaillir. Après avoir répété cette opération, elle eut les yeux humides. Rangeant le flacon, elle cligna rapidement des paupières. Quand le docteur Jacklers fit son entrée, une larme traçait sur la joue de la jeune femme son sillage étincelant.

Le médecin examina longuement le corps du pasteur. Myrtle s'agitait autour de lui en se tordant les mains et en répondant à ses questions, tandis que des larmes argentées ruisselaient avec une régularité hypnotique sur son visage.

Assise non loin d'eux, Faith était en pleine confusion. Son père sur la plage, son père dans le vallon... Pourquoi sa mère tenait-elle ainsi à mentir ?

– Je suis vraiment désolé, Mrs Sunderly, dit enfin le médecin. Il m'est impossible de vous laisser le moindre espoir. Sa nuque est brisée...

Myrtle émit un son pitoyable, à mi-chemin entre le sanglot et le cri étouffé. Se détournant, elle plongea son visage dans son mouchoir.

– Comme je regrette d'être venue ici ! dit-elle d'une voix légèrement assourdie. Ces intrus dans la propriété... Il était persuadé qu'ils voulaient voler ses plantes rares, si bien qu'il a fait poser des pièges. Au moindre bruit suspect, il courait voir dans cet horrible vallon. J'imagine qu'il est tombé dans l'obscurité et que sa tête a heurté quelque chose...

– Votre époux a été retrouvé dans le vallon ? s'exclama le médecin en haussant les sourcils. Madame, je dois avouer que cela m'étonne, étant donné la nature de ses blessures. Je suis au désespoir de vous infliger de tels détails...

– Je vous en prie. (Myrtle se tourna vers lui, la bouche tremblante mais l'air résolu.) Ne m'épargnez pas, lança-t-elle. Il faut que je sache.

– Eh bien... il me semble que deux côtes sont cassées, ce qui suggère une chute plus longue que cela n'est possible dans ce vallon. La plaie au front est profonde, mais il y a aussi une grosse bosse à l'arrière du crâne, sous les cheveux. À mon avis, la chute a duré un bon moment, et le corps a roulé sur lui-même. Mrs Sunderly... je ne vois pas comment tourner cette question avec délicatesse. Se pourrait-il qu'il ait été retrouvé dans un autre endroit, et que vos amis vous aient trompée pour ménager vos sentiments ?

– Mon époux est mort, dit doucement Myrtle. Quels sentiments me reste-t-il à ménager ?

Faith se sentit rougir. Elle aurait pu détruire le mensonge de sa mère, aussi aisément qu'une toile d'araignée. Mais que resterait-il alors de l'écheveau de ses propres mensonges ? D'ailleurs, sa dernière tentative pour se montrer honnête n'avait fait que la meurtrir au plus profond d'elle-même.

– Eh bien, souffla le médecin, peut-être la dénivellation était-elle assez haute… si jamais il s'était jeté en avant avec une certaine force… (Il soupira.) Excusez-moi de vous le demander, mais votre époux paraissait-il préoccupé, hier ? Déprimé, peut-être ?

Myrtle se raidit, le visage pâle et attristé.

– Docteur Jacklers, lança-t-elle d'un air à la fois hautain et fragile. Au nom du Ciel, qu'essayez-vous de me dire ?

Faith savait exactement ce qu'il essayait de dire. En un éclair, elle vit comment la situation devait lui apparaître. Un homme déshonoré sortait furtivement de chez lui la nuit et se jetait dans le vide, plutôt que d'affronter un scandale épouvantable…

– Pardonnez ma maladresse, dit le médecin. (Il semblait honteux, désemparé.) Je m'efforce simplement de comprendre…

– Peut-être devrions-nous discuter de cette affaire en privé, déclara Myrtle avec dignité. Faith, veux-tu aller demander à Mrs Vellet… d'arrêter les pendules.

Faith sortit docilement et feignit de s'éloigner dans le vestibule, après quoi elle pressa son oreille contre la porte du bureau.

– … une pleine carafe avant d'aller se coucher ? demanda le docteur Jacklers. Cela se produisait-il souvent ?

– Oui, depuis quelque temps, répondit Myrtle avec un soupir. Ce n'est pas la première fois qu'il est tombé. Mais cette fois, nous n'avons rien pu dissimuler.

Faith eut peine à réfréner son indignation. Comment sa mère osait-elle dire une chose pareille ? Comment pouvait-elle dépeindre ainsi le pasteur comme un ivrogne perdant l'équilibre à force de tituber ? Puis elle revit son père assis à son bureau, apathique, les yeux jaunis, dans la pièce où flottait cette odeur moite, exotique. Se pouvait-il que son père eût encore des secrets qu'elle ignorait ?

– Docteur Jacklers, je ne sais que faire, dit Myrtle d'une voix étouffée par les larmes. J'ai toujours caché les... les habitudes de mon époux, et je souhaiterais les cacher encore pour préserver sa mémoire. Mais vous m'avez terrifiée. Avez-vous vraiment pensé que mon mari s'était « jeté en avant » ? Se pourrait-il que tout le monde le pense ?

– Mrs Sunderly...

Le médecin s'interrompit soudain, en haletant légèrement. Il y eut un bref silence.

Faith retira son oreille et regarda par le trou de la serrure.

Sa mère se tenait tout près du médecin. Ses mains dégantées serraient celles du médecin en un geste implorant, d'une intimité aussi choquante que singulière. Il était rouge brique.

– J'ai des enfants, lança Myrtle. Je suis désespérée. Je vous en prie, dites-moi ce que je dois faire.

– Je...

Le médecin toussa, baissa les yeux.

– Vous avez ma parole que je ferai tout ce qui est en mon pouvoir pour... pour vous épargner des ennuis, à vous et votre famille. Je vous le promets. Les blessures... il est toujours possible de... euh... de formuler les choses. Je vous en prie, ne vous désespérez pas, Mrs Sunderly.

Faith remarqua qu'il ne faisait pas mine de retirer ses mains.

Le visage en feu, elle s'écarta du trou de la serrure. Elle ne pouvait endurer d'en voir ou d'en entendre davantage. Une colère féroce montait lentement en elle, et elle ne savait comment l'exprimer.

Elle retourna sur la pointe des pieds dans le vestibule, à l'endroit où l'horloge égrenait ses tic-tac monotones. L'horloge se moquait d'elle, en faisant comme si le temps importait encore, comme si les jours allaient continuer de se succéder et la terre tourner imperturbablement.

La paroi de verre lui parut froide quand elle l'ouvrit. Le balancier ralentit sous ses doigts. Comme les aiguilles s'agitaient encore, elle les serra jusqu'au moment où le tic-tac s'arrêta. Son esprit se calma à la pensée que la terre renonçait à son tournoiement vertigineux et dérivait désormais librement dans le vide.

Faith resta longtemps là, les doigts sur les aiguilles immobiles. Elle avait l'impression d'avoir assassiné le temps.

13
Trompe-l'œil

À présent, c'était la maison des morts. Tous les rideaux restaient tirés. Un voile noir cachait chaque miroir, comme une paupière retombant tristement sur un œil.

L'atmosphère était pesante, au point qu'il semblait à Faith que la maison tout entière risquait de s'enfoncer dans la terre. Les voix résonnaient faiblement, assourdies, pareilles à des papillons de nuit. Chaque pas qui s'avançait était un intrus.

Pourtant, tout l'après-midi, les visites se succédèrent. À pied ou à cheval, on venait voir même les méprisables Sunderly. Car la mort était dans leur maison, et la mort était une affaire.

Une charrette arriva, chargée de bottes de fleurs coupées. Un entrepreneur vint faire admirer une petite voiture noire attelée de deux chevaux également noirs. On envoya Mrs Vellet en ville, d'où elle revint avec une couturière et des malles bourrées d'étoffes sombres.

Myrtle avait décidé que les funérailles auraient lieu le lendemain.

– C'est précipité, non ? avait protesté l'oncle Miles. Ma petite, il y a un autre ferry dans quelques jours. Si nous gardions le corps dans la chambre froide, nous pourrions le ramener avec nous dans le Kent pour qu'il soit enterré avec le reste de la famille.

– Non, s'était obstinée Myrtle. Nous l'enterrerons ici, à Vane. Le plus tôt possible.

Elle refusa de discuter davantage.

Cette hâte semblait indécente, mais il ne s'agissait là que d'une indécence de plus. Faith n'en pouvait plus des vivants. Elle ne supportait pas la curiosité impitoyable des domestiques, les platitudes et les haussements d'épaules de l'oncle Miles. Les questions de Howard la déchiraient. Plus que tout, la présence de sa mère lui était intolérable.

Il fallait que quelqu'un se charge de veiller le corps. Faith ne fut que trop heureuse de se proposer.

Le pasteur avait été lavé puis revêtu de ses plus beaux habits, avant d'être couché sur son lit, à l'étage. Pour un peu, on aurait pu croire qu'il était mort dans cette chambre, entouré de ses bien-aimés, la Bible à la main. C'était un mensonge, mais il était réconfortant. La pièce regorgeait maintenant de bougies parfumées et de vases de fleurs, qui lui donnaient un aspect sacré, même si Faith savait qu'ils ne servaient qu'à masquer d'éventuelles odeurs.

Bien sûr, ce n'était pas la première fois qu'elle se trouvait seule avec un mort. Elle avait vu décliner cinq frères cadets, senti la pression de leurs mains confiantes dans les siennes. Et chaque fois, elle avait participé ensuite à la veillée du corps. Quand quelqu'un venait de mourir, il fallait toujours rester à son côté au cas où il ne serait pas vraiment mort. Mieux valait s'en apercevoir avant qu'on l'ait enterré.

Mais il n'y aurait aucun mouvement, elle le savait au fond de son cœur. Le silence écrasant régnant dans la pièce le lui disait assez. Les morts étaient comme des plaies d'où s'échappait du silence.

L'imposante bible noire de la famille était posée sur la table de chevet. Faith avait souvent parcouru la liste des morts, des naissances et des mariages inscrite sur les pages blanches de la fin du volume. Ses frères y figuraient avec la date de leur décès. Et le nom d'Erasmus Sunderly allait s'ajouter aux autres – encore une petite vie humaine écrasée comme une mouche entre les feuilles de l'énorme livre.

Du moins, à la lueur tremblante des bougies, il n'avait plus l'air désemparé, comme sur cette couverture dans la bibliothèque. Ses traits semblaient sculptés dans le marbre, immuables et incorruptibles. Ici, il se trouvait sur son propre autel.

Faith aurait voulu ne jamais quitter cette sérénité. Ne jamais le quitter. Elle ne savait ce qu'elle ressentait. Ses émotions étaient si vastes, si étranges, qu'elles paraissaient comme extérieures à son être, pareilles à d'immenses nuages se déployant et se heurtant sous ses yeux dans le ciel.

Le suicide. Le péché mortel par excellence.

– Je n'y crois pas, lui dit-elle. Je suis sûre que vous en auriez été incapable.

Mais pouvait-elle encore être sûre de quoi que ce fût ? Combien de secrets son père avait-il eus, en réalité ? Et s'il avait repris de son mystérieux narcotique et s'était jeté à l'abîme, dans un accès de mélancolie dû à la drogue ?

Faith se sentait trop fatiguée pour penser, et trop fatiguée pour ne pas penser. Son esprit ne cessait d'agiter ce qu'elle savait, ce qu'elle ignorait, mais laissait retomber dans son hébétude tous ces fragments avant qu'elle ait pu les assembler correctement.

Elle comprenait maintenant pourquoi sa mère avait menti sur l'endroit où l'on avait retrouvé le corps. Une nuque brisée dans le vallon suggérait un accident, un faux pas dans l'obscurité. Pourquoi quelqu'un se jetterait-il du haut d'une petite éminence boisée alors qu'il y avait une falaise à proximité ?

« Mais il n'avait même pas besoin d'une falaise, se dit soudain Faith. Il avait un pistolet. »

Elle pressa ses poings contre ses tempes.

Il avait un pistolet…

Elle se rappela son geste nerveux, machinal, pour saisir son pistolet, alors qu'ils étaient sur la plage. Il s'attendait à un danger quelconque. Et à présent, il était mort.

Pourquoi tenait-il à rentrer de leur expédition en bateau avant minuit ? Et pourquoi voulait-il à tout prix cacher la plante mystérieuse ?

Se remémorant leur trajet furtif avec la plante dans la brouette, elle eut d'un coup l'impression troublante que quelque chose clochait. Elle revit la forme indistincte de la brouette qu'elle avait aperçue le matin même, couchée sur le côté à l'endroit où le sentier bifurquait…

« Mais… elle n'aurait pas dû être là ! se dit-elle. Père et moi, nous l'avions laissée près de la serre. »

Ses vagues incertitudes étaient en train de se cristalliser en un soupçon.

Le brouillard commençait à se dissiper quand Faith retourna sur le sentier. La brouette se trouvait bel et bien à l'embranchement.

C'était peut-être sans importance. Prythe avait pu se lever tôt et la déplacer…

Mais elle continua son chemin, en prenant cette fois le sentier grimpant vers le sommet de la falaise. Le terrain était accidenté, encombré de pierres par endroits. Apparemment, le sentier devenait provisoirement un torrent par temps de pluie.

Parvenue sur le sommet herbeux, elle sentit le vent s'engouffrer sous sa cape. Baissant les yeux, elle vit les vagues écumeuses s'enfoncer dans la plage comme des ongles. À ses pieds, à mi-chemin de la falaise, l'arbre à l'écorce noire qui avait retenu son père s'agitait comme pour lui faire signe d'approcher.

À cet endroit, le sentier devenait une piste boueuse au milieu de l'herbe. Faith se baissa pour l'examiner. Non loin du bord, elle aperçut un sillon dans la boue. Peut-être était-ce la marque d'un bâton ou d'une botte, mais il était juste assez large pour correspondre à l'empreinte de la roue d'une brouette.

Quand Faith entra au salon, l'oncle Miles leva les yeux de son livre et son visage soucieux s'éclaira un peu.

– Comment vas-tu, Faith ?

Elle ne trouva rien d'agréable ni de joyeux à répondre.

– Oncle Miles... pourrais-je vous poser une question ? Vous avez dit que lorsque mon... lorsque mon père s'est vu refuser l'accès aux fouilles, quelqu'un lui a donné une lettre.

– Oh...

L'oncle Miles haussa les sourcils d'un air contrit et ferma son livre.

– Oui, et cette lettre l'a mis dans tous ses états. J'imagine que nous ne connaîtrons jamais son auteur.

– Elle n'était pas signée ?

L'intérêt de Faith avait grandi d'un cran.

– Sans doute, puisque ton père n'arrêtait pas de demander qui l'avait écrite. D'un seul coup, tout le monde lui paraissait son ennemi, il n'en démordait pas. Ben Crock avait trouvé cette lettre dans son courrier et la lui avait remise, mais il n'en savait pas davantage.

– Que disait-elle ?

– Ton père ne l'a montrée à personne, répondit l'oncle Miles en secouant la tête. Pendant que nous retournions à la maison, il répétait qu'on l'avait espionné, qu'il avait été trahi, que quelqu'un avait lu ses papiers. Et à notre arrivée... il a jeté la lettre au feu.

– Te voilà enfin, Faith ! s'exclama Myrtle.

Elle conférait au salon avec la couturière.

– Il y a une robe noire en batiste qui pourrait faire ton affaire, une fois ajustée à ta taille.

Faith regarda fixement la robe noire drapée sur une chaise.

Avec son col usé et ses coudes élimés, cette robe n'en était pas à son premier deuil.

– Mère... pourrais-je vous dire un mot ?

– Bien sûr, répondit distraitement Myrtle sans lever les yeux d'un illustré présentant des femmes élégantes couvertes de crêpe. (Elle tapota une gravure et tendit l'illustré à la couturière.) Celle-ci, avec la coupe à la mode. Je ne peux pas renoncer complètement à ma demi-crinoline. Et ne croyez-vous pas que nous pourrions utiliser un peu de soie lustrée ? Faut-il vraiment que tout soit terne, sans aucun éclat ?

De fait, le crêpe était vraiment lugubre. C'était un amas de fils fins et rêches, qui grattait quand on le touchait. Il semblait absorber la lumière.

La couturière assura qu'on ne pouvait faire autrement, ce que Myrtle admit à contrecœur.

– Et tout coûte tellement cher, marmonna-t-elle. Mais nous devons faire les choses correctement. Mrs Vellet, il y a sûrement quelqu'un à Vane qui vendrait du crêpe usagé ?

– Je peux m'informer, madame... mais les gens n'aiment pas le garder chez eux, une fois le deuil passé. On dit que ça porte malheur. Du reste, madame, le crêpe vieillit mal. Il se déchire facilement, prend un aspect négligé, sans compter qu'il ne supporte pas d'être lavé ni de prendre la pluie.

– Mère, je vous en prie, pourrais-je vous dire un mot en privé ? lança Faith, incapable de contenir son impatience.

– Oui, Faith, oui. Dès qu'on aura pris tes mesures.

Les dents serrées, Faith dut subir sans broncher le mètre à mesurer et des flots de bombasin, de paramatta et de rubans noirs. Elle fut contrainte d'écouter sa mère qui choisissait, chicanait et marchandait, oscillant entre une prodigalité résolue et une surprenante avarice. Oui, elle avait absolument besoin de cette ombrelle en mousseline noire. Mais non, des bijoux en verre noir feraient aussi bien l'affaire que du jais. Oui, il lui fallait assurément ce bonnet avec des rubans supplémentaires. Mais non, il était inutile de ruiner la famille en vêtements noirs, il suffirait de teindre en noir d'anciennes tenues.

La couturière s'en alla enfin.

– Qu'y a-t-il, Faith ? (Myrtle l'observa un instant.) Comme tu es pâle ! Je vais demander à Mrs Vellet de t'apporter un peu de bouillon.

– Je veux vous parler de Père. De la falaise…

L'expression d'inquiétude distraite du visage de Myrtle s'effaça sur-le-champ. Elle se hâta vers la porte, l'ouvrit, la referma.

– Je ne veux pas entendre un mot de plus, lança-t-elle fermement.

– Mais…

– Ne parle pas de la falaise. Ni à moi, ni à personne d'autre.

– J'ai découvert une empreinte au sommet, insista Faith. Je crois qu'il s'est passé quelque chose d'horrible…

– Peu importe ! s'écria Myrtle.

Elle ferma les yeux et poussa un profond soupir, puis reprit en peinant visiblement à garder son calme :

– Je sais que c'est difficile à comprendre pour toi, mais seules comptent les apparences. Nous avons notre version des faits. Il ne s'est rien passé d'autre.

Faith sentit le dégoût et la frustration l'étouffer. Pourquoi avait-elle tenté de parler à sa mère ? Comment avait-elle pu imaginer attirer son attention ?

Il n'y avait rien à ajouter. Le pistolet, la hâte de son père pour rentrer avant minuit, son désir éperdu de cacher la plante mystérieuse… Elle ne pouvait révéler aucun de ces détails, sous peine de trahir la confiance de son père.

En sortant de la pièce, Faith regarda par-dessus son épaule et vit Myrtle essayer un tour de cou noir. À cet instant, elle haït sa mère.

En fin d'après-midi, Clay arriva avec son appareil photographique, son trépied et sa boîte de produits chimiques. Derrière lui, son fils Paul avançait péniblement avec tout un assortiment de supports.

Il s'agissait de perpétuer la mémoire d'un père bien-aimé au sein de sa famille. Ce serait une image qu'on montrerait aux amis et aux parents en visite, un souvenir qu'on pourrait envoyer aux relations les plus proches.

Faith se rappela comme Paul Clay lui avait présenté les photos de défunts dans la boutique paternelle, en guettant ses réactions. À présent, il semblait éviter son regard, et elle-même n'avait aucune envie de rencontrer le sien.

Pour l'occasion, on avait porté au salon le révérend Erasmus Sunderly, en ajustant ses vêtements et brossant habilement ses cheveux afin de couvrir la plaie sur sa tempe. Pendant si longtemps, il avait été le centre autour duquel tournait la maisonnée. Faith avait été écœurée de le voir ainsi déplacé et manipulé, comme une poupée lors d'un goûter. Il trônait maintenant dans son grand fauteuil, la main posée sur la page ouverte d'une bible.

Myrtle s'était installée humblement à côté de lui, dans un fauteuil capitonné au dossier droit. Sa robe de deuil n'était pas encore terminée, mais elle s'était habillée dans les teintes les plus sombres qu'elle avait pu, en bleu foncé avec un châle noir. Elle semblait aussi jolie qu'affligée, et Faith trouva son calme détestable. Howard était accroupi à leurs pieds, on lui avait donné son lion en bois pour le distraire. Faith ne voyait de lui que sa tête baissée, la courbe fragile de son dos tendu. Il ne cessait de faire cliqueter la mâchoire du lion.

Faith était debout derrière le fauteuil de son père. Elle leva furtivement la main pour la poser sur la manche du pasteur, et ce contact la réconforta un peu en lui donnant une impression de solidarité.

– Pourriez-vous reculer d'un pas, Miss ?

Paul Clay s'était avancé derrière elle, avec un support fin s'élargissant à la base et se terminant en haut par une sorte de pince.

À contrecœur, Faith recula et cessa de toucher son père. Elle sentit Paul écarter doucement sa tresse puis enserrer son cou dans la pince du support.

Faith avait les yeux brûlants. Elle détestait Paul Clay, avec sa voix monocorde, d'une politesse glacée. Saisissant la main du garçon derrière elle, elle la pinça de toutes ses forces, en le défiant intérieurement de la dénoncer par un cri, mais il garda le silence. Quand elle le lâcha, il retourna auprès de son père, le visage indéchiffrable.

– Ce support vous aidera à ne pas bouger, expliqua Clay.

Il fallait rester où l'on était, sans un geste, sous peine de gâcher la photo. Dire telle chose, et rien d'autre, sous peine de gâcher l'histoire...

La famille Sunderly s'immobilisa en regardant fixement l'œil noir de l'appareil. Faith pensa au grésillement des produits chimiques, à sa propre image s'inscrivant en brûlant dans le négatif de verre, ineffaçable et immortelle. Elle se demanda si elle aurait un regard égaré, derrière lequel ses pensées tournoieraient comme des chauves-souris prises au piège dans une tourelle.

– Voilà, dit Clay aussi tendrement que s'il mettait un enfant au monde. C'est fait.

Après qu'il eut fixé le négatif, Myrtle l'appela près de la cheminée et se mit à chuchoter avec lui. Faith s'efforça de ne pas écouter, mais c'était plus fort qu'elle.

– ... j'ai si peu d'amis sur cette île, je ne sais ce que je ferai si je ne peux pas compter sur votre aide. (Les grands yeux de Myrtle semblaient ceux d'une enfant.) Si vous êtes assez habile pour peindre ses yeux sur le cliché de façon qu'on les croie ouverts, vous pouvez certainement apporter d'autres changements ? On distingue encore un peu la plaie à sa tempe. Pourriez-vous la cacher avec de la peinture ?

Après le mensonge d'une famille heureuse, cette photo allait donc s'enrichir encore d'autres tromperies...

Faith ne pouvait en supporter davantage. Elle sortit sans bruit du salon. Le vestibule froid et sombre lui parut plus bienveillant. Au moins, elle était seule.

Puis la porte grinça dans son dos. Se retournant, elle vit que Paul Clay l'avait suivie. Il s'immobilisa et la regarda en silence, du même air froid et impassible qu'auparavant.

– Vous avez eu mal, quand je vous ai pincé ? demanda-t-elle.

Quelque chose n'allait pas avec ses poumons. À chaque inspiration ils semblaient se remplir d'épingles et d'aiguilles.

– Dites-moi que vous avez eu mal !

Il retint un instant son souffle avant de parler.

– La photo devrait être bonne, dit-il enfin. Pleine de dignité. Tous nos clients ne... Enfin, il fait un beau...

– Un beau quoi ? lança Faith. (Elle avait l'impression que son sang brûlait ses veines.) Un beau cadavre ?

– Pourquoi vous en prenez-vous à moi ? s'exclama Paul en élevant la voix pour la première fois. Je ne suis pas responsable !

– Vraiment ? Pourtant, il y a un responsable !

Elle l'avait dit. Sa respiration devint plus rapide, plus aisée.

Elle ne croyait plus que son père était tombé de la falaise sous l'effet de la drogue. Elle imaginait plutôt une silhouette dans la nuit, poussant avec peine sur le sentier une brouette chargée puis s'arrêtant au sommet pour faire basculer son fardeau dans le vide. Un corps tombait, heurtait cruellement la paroi rocheuse, atterrissait sur un arbre. Puis la silhouette s'éloignait furtivement, en abandonnant la brouette à l'endroit où le chemin bifurquait.

– Vous le détestiez tous, sur cette maudite île, dans ce trou infect ! s'écria-t-elle. Et l'un de vous l'a tué !

Se détournant, elle monta l'escalier en courant, car elle aurait préféré mourir plutôt que de laisser Paul Clay la voir pleurer.

Ce n'était pas un accident, ni un suicide. C'était un meurtre.

14
Les funérailles

Le jour des funérailles était noyé dans la grisaille. Les porteurs vêtus de noir marmonnaient en descendant le cercueil dans l'escalier. Leurs bottes laissaient des traces boueuses sur le tapis. La porte de la maison était ouverte. On sortit le cercueil «les pieds devant». Faith avait entendu dire qu'on voulait ainsi empêcher le mort de regarder derrière lui dans la maison et d'inviter un vivant à le rejoindre.

«Je voudrais bien qu'il m'appelle», songea-t-elle.

Après un trajet glacial en voiture, les Sunderly marchèrent en cortège jusqu'au porche de l'église. Howard et l'oncle Miles suivaient le cercueil, en tant qu'«hommes de la famille». Les «pleureurs» les accompagnaient, porteurs de longs bâtons enveloppés de crêpe – on aurait dit de sinistres filets à papillons.

Quand la famille entra dans l'église, Faith mit un instant à voir dans la pénombre.

Elle avait pensé que le sanctuaire serait désert, en dehors du prêtre, que Myrtle se serait mise en frais pour une représentation sans public. Elle s'était trompée.

Presque tous les bancs étaient bondés. Toutes les têtes se tournèrent pour regarder l'entrée des Sunderly. La plupart des assistants étaient de parfaits inconnus.

En revanche, les bancs des notables étaient presque vides. Le docteur Jacklers était assis au bout de l'un d'eux, l'air extrêmement mal à l'aise. Les familles respectables, celles qui composaient la bonne société de Vane, étaient invisibles.

Tandis qu'ils rejoignaient leur banc, Faith sentait les regards comme un ruissellement d'eau froide sur sa nuque. Myrtle s'avança, le menton dressé, pareille à une reine ténébreuse, dont les bougies faisaient luire les bijoux de verre noir et les cheveux d'or presque entièrement dissimulés par son voile pesant. Les chuchotements se turent quand sa robe noire frôla les dalles funéraires sur le sol de marbre. Faith ne put retenir un mouvement d'admiration devant l'attitude de défi tranquille de sa mère. Il était audacieux pour une femme d'assister à un service funèbre, mais Myrtle avait absolument tenu à ne pas « se cacher ».

Les Sunderly prirent place sur leur banc. Faith aurait voulu que ses parois aient deux mètres de haut. En se dirigeant vers le chœur, elle avait surpris plusieurs remarques au passage.

– Qu'entend-on par « tendre de nouveau ses filets » ? ne put-elle s'empêcher de demander à voix basse.

– Cela signifie qu'il y a de vieilles sorcières jalouses dans cette église, murmura Myrtle sous son voile. Et que j'ai bien choisi ma robe.

– Je t'avais dit que c'était une erreur de faire ça un dimanche, marmonna l'oncle Miles. Ils sont tous en congé, libres de venir assister au spectacle.

Clay avait l'air étrangement frêle dans son surplis, écrasé par la masse démesurée de la chaire. Sa voix était grave mais faible, comme fatiguée de combattre les ombres s'étendant sous la voûte.

– Nous n'avons rien apporté en ce monde, et il est sûr que nous ne pouvons rien en rapporter. Le Seigneur a donné, et le Seigneur a repris. Béni soit le nom du Seigneur…

Faith entendit le bruissement des livres de cantiques. Puis

un psaume familier s'éleva, chanté sur une mélodie qu'elle ne connaissait pas. Ensuite, Clay se remit à parler, à parler sans fin, sur la chute et le sommeil, sur le réveil et la rédemption. Ses paroles étaient comme des galets inertes sur une plage interminable. Faith n'aspirait qu'à en avoir fini avec tout cela. À voir son père en sûreté sous la terre, loin de cette obscurité glacée, hostile, et des chuchotements se propageant comme un incendie.

La voix du vicaire se tut enfin avec douceur. On entendit des pas traînants, des bancs repoussés avec fracas. Myrtle donna un coup de coude à Faith, qui comprit avec un immense soulagement que le service était terminé. Elle se leva et sortit solennellement avec le reste de sa famille dans le jour gris, afin de suivre le cercueil jusqu'à la tombe.

Devant eux, au lieu d'attendre pour sortir à leur suite, les assistants se précipitèrent vers le porche.

Quand les Sunderly se retrouvèrent dehors, Faith s'aperçut que la foule ne s'était pas éclipsée avec une hâte grossière. Le cimetière était rempli de gens debout, accroupis, assis sur des tombeaux. Tous regardaient le cercueil approcher.

L'espace d'un instant, Faith ne vit pas la tombe ouverte. Puis elle remarqua un homme tenant une pelle, le visage soucieux, incertain. À ses pieds, il y avait bien une fosse noire, mais quatre ou cinq personnes s'y étaient installées, en s'accoudant sur le rebord gazonné. On distinguait à peine leur tête, mais leur attitude était pleine de défi. D'autres assistants s'étaient massés devant la tombe, les bras croisés, comme une barrière humaine.

– Au nom du Ciel, que signifie tout cela ? s'exclama Clay.

– On ne peut pas l'enterrer ici ! lança l'un des hommes au milieu de l'attroupement.

Brun, grand, robuste, il arborait une expression belliqueuse. Faith le reconnut tout de suite. C'était Tom Parris, l'homme qui l'avait effrayée sans le vouloir dans les bois de Bull Cove. Le père du garçon qui s'était blessé dans l'un des pièges du pasteur.

– Que voulez-vous dire, Tom ? demanda le vicaire d'un air stupéfait. Qu'est-ce qui s'y oppose ?

– Nous sommes dans un enclos sacré, répliqua Tom avec brusquerie. Aucun suicidé ne peut y entrer. Ce Sunderly s'est jeté de la falaise, et peu nous importe qu'on raconte autre chose. Nous savons où il a été retrouvé.

Seule Faith surprit le regard que Tom lança à l'un des assistants. Elle suivit ce regard et aperçut la silhouette familière de Jeanne Bissette, la bonne, l'air modeste dans sa tenue du dimanche agrémentée d'un crêpe noir, mais l'œil brillant de satisfaction.

« Elle leur a dit où l'on a retrouvé Père, comprit Faith. Elle l'a raconté à tout le monde. »

– Si on veut l'enterrer, continua Tom d'un ton inflexible, il y a un carrefour à trois kilomètres d'ici. Nous sommes même prêts à fournir un pieu pour clouer le fantôme sur place. Mais pas ici. Pas près des tombes de nos familles.

– Comment peut-on être aussi cruel ? s'écria Myrtle en perdant un instant son calme, tremblante d'émotion.

Faith eut peine à reconnaître la voix de sa mère.

D'autres voix s'élevèrent bruyamment. L'oncle Miles et le vicaire se frayèrent tous deux un chemin dans l'attroupement. Faith les vit discuter d'un air grave avec Tom, le porte-parole de la foule. Au bout d'un moment, elle vit l'oncle Miles se retourner et hausser les épaules, avec cet air résigné qu'elle connaissait trop bien et qui disait : « J'ai essayé... » Howard poussa un petit gémissement, et elle se rendit compte qu'elle serrait sa main trop fort.

Clay rejoignit Myrtle et Faith.

– Je n'ai jamais vu les gens de l'île se montrer aussi inflexibles ! déclara-t-il. Mais je peux vous promettre que personne ne va transpercer votre époux et l'enterrer au carrefour !

– Oh, merci, merci ! s'exclama Myrtle.

– Non, cette vieille coutume a été abandonnée du temps de mon grand-père, continua le vicaire en plissant le front. Mais ils ont raison de dire qu'un suicidé ne peut être enterré dans un enclos sacré. Je suis vraiment désolé, Mrs Sunderly, mais puisque les circonstances de la mort du pasteur ont été mises en question, je vais devoir en référer à Mr Lambent en tant que magistrat de l'île.

– Nous ne pouvons pas l'enterrer ?

Une grosse goutte de pluie glacée s'abattit sur la joue de Faith.

– Ne vous inquiétez pas, lança Clay en hâte. Je suis certain qu'il s'agit d'un malentendu et que tout se réglera facilement.

– Et si ce n'est pas le cas ? demanda Myrtle.

– Eh bien… s'il le faut… il y a non loin d'ici une prairie où l'on enterre les petits enfants nés hors des liens du mariage. Ce n'est pas un lieu consacré, mais de là-bas on voit le clocher de l'église…

– Non ! cria Faith.

Voir son père banni pour l'éternité, déshonoré dans sa mort et exclu de l'Église…

– Non, pas ça ! proclama Myrtle, dont les yeux étincelants étaient presque invisibles derrière son voile épais. Il faut absolument qu'il repose dans un lieu consacré.

Elle baissa la voix.

– Ces gens… ils ne peuvent pas rester ici toute la journée. Ne pourrions-nous pas attendre et enterrer mon époux après leur départ ?

– Mrs Sunderly, répondit tristement le vicaire, je leur ai promis une enquête. Si je ne tiens pas parole… eh bien, nous pourrions sans doute l'enterrer, mais je ne crois pas qu'il resterait ici.

L'oncle Miles demeura à l'église avec le vicaire et le corbillard, afin de parler aux révoltés et voir « si un peu de bon sens et d'argent pourrait changer les choses ». Toutefois, il n'avait guère d'espoir. Le cercueil fut installé « provisoirement » dans la crypte.

– Nous devons régler cette affaire dès aujourd'hui ! répéta pour la centième fois Myrtle tandis que la voiture remontait vers le nord en prenant la route côtière. Le petit déjeuner des funérailles, cette voiture et le corbillard, les pleureurs… tout est prévu pour aujourd'hui ! Nous ne pouvons nous permettre…

Elle ne termina pas sa phrase.

– Pourquoi ne pas retourner dans le Kent et enterrer Père là-bas ? suggéra Faith.

– Crois-tu que les gens ne poseraient pas les mêmes questions qu'ici ? rétorqua Myrtle. Une mort subite juste après qu'un scandale avait éclaté ? On demanderait à d'autres médecins d'examiner son corps, et ils ne se montreraient peut-être pas aussi… raisonnables que le docteur Jacklers. Non, il faut qu'à notre retour ton père ait été enterré dans les règles, avec un certificat médical attestant qu'il s'agissait d'un accident, pour couper court à toute discussion. L'inhumation doit avoir lieu ici, aujourd'hui même !

Quand la voiture s'arrêta devant la maison des Sunderly, Myrtle sembla prendre une décision. Elle appela Mrs Vellet et lui confia Howard. Puis elle tapa au plafond de la voiture.

– Cocher… conduisez-nous chez le magistrat !

Le cocha protesta qu'il n'était pas un fiacre, qu'il avait été engagé pour des funérailles et non pour « se promener ». Myrtle, impavide, arriva à ses fins avec l'aide d'une pièce.

Un malaise insidieux s'empara de Faith. Elle savait que les veuves en plein deuil n'étaient pas censées faire des visites. En fait, il était considéré comme déplacé qu'elles se rendent chez quelqu'un ou soient vues en public. Mais Myrtle avait-elle le choix ?

– Il faudra qu'ils comprennent, déclara-t-elle comme pour répondre à la pensée de Faith. Ils comprendront certainement qu'il s'agit d'une urgence.

« Oui, songea Faith. Certainement. »

Non sans appréhension, elle regarda la route monter vers The Paints. La maison paraissait plus que jamais en proie aux assauts du vent. La petite voiture noire s'immobilisa, accueillie par le concert habituel des chiens.

Faith et Myrtle descendirent du véhicule, et il y eut une

nouvelle discussion avec le cocher, lequel ne tenait guère à les attendre. Une nouvelle pièce le convainquit de patienter un moment, mais il ne cacha pas qu'il n'avait aucune intention de « perdre son dimanche ».

Il avait l'air terrifié. Faith devina qu'il s'inquiétait des réactions de la foule du cimetière. Peut-être n'avait-il pas envie de rester à bord d'un navire en train de sombrer.

La mère et la fille gravirent les marches et frappèrent avec l'énorme heurtoir. Le valet poussif qu'elles avaient vu lors de leur précédente visite ouvrit la porte. Il sembla surpris en les reconnaissant.

– Nous devons parler à Mr Lambent pour une affaire urgente, expliqua Myrtle. Nous avons besoin de son concours comme ami et comme magistrat.

Le valet se confondit en excuses. Mr Lambent était sorti et ne reviendrait pas avant plusieurs heures. Cependant, Mrs Lambent était à la maison. Mrs et Miss Sunderly consentiraient-elles à attendre au petit salon, afin qu'il aille voir si Mrs Lambent recevait ?

Le salon était vraiment petit et sentait le renfermé. Myrtle arpenta la pièce en faisant bruire sa longue robe noire. Faith joignit les mains avec tant de force qu'elles lui faisaient mal, dans son effort pour calmer le tumulte de ses pensées.

– Cela vaut mieux que rien, marmonna Myrtle. Si nous réussissons à la convaincre, elle gagnera peut-être son époux à notre cause.

Les pendules n'étaient pas arrêtées, dans cette maison. La pendulette peinte en rose ne leur rendait que trop sensible le lent passage du temps. Un quart d'heure. Une demi-heure. Trois quarts d'heure.

Alors qu'elles attendaient depuis près d'une heure, le valet leur apporta une lettre fraîchement cachetée sur un plateau d'argent puis s'en alla. Faith la lut par-dessus l'épaule de Myrtle.

Mrs Sunderly,

Veuillez me pardonner d'avoir été si longue à répondre, mais quand on m'a dit que vous m'attendiez dans mon petit salon, j'ai eu peine à le croire. Même si je me rends compte que les façons de faire sont différentes à Londres, je ne pense pas qu'on ait perdu dans la capitale tout sens de la bienséance, de la décence et du bon goût.

Je dois vous avouer que j'étais déjà surprise que vous ayez décidé d'organiser les funérailles de votre époux un dimanche. Ce genre de choses peut convenir à des paysans ou à de petites ouvrières, mais il n'est guère excusable qu'une famille honorable profane ainsi le jour du Seigneur.

Cette visite n'est pas moins surprenante. Lorsque j'ai perdu mon premier époux, je me suis retirée dans mon deuil comme une religieuse dans sa cellule. Pendant la première année, rien n'aurait pu me convaincre de souiller la mémoire de mon époux en me baguenaudant en public.

En toute conscience, il m'est donc impossible, à mon grand regret, d'accepter de vous recevoir.

Respectueusement,
Agatha Lambent

Myrtle regarda un instant fixement la lettre. Ses épaules se soulevaient par saccades, comme si elle avait du mal à respirer. Sans un mot, elle sortit du petit salon. Le vieux valet s'empressa de leur ouvrir les portes, et Faith et Myrtle se retrouvèrent de nouveau dans la cour.

Faith était submergée par la colère, l'humiliation et la détresse. On les avait fait attendre volontairement, avant de les renvoyer de la façon la plus cruelle.

– Quelle infecte hypocrite, quelle femme odieuse ! s'indigna Myrtle. Comment ose-t-elle nous faire la morale ! Elle est malade, paraît-il ? J'ai senti l'odeur de son « médicament », et je peux te dire que c'est du gin !

La voiture n'était pas dans la cour, ni aux écuries, ni sur la route. Le cocher avait mis ses menaces à exécution. Il était parti.

– Oh, je ne supporte pas l'idée de prier cette femme de nous prêter sa voiture ! s'exclama Myrtle.

Mais comme elle n'avait pas le choix, elle retourna frapper à la porte.

Personne ne se manifesta.

Elles frappèrent encore et encore, en vain. À un moment, Faith leva les yeux vers la fenêtre du premier étage et entrevit un visage les observant entre les rideaux. Elle se demanda si ce n'était pas Miss Hunter.

– À quelle distance sommes-nous de la maison ? demanda enfin Myrtle.

– Six kilomètres, répondit Faith en se rappelant la carte.

– Dans ce cas, nous allons devoir marcher vite, dit Myrtle d'une petite voix tendue. Sans quoi, la pluie nous devancera.

Elles n'allèrent pas assez vite. La pluie les rattrapa à mi-chemin. Il y eut d'abord quelques gouttes erratiques qui mouillèrent çà et là leurs vêtements. Puis les gouttes se transformèrent en averse, puis en un déluge assourdissant et aveuglant. Sous leurs pieds, la route n'était plus qu'un torrent de boue qui semblait en train de bouillonner.

La petite ombrelle en mousseline de Myrtle ne put soutenir cet assaut. Elle fut bientôt trempée et transpercée, et l'eau se mit à ruisseler le long de son manche. Leurs bonnets s'affaissèrent sous le poids de cette trombe.

Faith ne put s'empêcher d'avoir pitié en voyant la belle toilette de deuil de Myrtle ravagée par les intempéries. Ses jupes et ses bas noirs furent bientôt maculés de boue. Pire encore, le crêpe de sa robe commença à se décomposer quand la colle maintenant les fibres de soie fut dissoute.

Tandis qu'elles avançaient en trébuchant, Myrtle se mit à pleurer. Ce n'étaient plus les larmes charmantes dues à l'artifice des sels, mais les sanglots déchirants d'une enfant. La mère et la fille tentèrent de s'abriter sous un arbre, mais il ne les protégeait guère. Myrtle pleura de plus belle, et chacun de ses sanglots déchirait le cœur de Faith.

– Nous sommes presque arrivées, se surprit-elle à dire sur le même ton qu'elle aurait eu avec Howard. Nous y sommes presque. Ce n'est pas si tragique.

Elle courut dans la pluie, en cherchant une chaumière ou une cabane, n'importe quel abri possible. Au milieu d'un champ entouré d'arbres, elle crut voir une silhouette au loin. Elle appela, puis se rendit compte qu'il s'agissait d'un épouvantail.

Myrtle leva à peine les yeux quand Faith revint avec le manteau de l'épouvantail. Faith le drapa sur les épaules de sa mère, en dissimulant de son mieux la robe en décomposition.

Ce fut une longue marche. Lorsqu'elles atteignirent la maison, elles tremblaient toutes deux violemment. Mrs Vellet sembla horrifiée et fit chercher de l'eau chaude afin de préparer des bains. Cependant Faith entendit dans les parages un petit rire étouffé. Il lui sembla reconnaître la voix de Jeanne.

Même rendue à sa solitude, Faith ne put s'empêcher de penser à ce rire, d'entendre ces gloussements de joie incrédule. C'était comme un coup de poignard.

Seule dans sa chambre, trempée jusqu'aux os, elle se demanda ce qu'étaient devenues ses larmes. Elle en avait versé, auparavant. Elle se rappelait leur brûlure, leur désespoir. À présent, elle ne se sentait plus capable de pleurer.

Elle pensait à ce rire. Le rire de Jeanne. Puis elle se souvint de l'image de la femme assassinée, dans le stéréoscope, et elle l'imagina avec le visage de Jeanne.

Elle se représenta l'église en feu, avec tous les gens de l'île à l'intérieur. Elle-même se trouvait dehors, une torche à la main, et regardait la porte tressauter tandis qu'ils s'efforçaient de s'échapper.

Il y avait un long miroir, dans la chambre de Faith. Comme il convenait, il était recouvert d'un voile de crêpe.

« Quand la mort est dans la maison, les miroirs sont avides, lui avait dit sa nurse voilà bien longtemps. Si nous ne les couvrons pas, ils aspirent l'âme du pauvre mort et la prennent au piège. Et si un vivant regarde dans un miroir, il lui arrive de voir le mort le regarder à son tour et il est entraîné lui aussi dans l'au-delà.

« Dans une maison en proie à la mort, n'importe quoi peut vous attendre dans le miroir, prêt à s'emparer de votre âme. »

Faith tendit la main vers le crêpe, dont elle sentit la surface rêche sous ses doigts. D'un coup sec, elle l'arracha.

Dans la pénombre de la chambre, le miroir ressemblait à une porte ouverte encadrée d'or. De l'autre côté de ce portail, Faith vit une jeune sorcière aux yeux brillant comme des étoiles féroces. Ses cheveux lisses se lovaient comme des serpents sur ses épaules. Des gouttes de pluie scintillaient sur ses joues. Sa robe toute simple, au col haut, était d'un noir avide, aussi profond qu'un puits de mine. Faith absorbait toute la lumière de la pièce.

Était-ce bien là Faith, la bonne petite Faith ?

La fille du miroir était capable de tout. Et elle était tout sauf bonne, cela se voyait tout de suite.

«Je ne suis pas bonne», se dit Faith. Quelque chose se libéra en elle, s'envola dans le ciel en battant des ailes noires. «Jamais quelqu'un de bon ne sentirait ce que je sens. Je suis méchante, fourbe, pleine de rage. Rien ne pourra me sauver. »

Elle ne se sentait plus brûlante ni désespérée. Elle se sentait comme un serpent en train de se déployer.

15
L'arbre et les mensonges

– Chut…

Le serpent chinois tressaillit quand elle ouvrit la cage. Il se ramassa sur lui-même puis se calma en sentant l'odeur de Faith. Ils étaient de la même famille. Il s'enroula à son bras avec la beauté indolente d'une encre se dissolvant dans l'eau. Ses écailles avaient la sécheresse du cuir et de la soie, la fraîcheur du soir. Sa langue frémissante chatouilla la joue de Faith.

Glissant les doigts sous le nid d'étoffe, elle saisit les papiers de son père. Au lieu de se sentir coupable d'un tel sacrilège, elle était simplement excitée.

«Je suis tout ce qui vous reste, Père, songea-t-elle. Je suis votre seule chance de justice et de vengeance. Et j'ai besoin que vous me donniez des réponses.»

Elle se raidit en entendant des pas rapides, l'écho lointain d'un récipient en métal qu'on remplissait. Mais ce n'était qu'un domestique allant chercher de l'eau pour le bain de sa mère. Personne ne viendrait la déranger.

Faith avait échappé à l'attention de la maisonnée, comme une pièce de monnaie tombée dans la doublure d'un manteau. C'est souvent le sort des gens silencieux. Et nul ne s'étonnerait qu'elle se soit retirée dans sa chambre. Après les épreuves de la journée, chacun jugerait normal qu'elle ait besoin de s'étendre un moment. L'épuisement était la réaction naturelle d'une jeune fille bien élevée.

Peu lui importait ce qu'ils pensaient, du moment qu'ils la laissaient tranquille.

Elle poussa sa malle de voyage contre la porte, afin qu'on ne puisse la surprendre. Elle enleva ses vêtements mouillés et les suspendit devant la cheminée. Puis elle alimenta le feu et s'assit dans un fauteuil avec les papiers, si près de l'âtre que la chaleur brûlait ses mains et ses joues. En voyant que ses jupes commençaient à fumer, elle se sentit elle-même comme une salamandre, ou quelque créature brumeuse et monstrueuse de la mythologie. Ses cheveux se raidissaient en séchant comme des tentacules.

À la lumière rougeoyante du foyer, elle entreprit d'examiner les papiers de son père.

Il y en avait énormément. Une bonne partie consistait en lettres d'autres scientifiques, remplies de compliments verbeux, de fines plaisanteries en grec, de réminiscences et de recommandations. Il y avait des propositions de conférences, des discussions sur l'âge d'une certaine dent ou sur la meilleure recette de « fixateur » pour conserver les ossements. Plusieurs papiers semblaient des factures, des comptes ou des reçus. Elle trouva même des feuillets tachés et déchirés, arborant des armoiries royales et des calligraphies ondoyantes en français et en anglais – sans doute s'agissait-il de passeports et de visas datant des voyages du pasteur.

Tandis que les heures passaient et que ses vêtements séchaient sur le pare-feu, Faith parcourait des esquisses délicates de plantes vénéneuses et d'oiseaux tropicaux, des plans de fouilles et des observations minutieuses. Puis elle découvrit les croquis rapides qu'elle avait déjà entrevus, après le premier épisode étrange où les yeux de son père étaient devenus jaunes. Cette fois encore, elle fut frappée par leur aspect fébrile, schématique, si différent des autres dessins.

Ses doigts pressèrent enfin la couverture en cuir du carnet qu'elle avait trouvé sous son lit. Elle l'avait gardé pour la fin, car il ressemblait terriblement à un journal ou des notes intimes, mais elle ne pouvait sauvegarder plus longtemps son secret.

Elle l'ouvrit et commença à lire les mots tracés par son père de son écriture précise et élégante.

Une étude sur les propriétés supposées de « l'arbre à mensonge »

J'ai entendu parler pour la première fois du prétendu arbre à mensonge lors d'un séjour dans le sud de la Chine, en 1860. J'étais arrivé au mauvais moment. Alors que je parcourais la région du Yunnan, j'appris qu'un conflit avait éclaté entre les troupes anglaises et chinoises. Ne sachant si je risquais de rencontrer des réactions hostiles, je m'installai dans un village au bord du fleuve et attendis les nouvelles.

Le hasard mit sur mon chemin un certain Mr Hector Winterbourne, un collègue naturaliste. Il avait participé à de nombreuses fouilles et se révéla un collectionneur fanatique, passionné de monstruosités et de bizarreries en tous genres. Ravi de cette occasion de converser avec un compatriote cultivé, je passai une bonne partie de la nuit à parler avec lui.

Il évoqua avec ferveur sa dernière obsession, une plante dont il avait découvert l'existence dans une obscure légende, trois ans plus tôt. Cet arbre était censé ressembler à une plante grimpante, mais porter des fruits apparentés à des agrumes et dotés de propriétés extraordinaires. Il affectionnait l'obscurité ou la pénombre, et ne donnait des fleurs et des fruits qu'à condition d'être nourri de mensonges.

Ce détail me parut relever de la fable et je fus surpris de voir que mon compagnon ne partageait pas mon scepticisme. Quand je lui demandai comment on pouvait « nourrir » une plante avec un mensonge, il déclara qu'il fallait le murmurer à l'arbre puis le propager autant que possible. Plus le mensonge était énorme et plus nombreux étaient les gens auxquels on avait réussi à le faire croire, plus le fruit était gros.

Toute personne mangeant ce fruit accédait à une information particulièrement secrète sur un sujet qui lui tenait à cœur.

Faith ouvrit de grands yeux. Quelle était cette fable? Pourquoi son père, connu pour son rationalisme, avait-il écrit sur cette plante? En même temps, elle songea à ce pot couvert d'un voile qu'il voulait cacher à tout prix.

Comme je soulignais combien cette idée était absurde, Winterbourne me montra une petite pelure séchée, évoquant l'écorce d'un citron vert, et m'assura qu'il avait acheté deux ans plus tôt pour une somme considérable un fruit d'arbre à mensonge et l'avait mangé. Il refusa de me révéler le «secret» qu'il avait appris, mais me déclara d'un air sombre qu'il était d'une importance indéniable.

Il me dit qu'il avait acheté ce fruit à un nommé Kikkert, un Hollandais qui avait fait une carrière d'informateur dans les Indes. Winterbourne pensait que Kikkert avait «nourri» l'arbre en vendant de fausses informations, de façon à pouvoir fournir des fruits à d'autres acheteurs ou à apprendre des secrets d'une grande valeur. C'était un jeu dangereux, et Kikkert avait fui la ville avant que Winterbourne ait pu en savoir davantage.

Il avait cru retrouver la trace du Hollandais en Perse, mais Kikkert avait disparu là-bas. Seul le plus grand des hasards l'avait remis sur sa piste. Winterbourne était venu en Chine participer à des fouilles. Alors qu'il allait repartir, il avait entendu parler de la mort aussi subite que suspecte d'un vieux Hollandais dont le signalement ressemblait à celui de Kikkert. Winterbourne se rendait maintenant en amont du fleuve pour enquêter et voir s'il ne pourrait pas découvrir une trace de l'arbre légendaire.

Quand j'allai me coucher cette nuit-là, j'étais persuadé que Kikkert était un charlatan et que mon nouvel ami était à moitié fou. Malgré tout, alors que je tentais de m'endormir, je me rendis compte que l'idée de cet arbre s'était emparée de mon imagination. Outre les faits eux-mêmes, le sérieux de Winterbourne m'avait impressionné. Tout homme avide de savoir ne peut qu'être tenté par la pensée d'apprendre des secrets indicibles en une bouchée.

À mon réveil, le lendemain matin, j'avais envie de parler de nouveau avec Winterbourne. Toutefois, je découvris qu'il avait loué un bateau à l'aube et était parti vers l'amont avec ses compagnons. Quand j'appris la victoire anglaise, j'avais déjà décidé de modifier mes projets afin de suivre Winterbourne et d'en savoir davantage sur son arbre mystérieux.

En arrivant enfin dans la ville dont il m'avait parlé, je menai mon enquête et découvris que…

Faith sursauta en entendant un coup à la porte, si violent qu'il ébranla sa malle de voyage.

– Faith ! (C'était la voix de Howard, enrouée et mécontente.) Fa-a-aith !

– Howard… je dors ! (Faith regarda les papiers jonchant ses genoux.) Je suis malade ! Je me suis allongée !

– J'ai marché sur une tombe, gémit le petit garçon. Mon pied est tout boueux. Je peux entrer ?

Faith se sentit déchirée. Elle savait qu'il n'avait pas envie d'être seul. Son monde s'était écroulé, exactement comme celui de sa sœur, et il ne comprenait pas les cris des fantômes retentissant dans l'obscurité de son esprit. Néanmoins, l'idée d'ouvrir la porte terrifia soudain Faith. Un abîme s'ouvrait de l'autre côté de cette porte, un abîme rempli des peurs, de l'incompréhension et de la détresse de Howard, et si elle tombait dedans, sa chute serait sans fin et la Faith capable de résoudre des mystères ou redresser des torts aurait disparu. Elle perdrait cette étrange ardeur sauvage en elle, à l'instant même où elle en avait le plus besoin.

– Ne t'en fais pas pour ton pied ! cria-t-elle d'un ton aussi calme qu'elle le put. Sois… sois sage et… recopie un passage de l'Écriture. (Elle ne trouva rien de mieux que de faire comme s'il s'agissait d'un dimanche ordinaire.) Si tu es très sage et silencieux, et si tu t'entraînes à écrire, tout ira mieux demain matin. Oh... et écris de la main droite, How!

Elle entendit de petits pas traînants traverser le palier. Un instant plus tard, la porte de la nurserie se referma doucement, avec un soin laborieux. Ce bruit la fit souffrir sourdement. Il lui semblait qu'il ne restait plus de remords en elle, rien qu'une meurtrissure à l'endroit où il aurait dû se trouver.

Le silence régna de nouveau. Faith rouvrit le carnet, retrouva le passage qu'elle lisait.

... découvris que les Winterbourne s'étaient installés dans une auberge minable. Toutefois, quand je m'y rendis, je trouvai l'établissement en émoi. Hector Winterbourne avait été surpris en train de cambrioler la maison d'un homme qu'on croyait avoir été assassiné. Soupçonné d'être impliqué dans ce meurtre, il avait été arrêté.

Je persuadai les autorités locales de me laisser rendre visite à Winterbourne, que je trouvai dans un état pitoyable. Comme beaucoup de prisonniers enfermés dans ces cellules insalubres, il avait contracté la malaria, qui sévissait dans la région. Je lui promis de tout entreprendre pour obtenir sa libération, et il me confia ses dernières hypothèses sur la localisation de l'arbre à mensonge, en me suppliant de le découvrir si lui ne pouvait le faire.

Je ne pus le sauver. La fièvre le tua dans sa cellule avant que j'aie pu le faire libérer.

En suivant ses instructions, cependant, je trouvai une petite cabane en pierre dans une forêt de bambous à quelques kilomètres de la maison de Kikkert. Dans un recoin sombre et humide, je découvris une sorte de plante grimpante d'aspect desséché et semblant avoir perdu la plupart de ses feuilles.

En sortant la plante de son sombre réduit, je frôlai la catastrophe, pour elle comme pour moi. Même si j'avais retenu les remarques de Winterbourne quant à la prédilection de l'arbre pour l'obscurité, je n'avais pas prévu la violence de sa réaction face à la lumière du jour. Je n'évitai le désastre qu'en couvrant en hâte la plante avec ma veste. Par la suite, je ne me montrai plus jamais aussi inconsidéré.

L'arbre mit longtemps à se remettre de cet incident. Après des essais prudents, je découvris qu'il se plaisait dans une atmosphère froide et humide, et devait s'arroser avec une eau légèrement saumâtre. Loin de compter sur les rayons du soleil, il souffrait cruellement de toute lumière vive, et notamment de celle du jour. Grâce à des soins appropriés, je finis par lui rendre la santé.

Suivaient plusieurs croquis minutieux d'un arbre à plusieurs étapes de sa guérison. On voyait d'abord une petite plante grimpante paraissant morte, avec ses sarments noircis privés de feuilles. Dans les dessins suivants, de minuscules bourgeons entortillés donnaient peu à peu naissance à des feuilles minces et fourchues.

Je me demande moi-même pourquoi j'ai consacré tant de temps à ce projet, en négligeant tant d'autres tâches. Il se pourrait que j'aie aspiré dès le début à faire quelque découverte miraculeuse.

J'ai vécu assez longtemps pour assister à la mort des miracles. Comme bien d'autres, j'ai voué ma vie à explorer les merveilles et les mystères de la Création, pour mieux comprendre les desseins de notre Créateur. En fait, nos découvertes nous ont plongés dans le doute et l'obscurité. Nous avons vu de notre vivant le flambeau du Ciel se fracasser et nous avons été spoliés de notre rang sacré en ce monde. On nous a détrônés et rejetés parmi les bêtes.

Nous croyions être les rois de l'éternité. À présent, nous découvrons que notre civilisation n'était qu'une petite chambre d'enfants brillamment éclairée, où nous avons joué avec des couronnes en papier et des sceptres de bois. De l'autre côté de la porte s'étendent les ténèbres désolées où des Léviathan se sont battus pendant des millénaires. Nous ne sommes qu'un clin d'œil, une plaisanterie au milieu d'une tragédie.

Toutes ces pensées étaient pour moi un tourment indicible.

Faith n'avait jamais entendu son père, ni personne d'autre, s'exprimer avec un tel désespoir. Il lui était arrivé de sentir les abîmes de doute que les révélations de la science avaient ouverts sous les pieds des humains, mais on n'en parlait pas, ou du moins pas ouvertement. On passait par-dessus ou on les contournait sans un mot.

Je me lançai ainsi dans mes expériences avec l'arbre, qui nécessitaient évidemment le recours au mensonge. Je n'avais pas pour habitude de me complaire dans la fausseté, mais en fait cela joua en ma faveur. Comme on savait que la tromperie n'était pas dans ma nature, on ne s'y attendait pas de ma part. Je commençai par un petit mensonge que je chuchotai à l'arbre, bien que je fusse conscient de l'absurdité de cette opération. Prétextant un mal imaginaire, je feignis de boiter pendant presque un mois.

Pour la première fois depuis sa germination, l'arbre épanouit une petite fleur blanche évoquant celle du citronnier. Quand les pétales tombèrent, il donna un fruit un peu plus petit qu'une cerise, qui devint rapidement en mûrissant vert olive avec des filets dorés.

Je résolus d'éplucher et de manger le fruit, en prenant toutes les précautions raisonnables. La chair était horriblement amère. Quant à son effet sur mes facultés, je ne puis le comparer à celui de l'opium en connaissance de cause, puisque je n'en ai jamais consommé, mais je soupçonne qu'il doit s'en rapprocher.

Dans cet état second, je voyageai dans mon propre corps. Mes veines rougeoyaient comme des torrents de lave, ma colonne vertébrale était comme une chaîne de montagnes et mes poumons comme des catacombes. Je descendis jusqu'au promontoire du gros orteil de mon pied gauche, où je découvris des lacs bouillonnants d'un vert fétide, qui me soulevèrent le cœur.

Moins de deux mois après cette vision, cet orteil se gonfla et me fit souffrir pour la première fois. Mon médecin confirma que c'était le début de la goutte, un mal dont je n'ai cessé d'être affligé depuis lors. Ma vision m'avait donc fait connaître une vérité que personne, et surtout pas moi-même, ne soupçonnait à l'époque. Malgré tout, ce n'était pas une vérité particulièrement édifiante, utile, ni impressionnante.

En y réfléchissant, cependant, j'eus une illumination. Le mensonge que j'avais raconté concernait ma santé, de même que le secret qui m'avait été accordé. Se pourrait-il que le mensonge et le secret fussent liés, et que l'arbre nourri d'un mensonge révélât un secret en rapport avec ce mensonge ?

Ma première expérience avait été une tentative pour apprendre si l'arbre possédait vraiment les étranges propriétés que lui prêtait Winterbourne. Maintenant que cela commençait à paraître possible, j'osai me poser une autre question. Quel secret inconnu de l'homme désirais-je en fait découvrir ?

La réponse était simple. Je ne voulais, ou plutôt je n'avais besoin de connaître qu'une seule chose.

Voilà longtemps que je menaçais de lâcher le roc de ma foi, à mesure que les vagues de connaissances nouvelles m'assaillaient. Mes anciennes certitudes n'étaient plus que des débris emportés par la marée. J'avais besoin de savoir, une fois pour toutes, d'où venait l'homme. Avait-il reçu le monde en partage après avoir été créé à l'image de Dieu, ou était-il le petit-fils d'un singe grimaçant s'abusant lui-même ? Si je le savais, c'en serait fini de l'agitation de mon esprit. Je pourrais recouvrer ma sérénité ou me résigner au désespoir.

Faith s'arrêta de lire, les yeux fixés sur la page. Elle se sentait aussi bouleversée que si son père s'était effondré devant elle. La foi du pasteur lui avait toujours semblé pareille à une falaise immense et inébranlable. Jamais elle n'avait deviné les doutes se frayant secrètement un chemin au cœur de la roche. C'était comme si elle venait d'apprendre que Dieu ne croyait plus en lui-même.

Je résolus d'arracher ce savoir à l'arbre. J'entendais ainsi apaiser non seulement mon esprit, mais tous ceux que tourmentait la même perplexité.

Si je désirais obtenir des lumières sur les origines de l'homme, mes mensonges devaient également s'y rapporter. Pour mériter un secret aussi profond, j'aurais besoin de raconter des mensonges considérables et de les faire croire à autant de gens que possible. Mon grand projet se déploya devant moi, et je compris comment je devais procéder. J'étais un naturaliste respecté, dont l'avis faisait autorité. On croirait tout ce que je déclarerais. Si je présentais des fossiles ou des trouvailles, ils seraient acceptés sans discussion. Je pourrais en fabriquer à volonté sans éveiller le moindre soupçon.

Dans l'intérêt de la vérité, j'allais mentir. J'allais tromper le monde, puis obtenir un savoir qui profiterait à l'humanité entière et sauverait peut-être son âme. Je troublerais un moment les eaux afin que leur cours puisse devenir enfin vraiment limpide. Je ferais un emprunt à la banque de la vérité, mais je le rembourserais intégralement et même avec des intérêts.

– Non, chuchota Faith. Non. Non. Non.

Cependant les pages suivantes exposaient en détail les falsifications de son père. Elles contenaient des dessins minutieux de fossiles, avant et après ses soigneuses retouches.

L'illustration principale représentait sa trouvaille la plus fameuse, le Nephilim de New Falton, tel qu'il était avant qu'il l'ait composé. Il ne s'agissait pas d'une épaule humaine nantie d'une aile, mais des vagues nervures d'ailes fossilisées collées à l'épaule rigide d'une autre créature, avec une précision et un art presque admirables. Le pasteur avait écrit dessous:

« Choisis un mensonge que les autres ont envie de croire. Ils s'y accrocheront, même si on leur démontre sa fausseté. Que quelqu'un s'avise de leur montrer la vérité, ils se retourneront contre lui et le combattront avec acharnement. »

Il avait effectivement choisi un tel mensonge: une preuve magnifique de la véracité de l'histoire biblique des Nephilim. Faith se rappela le vieux monsieur chez les Lambent, qui avait proclamé sa foi dans ce fossile avec tant d'ardeur et même de dévotion. Le Nephilim avait été comme une planche de salut dans l'océan cruel des doutes nouvellement surgis. Bien sûr que les gens s'y étaient accrochés !

Le scandale, les clameurs indignées, les accusations de fraude... tout était vrai. Son père avait bel et bien falsifié des fossiles. Il avait menti sur ses trouvailles, trompé ses amis, ses collègues, sa famille, le monde entier.

Il n'en fallait pas moins pour convaincre Faith. Il lui fallait cette confession, écrite dans la graphie précise et si reconnaissable de son père. Elle était au-delà du choc ou de la surprise, elle n'éprouvait plus que l'impression d'une obscurité ne cessant de s'étendre. Une âme perdue en elle tournoyait en gémissant dans les ténèbres, comme une colombe dans un caveau sans lumière. Qui donc était cet homme ? Qui avait-elle aimé, pendant toutes ces années ? En savait-elle si peu sur lui ?

Elle l'avait vraiment aimé, pourtant. Trop fort et trop longtemps pour lâcher prise maintenant. Elle s'était vouée à lui de tout son cœur, de tout son être.

Faith serra le petit carnet contre sa poitrine, en fermant les yeux avec force. Elle imagina son père s'avançant avec obstination vers la vérité à travers une jungle empoisonnée de dissimulation, de danger et d'hostilité, comme un soldat courageux mais solitaire. Qu'il avait dû être seul avec son secret !

– Vous l'avez fait pour aider l'humanité, chuchota Faith. Ils ne vous ont pas compris, mais moi, je vous comprends.

Elle se sentait capable de lui pardonner, même si personne d'autre ne le pouvait. Il en devenait plus humain à ses yeux, et plus proche d'elle.

Elle parcourut en hâte les dessins des fossiles falsifiés, qu'elle n'avait guère envie de regarder. Ils étaient suivis du récit des visions du pasteur, lesquelles étaient en général aussi vagues que difficiles à comprendre, ce qui manifestement le mettait en fureur.

Sa première vision lui présenta une jungle obscure, où une ombre au bec menaçant descendait lentement vers le sol, tandis que la faible lumière jouait sur ses yeux reptiliens et ses ailes aux plumes bleu et rouge. Dans sa deuxième vision, des îles émergeaient en bouillonnant comme des bulles se gonflant dans une casserole de porridge, avec des volcans crachant de la fumée blanche. Une autre fois, il assista à une escarmouche où une bande de petits hommes mal rasés, vêtus de peaux de bêtes, combattaient des adversaires d'allure humaine mais plus imposants, avec leurs cous épais, leurs visages fuyants et leurs membres si musclés qu'ils en paraissaient irréels.

La dernière vision était la plus détaillée.

J'étais à mon club. Quelqu'un me mit dans les mains De l'origine des espèces. *J'essayai de le lire, mais les mots se dérobaient en dansant sous mon regard. Quand je levai la main pour me frotter les yeux, mes doigts chatouillèrent mon visage : ils étaient couverts de fourrure.*

Je vis mon reflet dans le dos en argent de ma tabatière. Au-dessus de ma cravate bâillait une mâchoire de loup aux poils fauves, nantie d'incisives et de canines énormes. Pour cacher cette affreuse métamorphose, je levai en hâte mon livre devant mon visage et regardai subrepticement par-dessus si quelqu'un s'était aperçu de quelque chose.

Le club était en plein chaos. Les valets avaient des visages de singes et se balançaient aux lustres en jacassant. Montrant les dents comme un rongeur, un membre du club disputait une assiette d'huîtres à un rival à la tête de crapaud. Un autre renversait la vaisselle en gesticulant et engloutissait tous les plats à la portée de son bec de pélican et de son gosier flasque en forme de sac. Un rideau prit feu quand quelqu'un laissa tomber un cigare, mais personne ne fit mine de l'éteindre. La fumée ne fit que provoquer d'autres hurlements, rugissements, sifflements et cris stridents.

Je tentai de garder mon sang-froid et parvins à sortir de la pièce. Je cherchai le vieil administrateur du club, dont je savais qu'il habitait au dernier étage. Il m'expliquerait tout et mettrait fin à ce désordre.

Cependant, chaque fois que j'atteignais un palier, la situation empirait. Au premier étage, les membres du club avaient arraché leurs gilets. Ils se traînaient par terre ou gambadaient en manches de chemise, et leurs visages déformés évoquaient des animaux que je n'avais encore jamais vus, dont certains arboraient un front couronné d'écailles ou des défenses monstrueuses. Au deuxième étage, les membres presque nus ondulaient au milieu des flaques de porto en dardant une langue de lézard.

Arrivé au troisième palier, je m'arrêtai devant une porte aux boiseries dorées, derrière laquelle je savais que je trouverais le vieillard.

Alors que je tendais la main vers la porte, une voix m'appela par mon nom. Faith, ma fille, était à côté de moi.

En la voyant, j'éprouvai une indignation mêlée de terreur. Elle n'aurait certes pas dû se trouver au club, et je ne voulais pas qu'elle voie mes crocs et ma fourrure. Le plus horrible était de la voir à son tour victime de la malédiction de cet endroit. Alors que je la regardais, la peau de son visage juvénile se fendilla en révélant les écailles qui se cachaient dessous.

Cette apparition était due en fait à l'intrusion de ma fille dans mon bureau, qui avait interrompu ma vision. Je crois qu'elle faillit m'en tirer, mais en revenant à moi j'eus assez de force d'esprit pour lui ordonner de sortir.

Faith déglutit. Au moins, elle comprenait maintenant l'étrange violence silencieuse avec laquelle son père avait réagi quand elle l'avait tiré de son hébétude. Mais quels dégâts avait-elle causés en l'interrompant ? Avait-elle privé l'humanité d'une vérité éternelle ?

Après le départ de ma fille, j'ai ouvert la porte dorée.

Il n'y avait pas de pièce derrière, mais une terrible chute d'eau écumeuse qui me happa et m'engloutit. En un instant, l'eau remplit tout l'espace. Je tournoyai en tous sens avant d'être entraîné inexorablement vers le fond. À présent, je n'étais plus dans un bâtiment mais dans une mer obscure s'étendant à l'infini. Mes poumons aspirèrent l'eau, et je compris avec désespoir que j'allais sombrer dans des ténèbres plus profondes encore pendant des milliers de millénaires, sans jamais me noyer. J'étais seul, en dehors de minuscules parcelles d'or qui flottaient, tournaient, se pourchassaient.

Et ma vision s'arrêta là. Ce fut toute ma récompense pour mes efforts, mes souffrances et mes épreuves.

J'avais beaucoup espéré de cette vision. Elle était le fruit de la fabrication du prétendu Nephilim de New Falton, et j'avais laissé cette fausseté grandir et mûrir bien plus longtemps que toutes les autres. Je me sentais en droit de compter sur elle pour justifier tous les sacrifices que j'avais faits. Même si le monde inconstant s'en prenait à moi, j'aurais du moins atteint mon but.

Toutefois, cette ultime lanterne magique n'avait fait qu'accroître mon trouble et ma terreur. Je sais parfaitement quelle interprétation on peut donner de ces images : l'incessante marche en arrière, la régression de l'homme vers l'animalité, le retour à un marais originel. C'est l'explication la plus simple, mais l'accepter reviendrait à me livrer au désespoir. Il faut absolument que je continue de chercher. Ma quête ne peut se terminer ainsi.

Après tout ce que j'ai fait, je me retrouve les mains vides, dans une impasse. Je dois tirer un autre fruit de l'arbre, mais je ne sais comment y parvenir. J'aurai beau inventer la fausseté la plus ingénieuse, plus personne ne me croira. Si je ne puis sauver ma réputation, toute cette entreprise aura été vaine.

Suivaient une vingtaine de pages de croquis, de notes et de tableaux de chiffres, mais Faith était maintenant trop préoccupée pour les comprendre. Elle referma lentement le carnet.

Comment s'étonner qu'il ait voulu à ce point protéger cette plante, qu'il ait répugné à en parler aussi bien qu'à la quitter des yeux ? Qu'il ait arraché ses papiers à Faith et soit entré en fureur quand elle avait avoué avoir ouvert son coffre-fort ?

Faith avait espéré trouver dans ce carnet des informations susceptibles de disculper son père. Il ne restait rien de cet espoir. Non, personne d'autre ne devait lire ces pages ! Si leur contenu devenait public, la tricherie du pasteur serait établie et il laisserait probablement de surcroît le souvenir d'un fou.

S'agissait-il vraiment de folie ? L'obsession de son père et toutes ces visions étaient-elles le symptôme d'un esprit malade ?

C'était possible. Mais il se pouvait aussi que Faith fût désormais la seule personne vivante connaissant l'emplacement de l'arbre à mensonge, cette merveille de la nature, qui révélerait peut-être des secrets encore inconnus et dénouerait d'innombrables mystères.

Faith voulait absolument savoir la vérité. Si l'arbre pouvait révéler des secrets, pourquoi ne lui donnerait-il pas la clé de la mort de son père ?

16
Fantôme en colère

Vers huit heures, la gouvernante apporta à Faith le plateau de son dîner. Faith la remercia, déclara qu'elle allait se coucher tôt et refusa l'offre d'une bassinoire. Après le départ de Mrs Vellet, elle se retrouva seule pour la nuit.

Une fois son repas expédié, Faith revêtit de nouveau sans bruit ses vêtements de deuil. Comme tout le monde les avait vus mouillés et maculés de boue, il était peu probable qu'on remarque le lendemain qu'ils étaient encore plus sales que la veille. Elle emporta une lanterne, mais maintint la flamme basse et la couvrit d'une étoffe, comme son père l'avait fait.

Elle sortit de sa chambre dans le jardin en terrasse, qui ruisselait et luisait encore après la pluie récente. Au-dessus de sa tête, le ciel était toujours d'un gris lugubre. Quand elle poussa la grille et descendit l'escalier à pas de loup, elle entendit la rumeur affairée de plats et de voix dans l'arrière-cuisine. Elle fit un détour pour traverser le jardin, en se glissant derrière les dépendances afin d'éviter d'être vue.

Puis elle descendit en hâte le sentier menant à la mer. Elle espérait avoir retenu correctement l'horaire des marées. En arrivant sur la plage, elle constata avec soulagement que la marée était basse et la mer paisible, comme elle l'avait espéré. Si elle ne se trompait pas, le reflux continuerait pendant encore une heure avant la remontée des eaux. Les flots seraient plus calmes, et les courants lui seraient favorables.

Se sentant exposée aux regards, elle observa le sommet des falaises, mais personne ne semblait l'observer. Les vrilles à moitié sèches de ses cheveux cinglaient son visage.

Elle eut du mal à tirer seule le canot, mais réussit finalement à le mettre à flot. Elle se hissa à bord et s'éloigna du rivage en poussant avec une rame.

Elle n'avait encore jamais ramé. Elle s'aperçut très vite que c'était nettement plus éprouvant que son père n'en avait donné l'impression. Au début, elle tenta de ramer tournée vers l'avant, afin de voir où elle allait, en poussant les rames au lieu de les tirer. Cependant les rames s'enfonçaient à peine dans l'eau et ne cessaient de se déboîter. Cela marchait nettement mieux face à l'arrière, comme son père l'avait fait. Elle ne tarda pas à être hors d'haleine, et les muscles de ses bras et de ses épaules étaient endoloris. Heureusement, elle avait desserré son corset avant de partir.

Chaque fois qu'elle se tordait sur son siège pour regarder devant elle, elle avait l'impression de se diriger droit vers le large ou d'être sur le point de heurter un récif. Par chance, les rochers étaient plus aisés à repérer au crépuscule qu'en pleine nuit.

La silhouette grise de la grotte marine apparut enfin, pareille à une sombre arche gothique. Sa gueule ouverte semblait engloutir les vagues puis vomir de l'écume.

Tirant avec acharnement sur les rames, Faith approcha son embarcation de la grotte. Cette fois encore, une vague l'entraîna dans l'ouverture béante, mais avec moins de violence que la nuit précédente, et le canot toucha le sol plus près de l'entrée de la grotte.

La rumeur des vagues la rendait à moitié sourde. Elle se hissa péniblement sur la roche glissante et amarra le bateau au même pilier que l'autre fois. Saisissant la lampe et retroussant sa jupe, elle monta tant bien que mal sur la plate-forme rocheuse derrière le bateau puis franchit l'entrée vaguement triangulaire menant à une caverne plus vaste, que n'éclairait qu'une faible lueur en provenance de l'ouverture de la grotte marine dans son dos. Se rappelant l'avertissement de son père quant à la « violence de la réaction » de l'arbre à la lumière, elle garda la lanterne presque entièrement couverte, en se contentant d'un mince rayon pour observer ce qui l'entourait.

La caverne avait grossièrement la forme d'une coupole, où des fissures et des coulées rocheuses descendaient du plafond à la façon d'une voûte. Par endroits, elle vit des crevasses obscures et des ouvertures menant à d'autres cavités.

Au fond de la caverne, sur une longue saillie rocheuse, se dressait une silhouette voilée. On distinguait à peine le pot de terre cuite sous l'étoffe.

Il y avait quelque chose d'étrange dans les échos de cette caverne voûtée. Le grondement de la mer y parvenait tellement affaibli et déformé que l'air semblait rempli de soupirs. Faith eut l'impression que quelqu'un respirait profondément derrière elle, et elle ne put s'empêcher de regarder par-dessus son épaule. L'odeur glacée se faisait mordante, en ces lieux, au point que ses yeux piquaient.

Avec lenteur, Faith s'avança sur la pente de roche glissante. Arrivée au niveau de la saillie rocheuse, elle tira prudemment sur l'étoffe. Elle sentit une résistance, le grattement d'épines, puis la toile cirée se défit en révélant une masse embroussaillée débordant sur les bords du pot, comme un griffonnage d'ombre sur l'ombre.

La rumeur indistincte sembla s'enfler dans la caverne, comme si les soupirs se rapprochaient. Faith leva la lanterne avec circonspection, en laissant une clarté tremblante effleurer la plante.

La lueur fit miroiter de fines feuilles bleu noir, de longues épines, des gouttes de sève couleur d'or sombre luisant sur des tiges noires bosselées... puis Faith vit d'un coup le feuillage illuminé tressaillir, se contracter et s'affaisser, en poussant un sifflement furieux d'animal sauvage qu'on vient de déranger.

Elle détourna précipitamment la clarté de la lanterne, afin que la plante ne soit plus de nouveau qu'un monticule indistinct, noir comme de l'encre. Même quand le sifflement se tut, elle n'osa pas éclairer encore l'arbre. Tendant la main, elle caressa doucement le feuillage, en le découvrant à travers le contact de ses doigts.

Avec soulagement, elle constata que la lumière ne semblait pas avoir causé de gros dégâts. Les feuilles étaient froides, légèrement moites, et elles laissèrent sur ses doigts une substance poisseuse rappelant du miel. Elle ne trouva aucun fruit.

Il lui sembla soudain que des fourmis imaginaires remontaient sa colonne vertébrale. Elle était sûre de reconnaître la forme de ces feuilles fourchues, se terminant par deux pointes : elle les avait vues reproduites avec minutie dans le carnet de son père. L'arbre à mensonge se trouvait devant elle. Le plus grand secret du pasteur, son trésor et sa perte. Il était à elle, maintenant, et le voyage que son père n'avait jamais terminé s'annonçait pour elle.

Elle baissa son visage, si près des feuilles que sa bouche les touchait presque. L'odeur la glaçait comme de la neige, endolorissant ses yeux et ses tempes.

– Père ne peut plus venir vous voir, chuchota-t-elle. Il est mort, son corps est dans la crypte de l'église. Je veux découvrir qui l'a tué. Voulez-vous m'aider ?

Il n'y eut pas de réponse, bien sûr.

– Avez-vous envie d'un mensonge ? demanda Faith.

Elle avait l'impression d'offrir une friandise à une bête dangereuse. Pour un peu, elle se serait attendue à voir la plante se hérisser comme un loup affamé.

« Choisis un mensonge que les autres ont envie de croire », avait écrit son père.

Faith se rappela la discussion au bord de la tombe. Tom avait suggéré qu'on plante un pieu dans la poitrine de son père, afin de « clouer sur place le fantôme ». Elle songea à la terreur superstitieuse de Howard, aux pendules arrêtées et aux miroirs voilés.

– J'ai un mensonge pour vous. (Elle ferma les yeux et chuchota :) Le fantôme de mon père rôde la nuit, en cherchant à se venger de ceux qui lui ont fait du mal.

Sentant une caresse très douce sur son visage, elle recula, rouvrit les yeux. Rien ne semblait bouger dans les feuilles luisantes de l'arbre.

Toutefois, alors qu'elle ressortait avec lenteur de la caverne centrale, elle eut l'impression étrange que les échos avaient changé. Il lui sembla presque entendre la rumeur assourdie de ses propres paroles flotter dans l'air et s'étendre à la ronde.

Un pieu planté dans le cœur à un carrefour, afin que les morts ne puissent rentrer chez eux...

Se glissant dans la maison sombre, vêtue de sa robe noire dévastée, Faith se sentit elle-même un peu comme une âme en peine revenant en sa demeure. Elle s'immobilisa pour écouter, mais tout était encore silencieux. Tout le monde était allé se coucher. La maison lui appartenait.

Que faire, maintenant ? Par où commencer ?

Elle fronça les sourcils puis sourit dans l'obscurité, saisie d'une inspiration subite. À pas de loup, elle se rendit à la cuisine, où elle était sûre d'avoir vu... oui.

Levant sa lanterne avec circonspection, elle éclaira le tableau des sonnettes, un peu au-dessus de sa tête. Chacune des sept sonnettes pendillait à un tortillon métallique, lui-même relié à l'un des sept fils s'étendant horizontalement sur le mur. Des étiquettes indiquaient respectivement la Chambre du Maître, la Deuxième

Chambre, la Troisième Chambre, le Salon, la Bibliothèque, la Nurserie, la Salle à manger. La sonnette installée dans chaque pièce tirait sur un fil caché, sillonnant, invisible, les planchers et les murs, afin de faire retentir la sonnette correspondante dans la cuisine.

Plissant les yeux dans la pénombre, Faith entreprit de détacher pour les intervertir les fils de la Chambre du Maître et de la Troisième Chambre.

Entrant furtivement dans la bibliothèque, elle trouva la boîte à tabac de son père sur le bureau. Elle prit une pincée de tabac, qu'elle approcha de la flamme d'une bougie et regarda se calciner en grésillant tandis que s'élevait un panache bleuâtre de fumée odorante. Ensuite, avec un coupe-papier, elle taillada le crêpe recouvrant le miroir, de façon qu'on voie au milieu du tissu une fente argentée, pareille à un œil ouvert à moitié.

Il restait une ultime étape. Montant l'escalier sur la pointe des pieds, elle guetta de nouveau le moindre bruit dans les chambres puis entra dans celle de son père, dont elle ferma la porte avec soin avant d'ôter le voile de sa lanterne.

La pièce était encore pleine de vases de fleurs flétries. Le lit portait toujours l'empreinte du grand corps de son père, mais on avait rangé ses affaires dans des malles et des coffres. La bible familiale trônait sur la table de chevet.

Dans sa colère, Faith fourmillait d'idées, mais elle se retint. Si elle en faisait trop, elle se trahirait. Ouvrant la bible, elle la feuilleta en hâte pour trouver le passage qu'elle cherchait (Deutéronome, 32.35).

« À moi la vengeance et la rétribution, au temps où leur pied chancellera ! Car le jour de leur ruine est proche, et leur destin se précipite... »

Elle laissa le volume ouvert à cette page, avec un unique pétale de fleur sous la citation vengeresse.

La sonnette proche du lit de son père était un cordon rouge

s'ornant d'un gland. Faith grimpa sur une chaise et entailla le cordon avec le rasoir du pasteur, de façon qu'il soit sur le point de se rompre. Après quoi, elle quitta la pièce.

« Ils veulent un fantôme, se dit-elle. Ils l'auront ! »

17
Un pistolet pour tuer les fantômes

En se réveillant d'un rêve où elle était ensevelie sous des décombres, Faith s'aperçut qu'elle était encore faible et endolorie. Elle resta allongée un moment, en tentant de comprendre pourquoi son dos, ses épaules et ses bras lui faisaient si mal.

Puis tous ses souvenirs lui revinrent d'un coup, sombres et glacés. Le chagrin, les funérailles, le carnet, le contact des feuilles de l'arbre à mensonge contre son visage. Elle se sentit un instant tomber dans le vide, avant que sa colère ne déploie ses ailes et ne la soutienne de nouveau.

Elle sortit péniblement de son lit. Ses bras étaient lourds comme du plomb et elle eut beaucoup de mal à les glisser dans les manches de sa seconde tenue de deuil. Ces muscles n'avaient encore jamais servi sérieusement, et ils protestaient énergiquement.

Ses cheveux s'étaient emmêlés de façon inextricable sous l'effet du vent et du sel. Elle entreprit de les brosser, jusqu'au moment où ils retrouvèrent un peu de leur aspect lisse et brillant.

Tirant les rideaux d'un coup sec, elle regarda dehors. C'était encore une journée grise, agitée. Le vent gémissait dans les conduits de cheminée et ployait l'herbe luisante. Les arbres semblaient lever les bras comme des marins en train de se noyer.

Faith avait un meurtrier à découvrir et une île à terrifier. Quand ils avaient peur, les gens commettaient parfois des erreurs, et c'était une journée idéale pour jouer les fantômes.

Elle saisit le cordon bleu pendant près de son lit et tira dessus avec vigueur à trois reprises.

Elle imagina l'air ahuri des domestiques en voyant la sonnette de la chambre déserte du maître s'agiter bruyamment, contre toute raison. Les minutes passèrent, mais rien n'arriva. Puis elle entendit des pas incertains gravir l'escalier de service, longer le palier. S'agenouillant devant sa porte, Faith regarda par le trou de la serrure.

Jeanne hésitait devant la porte du pasteur, en écarquillant les yeux et en se tordant les mains avec nervosité. Faith la vit saisir la poignée, entrer. Il lui sembla entendre distinctement un cri étouffé.

Il y eut quelques craquements sourds, la rumeur de pas prudents dans la chambre. Puis une brève exclamation de surprise. Jeanne sortit précipitamment sur le palier, l'air affolée, en tenant à la main le cordon rouge de la sonnette. Elle s'élança en courant, et Faith cessa de la voir.

Faith sourit tandis que la jeune servante dévalait l'escalier de service. Elle s'était doutée qu'on tirerait pour voir sur le cordon hanté. Si elle l'avait laissé intact, la sonnette de sa propre chambre aurait retenti, ce qui aurait peut-être permis à quelqu'un de comprendre la vérité.

Pressant l'oreille contre le mur, elle entendit une conversation à voix basse quelque part dans l'escalier.

– Vous l'avez cassé ? demanda Prythe d'un ton incrédule.

Faith entendit Jeanne s'exclamer, d'une voix pleine de défi mais aussi d'effroi :

– J'ai tiré tout doucement ! Il m'est resté dans la main ! Il y a des tas de choses bizarres, dans cette pièce…

Faith effleura le cordon de sa sonnette, qui était rêche sous ses doigts. Elle fut tentée de le tirer de nouveau, mais non, ç'aurait été trop voyant, trop rapide. Il fallait laisser le temps à ses victimes de s'étonner, de chuchoter, d'échanger des récits terrifiés.

Une heure plus tard, Jeanne apporta dans la nurserie le plateau du petit déjeuner de Faith et Howard. Elle semblait avoir perdu son assurance. Les tasses cliquetèrent quand elle posa le plateau, et elle accorda à peine un regard à Faith, en s'inclinant d'un air distrait avant de partir. Quelle que fût son opinion sur la sonnette mystérieuse, manifestement elle ne soupçonnait pas la fille de la maison, si timide et guindée.

Assise à la petite table en bois, Faith peina à se concentrer sur son petit déjeuner.

Que savait-elle de l'assassin ? Presque tous les habitants de Vane auraient pu se trouver à Bull Cove cette nuit-là. Malgré tout, son père semblait avoir un rendez-vous à minuit. Il devait être disposé à rencontrer la personne en question, mais pas sans pistolet. S'il se sentait menacé par cet ennemi, cependant, pourquoi le rencontrer seul et en secret au cœur de la nuit ?

Il y avait aussi le mystère du pistolet. Le pasteur était sorti armé, mais cela ne l'avait pas sauvé, pour une raison ou pour une autre. Et quand on avait fait la toilette du mort, on n'avait pas trouvé de pistolet dans sa poche.

– L'autre main, How, dit-elle machinalement en s'apercevant que son frère avait encore interverti subrepticement ses couverts.

– Non ! cria Howard dans un soudain accès de révolte.

Il était rouge et essoufflé, et son visage exprimait une irritation légèrement hystérique. Faith comprit qu'il avait mal dormi. De nouveau, elle éprouva une tristesse qui n'était pas tout à fait du remords.

– Howard…

– Non, non, non, non ! cria Howard de plus belle, en repoussant si violemment son assiette qu'elle manqua renverser celle de Faith sur ses genoux.

Faith s'efforça de garder son calme, mais elle sentit la colère monter en elle. Howard s'accrochait à la moindre marque d'attention, et elle avait l'impression de sentir s'enfoncer dans son esprit les petits ongles maladroits de son frère.

– Sois sage ! lança-t-elle dans son exaspération. Autrement je vais te mettre la veste bleue !

Cette menace était peu judicieuse. Howard ouvrit la bouche et se mit à hurler.

– Je te déteste ! gémit-il d'une voix entrecoupée.

La veste n'était pas censée servir de punition universelle. Howard aimait comprendre comment les choses fonctionnaient, et il avait besoin de savoir que le monde était juste. Malheureusement, le monde était rien moins que juste, et chaque fois qu'il se heurtait à ce fait, il ne se contrôlait plus. Si Faith n'intervenait pas, il allait se rendre malade à force de pleurer.

Non, le monde n'était pas juste. Faith se leva d'un bond et arpenta la pièce en cherchant une cible pour donner un coup de pied.

En regardant Howard derrière elle, elle le trouva très petit sur sa chaise miniature en bois. Rien de tout cela n'était sa faute. Il n'avait que trop de raisons d'être malheureux.

Faith s'adoucit. Elle s'assit en faisant bruire sa robe noire, fouilla dans le coffre à jouets de Howard et en sortit son théâtre de marionnettes.

Il avait la forme d'une boîte et était couvert d'emblèmes, de volutes et d'anges peints en rouge, vert et or. Des rideaux peints flanquaient son cadre, qui ouvrait sur la scène elle-même, derrière laquelle se dressait une minuscule toile de fond représentant des collines et un château se détachant sur un ciel bleu.

Faith enleva ce décor. Il en existait trois autres : les mêmes collines mais vues au clair de lune, une scène d'intérieur avec un lustre et des tableaux, et un panorama de bois verdoyants. Prenant un air concentré, Faith installa le paysage nocturne.

Howard s'arrêta presque aussitôt de hurler. Il la rejoignit, se laissa tomber à côté d'elle et s'assit en tailleur. Il était toujours captivé par les « spectacles » de sa sœur.

– Je veux le jongleur, déclara-t-il. Et… le sorcier. Et le diable.

Les acteurs étaient des figurines collées à des bâtonnets, lesquels permettaient de les faire évoluer. La plupart étaient des créations de Faith, qui les avait dessinées, coloriées et découpées avec soin.

Grâce à des fentes dans le bois, Faith pouvait faire sortir les figurines des coulisses et les déplacer d'un bout à l'autre de la scène. Cependant, elles ne pouvaient s'avancer ni reculer, ce qui agaçait Howard. Dans sa frustration, il avait cassé les bâtonnets de plusieurs marionnettes.

Ce jour-là, comme d'habitude, il voulait des combats.

– Le jongleur contre le diable ! exigea-t-il en tapant sur ses genoux.

Le baladin vert et jaune se battit de long en large avec le diable aux cornes rouges. Cette fois, Faith laissa le diable gagner en poussant force rugissements. Elle étendit le jongleur sur le dos, pour montrer qu'il était « mort ». Comme toujours, Howard se mit à rire à cette vue, avec une excitation qui paraissait à Faith non dénuée de terreur.

– Le sorcier contre le diable !

Le diable combattit le sorcier, le chevalier et le marin, qu'il tua les uns après les autres.

Howard riait trop fort, en observant d'un air inquiet le diable grimaçant.

– Maintenant, ils se relèvent tous et ils tuent le diable !

– Mais Howard, ils sont morts…

Faith s'interrompit et remit sur pied les petits cadavres. Ils se jetèrent sur le diable, qui s'effondra à son tour en hurlant. Il y eut un silence.

– Je veux le sage, dit Howard à voix basse, comme toujours après les combats.

Le sage était un Chinois nanti d'un chapeau conique et d'une longue moustache. Il avait les yeux de travers, car Faith était nettement plus jeune et moins habile quand elle l'avait dessiné, mais c'était le favori de Howard.

Elle le fit entrer lentement sur la scène.

– Tiens, voilà le petit monsieur Howard ! lança-t-elle d'une voix aiguë et grincheuse de vieillard.

Howard éclata de rire en serrant ses genoux dans ses bras. C'était le même rire ravi et effrayé que lorsque les personnages « mouraient ». Une tradition vénérable voulait que le sage fût la seule marionnette assez intelligente pour remarquer que Howard l'observait.

– Avez-vous une question à me poser aujourd'hui ? demanda Faith en prenant la voix du vieux sage.

Howard hésita. Il tirait légèrement la langue et grattait du doigt la semelle de sa chaussure.

– Oui, dit-il tout bas. Le diable est bien mort ?

– Oh, oui, tout à fait mort, assura le sage.

Pendant ses six années d'existence, Howard avait presque toujours considéré Faith comme son oracle, son almanach, la source de toute vérité. Il croyait tout ce qu'elle disait. Cela dit, le vent était en train de tourner. Il lui arrivait de lancer soudain : « Les filles ne connaissent rien à la navigation » ; ou : « Les filles ne connaissent rien à la lune. » Son ton n'était jamais méchant ni malveillant. Il se contentait de répéter quelques formules glanées dans la conversation pleine d'assurance des adultes. Les filles ignoraient certaines choses, et Faith était une fille. Chaque fois qu'il prononçait une telle formule, Faith recevait un choc et sentait son autorité intellectuelle en passe de se disloquer comme une banquise.

Malgré tout, Howard continuait de consulter le sage sans aucune honte. Le sage n'était pas une fille, et il savait tout.

– Le diable va-t-il revenir la nuit ? dit Howard d'une voix

soudain tremblante. Je l'ai entendu dans l'obscurité. Il est allé dans la chambre de Père. J'ai entendu ses dents.

Faith retint son souffle un instant, le cœur battant. Elle avait cru passer inaperçue en rôdant dans la maison en pleine nuit, mais Howard avait entendu ses pas. Quand elle avait entaillé le cordon de la sonnette, il avait remarqué ce bruit évoquant des dents en train de ronger.

Howard parlait à tout le monde. Il n'avait aucune malice. Il raconterait partout qu'il avait entendu des pas et des dents. Comment Faith pourrait-elle le faire taire ?

Mais peut-être n'était-ce pas nécessaire, après tout…

– Comment sais-tu que c'était le diable ? demanda-t-elle avec sa voix de vieux sage. Ses pas résonnaient-ils étrangement ?

Howard tripota sa semelle en fronçant les sourcils. Puis son visage s'éclaira et il hocha la tête.

– Est-ce qu'il n'a pas fait plus froid sur son passage ? insista-t-elle.

Howard hésita de nouveau, puis il frissonna légèrement et acquiesça. Faith savait qu'il ne jouait pas vraiment la comédie. Il était maintenant convaincu d'avoir entendu l'écho spectral et remarqué le froid insolite.

– Oh, dans ce cas ce n'était sans doute qu'un fantôme ! déclara joyeusement le sage.

Howard ne sembla pas rassuré.

– C'est… parce que… j'ai marché sur une tombe ?

– Non, non. Il n'en avait pas après vous, monsieur Howard. Les fantômes ne s'en prennent jamais à un bon petit garçon qui récite ses prières et recopie ses textes saints de la main droite. Ils ne pourchassent que les méchants.

Faith n'avait pas envie de le terrifier.

Il mâchonna son doigt, qui fut bientôt luisant de salive. Il paraissait un peu réconforté.

– Mais… si j'étais… méchant, et si le fantôme revenait… s'obstina-t-il. Pourrais-je le tuer d'un coup de pistolet ?

Faith revit soudain son père sur la plage, à l'instant où il avait sursauté et tendu la main vers le pistolet caché dans sa poche. Le pistolet avait disparu quand on avait rapporté son corps. Peut-être était-il simplement tombé lorsqu'on avait jeté le pasteur du haut de la falaise... Mais si elle le trouvait ailleurs, elle pourrait savoir où son père avait été assassiné.

Une autre pensée s'imposa soudain à elle. Elle s'imagina elle-même avec le pistolet de son père, dont la crosse d'ivoire tiédissait dans sa main. Elle ne pouvait se représenter le meurtrier – dans son esprit, l'ennemi était comme un abîme à forme humaine, une nuée orageuse chargée de malveillance. Elle se vit pointer l'arme vers la tête de l'obscure silhouette, appuyer sur la détente...

– Oui, monsieur Howard, dit le sage d'une voix enrouée. Mais pour cela, il vous faut un pistolet à fantôme, de même qu'on a besoin d'un pistolet à éléphant pour tuer un éléphant.

La petite figurine de papier se pencha en chancelant d'un air de conspirateur.

– Pourquoi ne demandez-vous pas à votre paresseuse de sœur de vous emmener en promenade, pour essayer d'en trouver un ?

Quand Faith sortit avec Howard, vêtu de sa nouvelle tenue noire, dix minutes plus tard, la maison était silencieuse. L'oncle Miles était parti de bonne heure rendre visite à Lambent, et Myrtle gardait la chambre, toujours souffrante.

– Au revoir, Mrs Vellet, lança poliment Howard en passant devant le salon. Je vais chercher un pistolet pour abattre le fantôme !

Mrs Vellet, qui arrosait les fleurs, tressaillit et renversa de l'eau sur la nappe. Jeanne, agenouillée dans l'âtre, laissa tomber bruyamment sa pelle, en répandant un nuage de cendres.

– Howard ! gronda Faith en jetant un regard gêné à la gouvernante. (Elle ajouta en baissant ostensiblement la voix :) Je suis désolée, Mrs Vellet. Je ne sais pas où Howard va chercher de telles idées.

– Mais il y a vraiment un fantôme ! insista Howard d'une voix claironnante. Je l'ai entendu rôder la nuit dernière...

– Et si nous allions faire un petit tour ? l'interrompit Faith en hâte.

Saisissant la main du petit garçon, elle l'entraîna dehors. Elle réussit à ne pas éclater de rire en entendant s'élever dans son dos des chuchotements fébriles.

Elle savait que pour faire croire quelque chose aux gens, il était vain de vouloir le faire entrer de force dans leur tête. Mieux valait se contenter d'une allusion, d'une vague suggestion qu'on retirait aussitôt. Plus on se dérobait, plus ceux qu'on voulait convaincre tentaient de vous arracher une information, qu'ils croiraient d'autant plus volontiers qu'ils auraient eu plus de mal à l'obtenir.

– Si nous allions chercher sur la plage, How ?

Quand ils prirent le sentier, Faith chercha des yeux dans l'herbe haute une lueur d'ivoire ou de métal, au cas où le pistolet de son père serait tombé de sa poche pendant qu'on le transportait à la maison. Mais elle ne vit que l'herbe ondoyante et les têtes inclinées des chardons violets.

Sur la plage, Howard avança tant bien que mal sur les galets et les rochers, en rivalisant avec les cris des mouettes. Il ne donnait pas vraiment l'image du chagrin, mais Faith avait l'impression de le comprendre. En proie à des sentiments qui le dépassaient, il savait juste qu'il avait besoin de courir et de crier.

Elle chercha au milieu des rochers, d'abord au pied du tronc tordu de l'arbre où elle avait trouvé son père, puis dans les environs, en explorant les crevasses et en passant ses mains sur les galets. Le pistolet ne pouvait guère avoir rebondi plus loin.

– Je ne le vois pas ! s'écria Howard.

– Non, dit Faith d'un ton pensif. Je ne crois pas qu'il soit ici.

Si son père n'avait pas perdu son pistolet en tombant, quand l'arme avait-elle disparu ? Lorsqu'il avait été attaqué, peut-être ?

La véritable scène du crime devait être proche. Même avec une brouette, transporter un corps était aussi malaisé que fatigant.

Comme ils regagnaient la maison, Faith fit un détour dans le vallon boisé. Par moments, des oiseaux invisibles troublaient la paix inquiète en bruissant des ailes ou en adressant au ciel gris leurs questions stridentes.

Au bout de dix minutes de recherches, Faith renonça. Une douzaine de pistolets pouvaient être tapis dans le sous-bois, et elle ne les trouverait jamais.

En repartant, ils découvrirent une clairière où la mousse vert émeraude était aussi épaisse que de la fourrure. Fasciné, Howard se mit à y enfoncer son talon. Il rit de voir la mousse se désagréger, révélant la terre noire dessous.

– Faith, regarde ! cria-t-il en broyant la masse verte. Je piétine !

Une bande sombre se détachant sur le vert attira le regard de Faith. Elle s'approcha, se baissa pour mieux voir.

– Faith ! cria Howard non loin de là. Faith, regarde ! Regarde ça !

Le fracas de ses talons piétinant le sol se rapprochait.

– Tu ne regardes pas. Faith ! Faith !

La bande sombre n'était pas une ombre mais une empreinte. Tendant la main, Faith suivit du bout de ses doigts gantés un sillon étroit.

– Je piétine !

Le petit talon de Howard s'abattit sur l'empreinte et l'effaça, en manquant écraser les doigts de Faith.

– Howard ! s'exclama-t-elle en se relevant d'un bond.

Howard lui lança un regard radieux, et elle eut envie un instant de gifler son petit visage brillant de fierté.

Devant son expression, Howard cessa de sourire et fit la moue.

– Je te parlais ! rétorqua-t-il. Tu n'as pas regardé quand je te disais de le faire !

Faith se détourna, se mordit les lèvres et tenta de garder son calme. Le mal était fait, et Howard n'avait eu aucune mauvaise intention.

– Peu importe, se força-t-elle à dire. Ce n'est rien.

Ils sortirent du vallon. Howard cinglait les fougères avec un bâton, tandis que Faith réfrénait sa frustration.

L'empreinte existait bel et bien – elle l'avait vue ! Une ligne étroite, correspondant tout à fait à une roue de brouette. Et maintenant, elle avait disparu.

La mère de Faith avait raison, finalement. Le révérend Erasmus Sunderly avait vraiment trouvé la mort dans le vallon.

Quand ils arrivèrent à la maison, Jeanne les attendait pour prendre le bonnet et la cape de Faith.

– Faith, je veux aller chercher le fantôme ! proclama Howard.

– Oh, monsieur Howard, vous allez épuiser Miss Faith ! s'exclama Jeanne. Miss... vous avez l'air vraiment fatiguée et vous n'êtes pas encore remise. Pourquoi ne me laisseriez-vous pas m'occuper un moment de monsieur Howard ?

Derrière sa politesse de façade, elle parlait d'un ton insistant et s'était déjà emparée de la main de Howard. Jeanne prenait des libertés, et elle en était manifestement consciente, mais elle avait l'assurance autoritaire d'une forte personnalité affrontant un adversaire plus faible.

Faith joua son rôle. Elle parut incertaine et malheureuse, mais trop timide pour empêcher Jeanne de s'éloigner avec Howard. Avant qu'ils aient disparu à sa vue, elle entendit la bonne chuchoter :

– Maintenant, parle-moi de ce fantôme !

Elle s'efforça de rester impassible. Elle avait inculqué ses mensonges à Howard, et maintenant il allait pénétrer dans le camp ennemi comme un petit cheval de Troie.

À une heure de l'après-midi, un chaudronnier ambulant arrêta sa charrette derrière la maison. Prythe et Jeanne semblaient bien le connaître, et ils sortirent bavarder avec lui.

Tapie dans son aire, sur le jardin en terrasse, Faith les observa, invisible derrière la balustrade couverte de plantes grimpantes.

– Ne vous en faites pour la vieille Vellet, dit Jeanne. Elle ne reviendra pas de sitôt de sa promenade. C'est tous les jours la même chose. Elle raconte qu'elle parcourt la propriété pour s'assurer que tout va bien. À mon avis, elle va plutôt fumer une pipe dans un endroit tranquille.

Ils se mirent tous à rire.

– Mais donc... le cordon s'est cassé ?

– Mrs Vellet dit que ce sont les rats dans les solives qui rongent les fils, déclara Prythe. Pour un rat, ce n'était quand même pas une mince affaire. S'il grossit encore, on pourra l'atteler à une charrette.

– Ce n'est pas tout, reprit Jeanne, de plus en plus excitée. On sent sa présence dans la maison, comme s'il venait de vous frôler. La maison est froide comme un tombeau. Et il arrive que des objets changent de place, pas vrai ?

– Un pot a disparu de la serre, renchérit Prythe.

Faith apprenait une chose intéressante sur les fantômes. Ils étaient comme des boules de neige : une fois lancés, ils voyaient grossir autour d'eux les légendes.

– Franchement, ça ne m'étonne pas, dit Jeanne en jetant un regard méfiant aux fenêtres de l'étage. Il s'est tué lui-même, ce pauvre maudit. Pas étonnant qu'il ne puisse reposer en paix, avec un péché mortel sur la conscience.

Le chaudronnier prononça quelques mots, où Faith ne distingua que : « dans son manteau d'épouvantail ». Il donna un coup de coude à Jeanne, qui rit si fort qu'elle dut mettre sa main devant sa bouche.

Faith retourna dans sa chambre, en proie à des idées de vengeance. Il n'y avait aucun domestique dans la maison. Une telle occasion ne se représenterait peut-être jamais.

Dans la bibliothèque, elle mit au pillage les caisses où son père gardait ses animaux empaillés. Le vautour noir, le corbeau luisant et le perroquet hurlant prirent place sur le bureau, de façon que toute personne entrant dans la pièce découvre trois becs grands ouverts sur une langue noire, et six yeux de verre glacés.

La plupart des pendules avaient été remises en marche. Elle les arrêta toutes au passage. Le mort avait quitté la maison, mais il n'avait pas trouvé le repos. Personne n'avait le droit de se sentir en sûreté, ni de reprendre une vie normale.

Sur la tablette de la cheminée, elle installa un lézard empaillé derrière un bougeoir, niché dans les flots de crêpe.

Arrivée devant la porte de l'escalier de service, elle hésita. Chaque fois qu'elle entrait dans un endroit sans permission, il y avait un instant irrévocable où le seuil était franchi. Mais c'était encore plus grave maintenant : elle s'apprêtait à pénétrer dans un monde interdit, dont elle devait normalement feindre d'ignorer l'existence.

Elle ouvrit la porte. L'escalier était nettement plus simple, raide et étroit que celui des maîtres, éclairé seulement par de petites fenêtres et dépourvu de rampe. Faith le monta aussi vite qu'elle l'osait, consciente que les domestiques pouvaient rentrer à tout instant.

En haut des marches, elle se retrouva dans une longue pièce sombre bornée à droite par un haut mur et à gauche par un plafond en pente, qui descendait presque jusqu'au sol. Manifestement, le grenier avait été divisé en deux pièces. Ouvrant une porte sur la droite, Faith jeta un coup d'œil dans la seconde pièce, qui abritait un petit lit à baldaquin, un tapis vert et une coiffeuse délabrée mais jolie. Faith supposa qu'il s'agissait de la chambre de la gouvernante.

Un lit tout simple se trouvait près de l'entrée de la pièce la plus proche. Comme il y avait deux lourdes bottes à côté, Faith estima que c'était celui de Prythe. Derrière lui, un épais rideau faisant office de mur séparait avec bienséance les deux parties de la pièce. Faith s'avança et tira le rideau, révélant ainsi un autre lit modeste, qui ne pouvait appartenir qu'à Jeanne.

Faith fut choquée par la nudité des lieux. En approchant du lit de Jeanne, elle constata que ses petits trésors étaient enfermés dans un coffret ou éparpillés sur l'étagère : un peigne en bois, un œuf à repriser, deux ou trois rubans, un sac de mousseline brodé aux initiales JB. Faith toucha le sac, et jamais elle n'avait eu ainsi l'impression d'être une voleuse en maniant du velours ou du satin.

Elle s'était préparée à se montrer cruelle, mais elle ne s'attendait pas à se sentir méchante.

Puis elle se rappela le rire de Jeanne quand on avait refusé une tombe au père de Faith, et sa joie face à l'humiliation et la détresse de Myrtle. Faith tira de sa poche un objet qu'elle avait pris dans une malle de son père. Un objet lisse, frais, d'un jaune de parchemin, qui cliqueta comme des aiguilles à tricoter lorsqu'elle le retourna.

Avec précaution, elle glissa le crâne de chat dans le lit de Jeanne, puis remit en place la couverture. Tandis qu'elle redescendait l'escalier à pas de loup, elle ne put s'empêcher de songer aux yeux vides du crâne fixant les ténèbres dans sa petite caverne d'étoffe.

18

Une dispute entre frère et sœur

Quand l'oncle Miles revint de sa visite chez le juge, il était trois heures. Myrtle accepta de le recevoir dans sa chambre. Chaudement vêtue, adossée à des coussins, elle avait encore les joues d'une pâleur insolite, et le nez et les yeux rouges. Malgré tout, elle se sentait assez bien pour rester fidèle à ses habitudes et contraindre Faith à assister à l'entrevue.

En voyant entrer son frère, Myrtle se redressa.

– Eh bien ? lança-t-elle. As-tu parlé au magistrat ? Qu'a-t-il dit ?

L'oncle Miles regarda par-dessus son épaule puis ferma très soigneusement la porte. S'asseyant dans un fauteuil, il poussa un profond soupir.

– Il s'est montré très aimable, dit-il en entreprenant d'ôter ses gants d'un air concentré. Très poli. Mais je crains qu'il ne tienne absolument à ce qu'une enquête ait lieu. Si des gens en demandent une...

– Allons donc ! s'exclama Myrtle. C'est lui le magistrat ! C'est lui qui décide !

– Que signifie une enquête ? demanda Faith avec une appréhension croissante. Que va-t-il se passer ?

– Je suis vraiment désolé, expliqua l'oncle Miles, mais cela signifie que ton père ne pourra pas encore être enterré. Je crains que nous ne puissions même pas l'emmener ailleurs tant que cette affaire ne sera pas réglée. Il y aura une enquête, puis… une audience. Un petit procès pour décider de la cause du décès.

Faith était déchirée. D'un côté, elle désirait qu'on enquête sur la mort de son père, afin que son meurtrier puisse être arrêté. De l'autre, tout le monde à Vane semblait convaincu qu'il s'était suicidé. Une fois qu'on aurait établi que son corps avait été découvert en fait sur l'arbre de la falaise, on considérerait certainement que c'était la preuve de son suicide.

– Quand? lança Faith. Quand aura lieu ce procès?

Son seul espoir était de démontrer avant l'audience qu'il avait été assassiné.

– La date n'a pas encore été fixée, mais il pourrait se tenir d'un jour à l'autre, répondit son oncle d'un air excessivement mal à l'aise. Mes petites, il s'agit d'un processus légal très complexe, et il ne sert à rien de vous affliger pour les détails…

– Je vous en prie, oncle Miles! l'interrompit Faith. Je veux justement connaître les détails!

Il sembla surpris de son intervention, mais haussa les épaules d'un air résigné.

– Parfois, lors d'une mort soudaine… si tout n'a pas l'air parfaitement normal… le juge autorise le gendarme de la commune à requérir un coroner, qui mène une enquête. À cette occasion, le coroner détermine la cause du décès, avec l'aide d'un jury de vingt-trois habitants du cru. En l'occurrence, le coroner sera le docteur Jacklers.

– C'est donc le docteur Jacklers qui va enquêter et prendre la décision finale, dit Myrtle en plissant les yeux. Tu sais, Miles, je crois que je suis vraiment malade. Je ferai venir le médecin demain… quand j'aurai un peu meilleure apparence.

– Payer les honoraires d'un médecin? En plus de tout le reste? lança l'oncle Miles en fronçant les sourcils. Non, ma petite Myrtle.

Je m'y oppose formellement. Si tu continues ainsi, tu vas dilapider tout notre argent.

– Tu t'y opposes ? s'exclama Myrtle. Depuis quand s'agit-il de « notre » argent ? Il n'est pas à toi, Miles. Comme d'habitude, tu n'as contribué à aucune des dépenses.

L'oncle Miles rougit violemment.

– Voilà qui m'amène à un autre sujet que je voudrais discuter avec toi, dit-il.

Il y eut un silence menaçant. L'oncle Miles regarda furtivement Faith, et Myrtle en fit autant au bout d'un instant.

– Faith, dit-elle, pourrais-tu...

Elle se tut et agita la main d'un air las.

– Je vais aller lire mon catéchisme, déclara aussitôt Faith avant de quitter docilement la pièce.

Écouter à la porte sur un palier n'est jamais sans danger. N'importe qui pouvait ouvrir sa porte et apparaître. Quelqu'un pouvait arriver d'un des deux escaliers et la surprendre à genoux. Il était difficile de se concentrer sur les voix de l'autre côté du battant tout en guettant l'approche de pas éventuels.

Cela dit, le jeu en valait la chandelle. Faith se mordit les lèvres et pressa son oreille contre le trou de la serrure.

– Myrtle, dit l'oncle Miles, tu dois songer à ta situation. Je sais ce que tu essaies de faire depuis le début. Tu tenais à sauver les apparences, et c'était une tentative courageuse... mais ça n'a pas marché. L'affaire est sur la place publique. Que comptes-tu dire lors de l'enquête, si tu es appelée comme témoin ?

– Je répéterai ce que j'ai déjà dit, répondit Myrtle avec fermeté. Mon cher époux a été victime d'un tragique accident.

– Te rends-tu compte de ce que tu risques, si la vérité éclate au grand jour ?

L'oncle Miles se racla la voix.

– Si... si les choses tournent mal, je ferai tout mon possible pour toi... mais il faut que tu suives le conseil que je vais te donner.

– Quel conseil, Miles? demanda Myrtle d'un air méfiant.

– Tu devrais me confier tout l'argent que tu as encore, et le plus de choses possible ayant appartenu à Erasmus. Nous raconterons qu'elles ont toujours été à moi... ou qu'il m'en avait fait cadeau.

– Je vois! répliqua Myrtle d'un ton glacé. Voilà donc où tu veux en venir!

Faith était furieuse mais perplexe. De quels risques parlait son oncle? Pourquoi exigeait-il d'avoir tout ce que possédait son père?

– C'est la seule solution raisonnable! lança l'oncle Miles. (Il semblait à la fois gentil et fatigué.) Tu dois le comprendre! Le docteur Jacklers a beau être ton admirateur, il ne pourra nier l'évidence. Prythe ne mentira pas sous serment, il nous l'a dit.

– Non, approuva Myrtle d'une voix lente. Mais toi, tu le pourrais...

– Pardon?

– Tu pourrais témoigner. Leur dire que tu as trouvé Erasmus dans le vallon.

– Tu me demandes de me parjurer?

– Tu sais ce qui est en jeu.

Il y eut un long silence.

– Non, Myrtle, dit enfin l'oncle Miles. À moins que tu ne sois disposée à faire ce que j'ai demandé... je crains de ne pouvoir faire ce que toi, tu me demandes. (Il poussa un soupir excédé.) Enfin... permets-moi du moins de veiller sur les animaux et les plantes de ton époux, afin qu'ils ne périssent pas par négligence. Il faudrait aussi que je puisse jeter un coup d'œil sur ses papiers. Je pensais les examiner pour toi hier, mais je n'ai pas pu mettre la main dessus.

Faith se figea, la mâchoire serrée. Non! Elle ne pouvait laisser son oncle se charger du sort de l'arbre à mensonge ou de son précieux serpent! Et personne d'autre qu'elle ne devait voir le carnet intime et les dessins des visions. En fait, l'idée d'abandonner le moindre des papiers de son père lui était intolérable. Ils étaient pareils à une bouteille abritant un génie. Ils recelaient la voix de son père, ses pensées et ses secrets, et ils lui revenaient. Elle était leur gardienne.

– Miles, lança Myrtle d'une voix coupante. Pourquoi cet intérêt subit pour les papiers et les spécimens d'Erasmus ? Tu ne supportes pas les responsabilités, elles te rendent malade. Pourquoi as-tu soudain tellement envie d'examiner des papiers assommants et d'adopter un wombat incontinent ?

– Eh bien… ces plantes et ces animaux ont besoin de soins appropriés, et il se pourrait que ces papiers traitent de sujets importants exigeant des mesures immédiates ! Des dettes, des actifs, des contrats, des obligations, des engagements… peut-être même un testament.

– Serais-tu devenu un gardien de zoo doublé d'un homme de loi, depuis le petit déjeuner ?

– Myrtle, ta réaction est puérile ! (L'oncle Miles semblait en proie à une agitation insolite.) Nous savons l'un comme l'autre que tu es incapable de comprendre ce qu'il y a dans les papiers d'Erasmus ! Il faut absolument que tu me laisses les regarder !

– Où as-tu passé la journée ? demanda soudain Myrtle d'un ton soupçonneux. Tu n'as pas pu passer six heures à essuyer les refus du magistrat. Avec qui d'autre as-tu parlé ? Quelles nouvelles as-tu apprises ? Miles, je te connais…

Il y eut un nouveau silence.

– Tu… tu déraisonnes, Myrtle. (L'oncle Miles paraissait plus calme, mais au prix d'un grand effort.) C'est… c'est ma faute. Je n'aurais pas dû évoquer ces sujets alors que tu es à bout de nerfs…

– Oh, ne me parle pas comme ça ! s'écria Myrtle. Je ne suis nullement nerveuse, Miles ! Et pas du tout à bout ! Il n'est pas question que je me rende – pas encore. Je resterai à Vane et me battrai pour qu'Erasmus ait une sépulture honorable…

– Comment ? demanda l'oncle Miles d'une voix dure.

Comment comptes-tu rester ici ? Combien d'argent as-tu encore à Vane ? De combien de temps disposes-tu avant de devoir payer le loyer de la maison et les gages des domestiques ? Avant que nous ne soyons incapables d'acheter de quoi nourrir la maisonnée ?

Cette fois, le silence fut interminable.

– C'est bien ce que je pensais, dit-il en se levant. Pense à me remettre les effets d'Erasmus, Myrtle. Je sais que tu finiras par être raisonnable, mais n'attends pas trop.

En entendant le fauteuil de son oncle craquer, Faith s'éloigna prestement de la porte et courut dans sa chambre.

L'espace d'un instant, elle regretta d'avoir surpris cette conversation. Elle ne comprenait pas tout, mais ce dialogue avait quelque chose de menaçant, comme une querelle entre conspirateurs. Il lui semblait avoir creusé et mis au jour un nouveau filon de secrets.

Un moment plus tard, elle fut invitée à se rendre dans la chambre de sa mère.

– Faith, ferme la porte et assieds-toi. Dis-moi... les papiers de ton père sont-ils en lieu sûr ?

Cette question prit de court Faith. Sa mère ne lui demandait pas si elle avait caché les papiers, mais si elle les avait bien cachés.

Elle pesa rapidement le pour et le contre. Elle pouvait prétendre ignorer où se trouvaient les papiers, mais Myrtle savait qu'ils avaient disparu quand Faith se trouvait seule avec eux. Si l'on fouillait sérieusement sa chambre, peut-être les trouverait-on dans la cage du serpent.

– Oui, répondit-elle. Cela m'a paru le mieux...

– En effet, l'interrompit Myrtle. Tu as bien fait. Pourrais-tu aller me les chercher ?

Non, jamais !

– Je... (Faith réfléchit fébrilement tout en s'efforçant de rester impassible.) Je peux vous les apporter... mais beaucoup de textes sont en grec, ou rédigés dans les codes dont Père se servait pour ses notes. Je suis en mesure de les traduire, mais ce n'est pas facile…

– Seigneur! en grec? gémit Myrtle en frissonnant d'un air désespéré. C'est peine perdue, dans ce cas. Il faudra que tu les lises pour moi. Tu me diras ce que tu auras découvert. Et ne révèle à personne qu'ils sont en ta possession. Ton oncle demandera sans doute à les voir… ne lui dis rien sans ma permission.

– Que veut-il en faire? demanda Faith, heureuse de pouvoir satisfaire sa curiosité.

– Je l'ignore, mais je connais mon frère. Il a d'excellentes qualités, mais sous sa douceur apparente, il cherche toujours à gagner le plus qu'il peut pour le moins d'effort possible.

Faith mit un instant à concilier cette description avec l'humeur douce et joviale de son oncle. Après les propos qu'elle venait de surprendre, elle y parvint sans trop de peine.

– Tu n'as vu aucun papier qui pourrait rapporter de l'argent? demanda abruptement Myrtle. Une lettre de crédit, un testament, une reconnaissance de dette ou quelque chose de ce genre?

– Non.

Faith observa sa mère, stupéfaite de son prosaïsme.

– Si ton oncle est intéressé, c'est nécessairement qu'il y a quelque chose de précieux…

Myrtle se mordit la lèvre d'un air avide. Quand Faith sortit, sa mère était en train de tourner ses bagues sur ses doigts en regardant rêveusement les gravures de mode étalées sur sa courtepointe. Faith se demanda ce qui serait arrivé, si Myrtle avait pris possession des papiers. Aurait-elle déjà vendu l'arbre à mensonge pour s'acheter de nouvelles robes?

Une évidence sournoise s'imposa soudain à Faith. Alors qu'une femme devait sans cesse mendier à son mari l'argent du ménage, une veuve pouvait dépenser à sa guise son héritage. Après la mort du pasteur, Myrtle disposait pour la première fois de son propre argent.

Cette nuit-là, alors qu'elle restait couchée sans dormir, Faith tenta de reconstituer le puzzle. Il lui restait si peu de temps ! L'enquête pouvait avoir lieu d'un jour à l'autre, et quand les Sunderly auraient vidé leur bourse, ils devraient quitter Vane. Faith avait espéré mener discrètement ses recherches, en laissant le fruit de l'arbre à mensonge mûrir et grossir au fil des semaines. Il n'était plus question de projets à long terme, de stratagèmes lents et sans danger.

Un cri aigu au-dessus de sa tête l'arracha à ses réflexions. Elle mit un instant à se rappeler le crâne de chat dans le lit de Jeanne. Elle entendit des parquets craquer, une voix hystérique que d'autres voix indistinctes et plus basses tentaient de calmer.

Faith n'éprouva ni remords ni satisfaction. Elle était dans une obscurité solitaire et le temps lui manquait. Étrangement, à la pensée de l'arbre à mensonge dans sa caverne rugissante, elle se sentit un peu moins seule.

Tandis que le sommeil la berçait, elle croyait voir son mensonge se répandre en silence comme une fumée verdâtre, environner la maison de son brouillard indistinct et s'écouler des lèvres de ceux qui chuchotaient avec une stupeur mêlée d'effroi. Elle le voyait, pareil à une brume, imprégner les feuilles impatientes, suinter, telle la sève, le long de minces tiges noueuses et éclore irrésistiblement en un petit bourgeon blanc, aussi acéré qu'une lance.

19
Les visiteurs

Le docteur Jacklers avait été convié à midi. Il arriva à dix heures, semant ainsi le trouble dans la maison.

Quand Mrs Vellet vint annoncer son arrivée, Myrtle était au salon, où la couturière avait épinglé sur elle une nouvelle robe pour ajuster la taille. En somme, elle n'était pas prête à jouer les malades romantiques.

– C'est bien la dernière personne que je puisse me permettre d'offenser ! s'exclama-t-elle, au comble de l'agitation. Dites au docteur que je m'habille et que je serai à lui dans un moment. Installez-le dans la bibliothèque. Elle est pleine de crânes, ça lui plaira. Offrez-lui du thé.

– Excusez-moi, madame, répliqua Mrs Vellet d'un ton circonspect, mais il dit qu'il est venu en avance du fait de sa mission officielle. Il vous demande la permission d'inspecter la propriété, madame.

Myrtle pâlit et se mordit nerveusement les lèvres.

– Nous ne pouvons guère le lui refuser, dit-elle à contrecœur. Mettez Prythe à la disposition du docteur.

– Et que dois-je faire avec le jeune monsieur Clay ? demanda doucement Mrs Vellet.

– Le jeune Clay est ici, lui aussi ? s'étonna Myrtle.

– Oui, madame. Il est arrivé en même temps que la voiture du docteur. Il est venu apporter une photographie et… plusieurs gros bouquets de fleurs, madame.

– Des fleurs, souffla Myrtle.

Son joli visage oscillait avec la prestesse d'un papillon entre la satisfaction, l'inquiétude et la froideur calculatrice.

– Nous ne pouvons pas non plus nous permettre d'offenser les Clay, murmura-t-elle. Installez confortablement ce jeune homme dans le jardin d'hiver, avec des crêpes ou un gâteau.

Faith écoutait à peine. Le docteur Jacklers était chez eux pour enquêter sur la mort du pasteur. Elle n'aurait peut-être pas d'autre occasion de tâcher de le convaincre que son père avait été assassiné.

Bien entendu, parler avec le médecin serait une trahison. Elle réduirait à néant la version de sa famille. Myrtle serait furieuse. Plus que furieuse, peut-être.

« Te rends-tu compte de ce que tu risques, si la vérité éclate au grand jour ? », avait dit l'oncle Miles.

Faith ignorait ce qu'elle risquait, mais le souvenir de ces paroles l'emplit d'une appréhension soudaine. Peut-être dire la vérité causerait-il de vrais ennuis à sa famille. Cependant, comment laisser échapper une telle occasion ? Elle devait à son père cette tentative.

Quand Faith trouva le docteur, il se dirigeait vers le sentier de la falaise.

– Ah, je suis désolé de vous rencontrer dans ces circonstances, Miss Sunderly… Je suis dans l'exercice de mes fonctions, malheureusement.

Sortant de sa poche un papier plié, il l'ouvrit et lui montra le sceau imposant de cire rouge.

« … en tant que magistrat du comté de Vane requiert et permet que le docteur Noah Jacklers soit chargé des fonctions de coroner dans l'enquête concernant le révérend Erasmus Sunderly… »

Le document était signé par Lambent. Son écriture comme sa signature étaient imposantes, fébriles et désordonnées, ce qui lui ressemblait tout à fait.

– Savez-vous ce qu'est un coroner ? demanda le docteur Jacklers.

Faith hocha la tête.

– Parfait, dit-il en souriant. Eh bien, d'ordinaire un coroner fait appel à un expert médical, mais comme il se trouve que je suis le seul expert de ce genre sur l'île, il faut que je recoure à mes propres services.

Il se mit à glousser.

Faith songea qu'il devait être très reposant d'être le docteur Jacklers, avec ses bonnes intentions ne tenant aucun compte des sentiments d'autrui.

– C'est pourquoi, voyez-vous, je dois inspecter la propriété.

– Puis-je vous accompagner ? lança Faith en hâte. Je voudrais vous parler. Il faut que vous sachiez quelque chose.

Le médecin fronça les sourcils d'un air perplexe, mais s'inclina brièvement en signe d'assentiment.

Tandis qu'ils s'éloignaient de la maison, Faith craignait sans cesse que Myrtle ne l'aperçoive de la fenêtre et ne la rappelle.

Elle ne put s'empêcher de noter que le médecin était habillé avec une certaine recherche. Il portait un gilet de velours bleu entrecroisé de fil d'or. Sa moustache bien taillée luisait de cosmétique, une épingle d'or scintillait sur sa cravate. Il se montrait à la fois gauche et empressé, ce qui agaçait Faith.

Elle se rappela sa mère debout tout près du médecin, dont elle saisissait la main nue. À cette pensée, Faith eut intérieurement un haut-le-cœur. Peut-être aurait-elle plaint le docteur Jacklers, si son père n'avait pas été couché en cet instant même dans la crypte de l'église. Chercher à plaire à une veuve encore en deuil était de mauvais ton. Entreprendre de la courtiser avant même que son époux fût enterré était révoltant.

– Que vouliez-vous me dire ? demanda le médecin.

Faith se lança.

– Je me suis promenée dans le vallon, hier. Docteur, la mousse a été écrasée à un endroit...

– Ah, je vois.

Il la regarda d'un air patient, attristé.

– Je suis sûr que vous dites vrai. Jeune fille, votre loyauté vous honore !

Faith mit un instant à comprendre ce qu'il voulait dire. Elle rougit violemment.

– Non, cet endroit existe vraiment, et je n'y suis pour rien ! Je vous en prie ! Laissez-moi vous le montrer !

Le médecin se contenta de lui lancer un regard bienveillant et continua de se diriger vers la falaise. Quand elle le rattrapa, il se tenait au bord et regardait en bas, tel un faucon trapu se préparant à fondre sur sa proie.

– Cet arbre à mi-chemin de la descente, murmura-t-il. Son écorce est fendue. Le choc paraît récent.

– Docteur, avez-vous vu cette trace de roue ?

Faith désigna ce qui restait du sillon de la brouette, malheureusement en partie effacé par la pluie.

Le médecin ne lui accorda qu'un bref coup d'œil.

– Oh, c'est une empreinte laissée par le côté d'une botte. Maintenant que tout le monde a piétiné dans les parages, il doit y en avoir des centaines.

Le coup était rude, mais Faith refusa de se décourager.

– Dites-moi, docteur Jacklers, quelqu'un pourrait-il survivre à une telle chute, si elle était amortie par cet arbre ?

– J'imagine que oui... Encore qu'il aurait de la chance s'il ne se rompait pas les os.

– Dans ce cas... si mon père voulait sauter, pourquoi le faire au-dessus de cet arbre ?

Faith s'avança vers le bord, à quelques pas du médecin.

– Miss Sunderly, vous êtes trop près du bord !

– D'ici, je tomberais droit sur les rochers, dit Faith. Rien ne pourrait gêner ma chute.

Il y eut une rafale soudaine, et le médecin saisit le bras de Faith. Elle eut un mouvement de recul. L'espace d'un instant, elle bascula vers le gouffre avide et rugissant. Puis elle reprit son équilibre, s'écarta du précipice. Elle n'aurait su dire si l'intervention du médecin l'avait retenue ou déséquilibrée.

Elle n'éprouvait aucune peur, mais les yeux du médecin étaient pleins d'effroi. Ils avaient la couleur d'un bon café et les coins légèrement plissés à force de lire. Il tressaillit, comme si on avait braqué sur son visage une lumière vive. Pendant un instant, rien qu'un instant, il sembla voir Faith telle qu'elle était.

Puis il battit des paupières, lâcha son poignet. Elle comprit que ses pensées ordinaires s'étaient remises en place comme un lourd rideau.

– Voilà pourquoi vous devriez être prudente et faire attention, dit-il d'un ton vif mais pas vraiment sévère. Légère comme vous êtes, le vent pourrait vous emporter, et que ferions-nous alors ?

« Je suis une créature de chair, pas une fée, songea-t-elle. Je me romprais les os et je saignerais, exactement comme vous. »

– Je vois que vous n'avez pas envie de croire que votre père ait pu mettre fin à ses jours.

Il essayait probablement de parler avec douceur.

– Cela me paraît difficile à croire, répliqua Faith. Et il me semble plus qu'incroyable qu'il s'y soit pris avec tant de maladresse.

– Dans ce cas, quelle est votre explication ?

– Vous avez dit que vous aviez trouvé des bosses derrière le crâne de mon père aussi bien que sur son visage. Se pourrait-il qu'il ait été frappé par-derrière, et soit tombé en avant ?

– Ah, c'est donc ça.

Le médecin soupira et lui sourit de nouveau tristement.

– Miss Sunderly, savez-vous quel est le pire ennemi du

coroner ? Les romans. Vous êtes une grande lectrice de romans, n'est-ce pas ? Je connais ce regard timide et rêveur !

Pendant une fraction de seconde, Faith se demanda si le médecin ne progresserait pas plus vite dans son enquête en tombant lui-même du haut de la falaise.

– Je comprends leur attrait, poursuivit-il d'un ton indulgent. Pourquoi se contenter de la morne réalité, quand on peut avoir à foison des enlèvements, des meurtres, des secrets de famille et des passages dérobés ? C'est ainsi que les jeunes dames comme vous viennent trouver les coroners, la tête farcie de lubies et de chimères, d'idées exaltées et de soupçons extravagants…

– Je suis surprise qu'on puisse faire tenir tout cela dans nos petits crânes de femmes, répliqua Faith non sans aigreur.

Elle vit le médecin blêmir, mais continua avec sérieux.

– Les habitants de Vane ont détesté mon père dès le début. Le jour de sa mort, une lettre…

– Écoutez, ma petite. Il n'y a pas un homme, une femme ou un enfant de cette île que je ne connaisse depuis des années. Nous avons notre lot de mauvais sujets, bien sûr… mais pas d'assassins. Croyez-moi, je les reconnaîtrais à leur front fuyant.

Le médecin se détourna de la falaise d'un air résolu.

– Voilà, vous pouvez oublier vos hypothèses monstrueuses. Vous ai-je tranquillisée, maintenant ?

– J'ai compris.

Ce fut tout ce que Faith réussit à dire.

– Je ne parlerai à personne de vos divagations, déclara-t-il avec bienveillance. Et je vous recommande d'en faire autant.

« J'ai compris, se dit-elle. Je n'ai aucun aide à attendre de la loi. Si je veux qu'on découvre le meurtrier, je devrai agir seule. »

De retour à la maison, le médecin fut conduit auprès de Myrtle. Faith regagna furtivement l'étage, en proie à une frustration furieuse. Elle trouva près de sa porte un pot fermé avec un bouchon pour plus de discrétion, qui s'avéra contenir une souris morte. Manifestement, Mrs Vellet voulait bien fournir des cadavres de rongeurs à volonté, mais elle préférait éviter d'en parler.

Faith porta le pot dans sa chambre. Elle se détendit un peu en regardant le serpent s'écouler hors de la cage comme une mare d'huile. Ses mâchoires se refermèrent sur ce morceau de roi. Quand la souris eut disparu tête la première dans le corps de laque noire du reptile, Faith le laissa monter sur son bras et s'enrouler autour de son cou.

À cet instant, elle entendit un bruit sur le palier. Quelqu'un tournait discrètement une poignée de porte. Ayant fait elle-même la même chose récemment, elle comprit qu'il s'agissait de la porte de la chambre de son père.

Elle se précipita hors de sa propre chambre et se figea sur le palier. Le serpent se raidit, dérangé par cette animation soudaine.

Paul Clay était sur le seuil de la chambre du pasteur.

– Que faites-vous ici ? s'exclama Faith.

Il la regarda avec consternation, puis vit le serpent enroulé autour de son cou.

– C'était un pari… commença-t-il en retournant sur le palier.

– Espèce de voleur ! gronda Faith. Qu'avez-vous pris ?

– Rien du tout !

Il baissa les yeux sur les ciseaux qu'il avait à la main.

– Je voulais juste… quelques cheveux. Ils m'ont défié d'en rapporter. Mais je n'avais pas envie d'ouvrir le cercueil, et ensuite le docteur Jacklers l'a fait enlever en tant que coroner. J'ai pensé que j'en trouverais peut-être dans la chambre…

– Comment osez-vous !

Faith était tellement en colère qu'elle n'aurait pas été étonnée que deux grandes ailes noires aient poussé sur ses épaules. Une mèche de cheveux était le plus intime des présents ou des souvenirs. Un tel trésor ne convenait qu'à un proche bien-aimé, et certes pas à un intrus hébété muni de ciseaux.

– Il est mort, et privé de sépulture. Cela ne vous suffit pas ? Il faut aussi que vous le découpiez en morceaux ?

Paul tressaillit et regarda l'escalier avec affolement. D'un coup, Faith se rendit compte que quelqu'un montait les marches. Dans un instant, on allait découvrir que Paul s'était introduit sans permission dans les appartements de la famille. Elle n'aurait qu'à pousser un cri, et il serait condamné aussi sûrement qu'elle serait déclarée innocente.

Mais Faith ne cria pas. Elle se surprit à attraper Paul par la manche et à l'entraîner à toute allure dans sa chambre. Il sembla horrifié en comprenant où il était, mais elle ne lui donna pas le temps de parler et le tira dehors par la porte du jardin en terrasse.

Se baissant vivement, elle s'assit sur le petit tabouret en bois.

– Asseyez-vous ! lança-t-elle. Autrement, on vous verra d'en bas !

Paul obéit et s'assit à l'autre bout de la terrasse, en la regardant avec une méfiance mêlée d'incrédulité.

Qu'avait-elle fait ? Elle était seule avec un inconnu. Pas un médecin, un parent ou un ami de la famille. On lui répétait depuis toujours que sa réputation était tout, pour une femme. Elle était comme une bulle pouvant crever au moindre contact. Sur le palier, elle n'avait été que rage et énergie déchaînée. À présent, elle se sentait horriblement fragile.

Elle s'aperçut qu'elle pressait son dos contre le treillage, comme si elle pouvait préserver sa réputation en maintenant la plus grande distance possible. Dans les yeux de Paul, elle lut la même panique insidieuse. Lui aussi s'était plaqué contre le mur.

– Pourquoi avez-vous fait ça ? chuchota-t-il.

– Pourquoi vous êtes-vous laissé faire ? riposta-t-elle.

Il y eut un long silence. Ni l'un ni l'autre n'avait de réponse.

Elle sentait avec acuité l'étrangeté de la présence de Paul, comme s'ils étaient des guerriers de tribus ennemies se rencontrant aux confins de leurs territoires.

Mais elle n'y pouvait rien.

– Avec qui avez-vous parié ? demanda-t-elle enfin non sans agressivité.

– Des amis.

Paul parlait d'un ton évasif, mais Faith apprenait à ne pas s'y laisser prendre.

– Les gens disent que le fantôme de votre père rôde…

– Qui ? l'interrompit Faith. Qui dit ça ?

– Tout le monde sur l'île.

Tout le monde sur l'île… Le mensonge de Faith s'était propagé plus vite qu'elle n'aurait pu le rêver.

– Ils savaient que j'avais aidé à bouger son corps pour la photographie, continua Paul, mais ils ont parié que je ne reviendrais pas le toucher, avec son fantôme aux aguets dans les parages. Les cheveux étaient censés constituer une preuve.

– Et les fleurs, qu'étaient-elles censées prouver ? demanda Faith en se rappelant la corbeille abandonnée dans le jardin d'hiver.

Paul observa un instant ses doigts avec attention, et elle eut l'impression qu'il était gêné.

– C'est mon père qui les envoie, dit-il. Il pensait que vous pourriez avoir besoin de… rafraîchir la maison.

Faith dut admettre qu'un tel geste était presque sensé. Néanmoins, Clay envoyait des fleurs à une jeune veuve, et les bouquets jaunes et roses n'avaient rien de particulièrement funèbre. Elle se demanda si l'épouse de Clay était d'un caractère jaloux. À cette pensée, elle observa :

– Je n'ai pas vu votre mère aux funérailles.

– Les siennes ont été les dernières auxquelles elle ait assisté, répondit Paul simplement.

Elle se sentit incapable de lui dire quelque chose de gentil ou d'aimable. Toute parole aurait sonné faux. Ils étaient tous deux au-dessus de ce genre de chose, de sorte qu'elle garda le silence.

– Que fabrique ici le médecin ? demanda Paul à son tour.

– C'est lui le coroner. Il est venu enquêter sur la mort de mon père.

Paul ne put s'empêcher de prendre un air intéressé.

– Lui avez-vous raconté ce que vous avez essayé de me dire ? Que vous pensiez que quelqu'un avait assassiné...

– Vous parlez de mes lubies et de mes chimères ? rétorqua Faith. De mes idées exaltées, fruits de trop de romans ?

– Vous lui en avez parlé !

Paul ouvrit de grands yeux. Faith n'aurait su dire s'il était impressionné ou incrédule.

– Vous y croyez vraiment.

– Pas vous, observa-t-elle avec amertume.

– Personne ne l'aimait, mais de là à le tuer... répliqua-t-il en plissant les yeux. Il a failli estropier mon ami, s'est montré grincheux avec tout le monde et s'est révélé, pour couronner le tout, un imposteur doublé d'un hypocrite. Cela dit, ce n'est pas une raison pour tuer un homme.

À cette description de son père, Faith grinça des dents, mais elle était encore toute pleine des explications que le médecin avait refusé d'entendre. Elle ne pouvait les garder pour elle. Parler, même avec un ennemi, lui donnait un plaisir périlleux. Elle se rendit compte combien elle avait été prisonnière de ses pensées, de cette maison, de la famille Sunderly.

– Eh bien, quelqu'un avait pourtant une raison pour l'assassiner, lança-t-elle. La veille de sa mort, on lui a remis une lettre anonyme. Sa lecture l'a tellement bouleversé qu'il a refusé d'en parler et l'a brûlée. Plus tard, il est sorti en pleine nuit. Je crois qu'il devait rencontrer quelqu'un. Je crois que la lettre l'a forcé à le faire.

« Son pistolet a disparu. Puisqu'il ne s'en est pas servi pour se tuer, il avait dû le prendre pour se défendre lors de cette rencontre.

– Si quelqu'un l'a attaqué, pourquoi ne lui a-t-il pas tiré dessus ? objecta Paul.

Il la regardait de nouveau de cet air froid, impitoyable et calculateur qu'elle lui avait vu le premier jour.

– Je l'ignore, convint-elle à contrecœur. Mais il avait des plaies à l'arrière de son crâne aussi bien que sur son visage. Je pense qu'on l'a frappé par-derrière.

– Personne n'a entendu approcher une voiture ou un cheval, cette nuit-là ? demanda-t-il pensivement.

– Non. (Elle réfléchit.) Cela dit, le vent était assourdissant, observa-t-elle.

– Et on a pu s'arrêter un peu plus loin et marcher ensuite. Ou même arriver à pied, ou en bateau.

Il plissa de nouveau les yeux dans sa concentration.

– La maison est à des kilomètres de tout lieu habité. Pour venir ici, quelqu'un devait s'absenter de chez soi pendant une heure ou deux, au cœur de la nuit. À moins de se trouver déjà dans votre maison, bien sûr.

Faith hocha la tête avec lenteur, en prenant note de ces observations. Cependant, elle était surtout stupéfaite d'entendre quelqu'un lui répondre, comme si ses pensées n'étaient pas absurdes. L'espace d'un instant, elle regretta de détester Paul Clay.

Ce qu'elle dit ensuite la surprit elle-même :

– Je veux que vous m'aidiez.

– Vous aider ? (Il eut un rire étouffé.) Pourquoi vous aiderais-je ?

– Nous ne pouvons quitter l'île avant que mon père ait reçu une sépulture décente, déclara-t-elle sèchement. Votre père envoie des fleurs à ma mère. Plus nous resterons, plus ils deviendront intimes. Avez-vous envie que je sois votre sœur ?

Il la foudroya du regard, et elle crut un instant qu'il allait bondir sur ses pieds et s'enfuir.

– Je préférerais qu'on m'écorche vif, assura-t-il.

– Dans ce cas, aidez-moi à trouver l'assassin de mon père. De cette façon, vous ne me reverrez jamais. Vous connaissez cette île.

Vous pouvez parler aux gens, découvrir si quelqu'un est sorti sans raison en pleine nuit. Vous pouvez aller où bon vous semble…

– J'ai mes études ! protesta-t-il. Je travaille pour aider mon père…

– Personne ne vous enferme dans votre chambre avec votre catéchisme, s'obstina Faith. Personne ne s'attend à savoir où vous êtes à tout moment de la journée. Vous pouvez vous promener seul, parler aux gens dans la rue. Ce n'est pas la même chose.

Elle fut exaspérée de constater combien il restait indéchiffrable. Il ressemblait à l'appareil photographique de son père, se dit-elle. Lui aussi était impassible et enregistrait sans pitié le moindre détail.

– Qu'ai-je à y gagner ? demanda-t-il après un long silence.

Faith hésita, puis sortit avec lenteur le médaillon où elle conservait une mèche de son père coupée pendant la veillée. Sa couleur d'un roux sombre était reconnaissable entre mille. L'idée d'altérer cette relique l'affectait profondément, mais elle avait besoin d'un allié.

– Que feront vos « amis », si vous revenez sans aucun cheveu de mon père ? demanda-t-elle. Se moqueront-ils de vous ? Vous traiteront-ils de lâche ?

Paul rougit, et Faith comprit qu'elle avait touché un point sensible. Saisissant la mèche, elle la divisa en deux avec soin. Après avoir glissé la première moitié dans le médaillon, elle brandit l'autre entre le pouce et l'index.

– Venez la prendre ! lança-t-elle.

Manifestement indécis, Paul regarda les cheveux, puis Faith. Ils étaient toujours séparés par une distance sacrée, inviolable. Puis il se leva, se baissa nerveusement afin de ne pouvoir être vu d'en bas. Son mouvement dérangea le serpent, qui fit onduler son corps musculeux en sifflant faiblement. Paul recula avec un tressaillement, et à cette vue Faith sentit s'éveiller en elle la même férocité que lors de leur première conversation.

– Puisque vous aimez tant les paris, Paul Clay, je vous mets au défi d'approcher. (Il semblait hypnotisé par la lenteur sinueuse du serpent couleur d'or et d'ébène.) Inutile d'avoir l'air aussi effrayé, chuchota Faith. Les serpents de cette race ne mordent pas. (Elle vit l'une des mains du garçon frémir, comme s'il songeait à la tendre en avant.) Ils étranglent leurs proies, ajouta-t-elle aimablement. (Son mouvement de recul la remplit de satisfaction.) Vous n'osez pas, n'est-ce pas ?

Il s'avança, se pencha et lui arracha la mèche d'entre les doigts. Attrapant sa manche au passage, elle le retint fermement.

– Si vous dites à qui que ce soit les secrets que je vous ai appris aujourd'hui, murmura-t-elle avec une violence contenue, je raconterai à tout le monde que vous avez eu trop peur pour couper vous-même ces cheveux. J'ai l'autre moitié de la mèche, et je sais de quelle partie de sa tête elle provient, alors que vous l'ignorez.

Le serpent descendit sur son poignet et glissa la tête sur le dos de la main du garçon. Paul se libéra en hâte et recula de plusieurs pas en se frottant la main, manifestement furieux et mortifié.

– Vous pariez, vous aussi ? riposta-t-il. Chaque lundi soir, il y a un concours de ratiers dans la cabane de la route côtière. Venez me retrouver là-bas. Nous pourrons parler de votre fameux meurtre.

Faith avait entendu parler de ce passe-temps douteux se déroulant dans les caves de certaines tavernes. On lâchait des chiens dans une fosse remplie de rats, en leur enjoignant de les tuer aussi vite que possible. Paul savait qu'elle ne pouvait assister à un spectacle de ce genre. Il faisait encore monter les enchères.

– Alors, je vous retrouve là-bas ? demanda-t-il avec un sourire presque imperceptible. Non, ça m'étonnerait.

Une rafale agita les feuilles, et ils sursautèrent tous deux.

– Il faut que je m'en aille, dit Paul d'une voix plus basse et moins combative. (Il désigna d'un geste le jardin de la maison.) La voie est-elle libre ?

Faith se tourna pour regarder à travers le treillage et le feuillage. Il n'y avait personne en vue. Elle le regarda en hochant la tête.

Paul s'élança vers la porte couverte de plantes grimpantes, sauta par-dessus avec aisance et disparut. Elle entendit un faible bruit de pas tandis qu'il descendait les marches.

Sans bouger de sa place, elle écouta. Personne ne poussa un cri. Il n'avait pas été découvert – ni elle.

Elle avait peine à croire qu'elle venait de s'entretenir clandestinement avec un jeune homme. Paul avait à peu près son âge, mais il était assez vieux pour provoquer des médisances. Faith se sentait brûlante, malade, impure. Ses vêtements la démangeaient. Elle craignait, en se regardant dans le miroir, de découvrir en elle quelque chose de brisé, d'usé.

Pourquoi avait-elle provoqué cette scène ? Qu'y avait-il en Paul Clay, pour l'inciter ainsi à se comporter et à s'exprimer avec cette violence insensée ?

En même temps, elle se sentait douloureusement éveillée. Il lui semblait être libérée d'un poids. Elle avait joué un jeu dangereux, mais peut-être avait-elle un allié maintenant. Pas un ami, mais c'était mieux que rien.

Elle revoyait en elle-même l'aisance avec laquelle Paul avait sauté par-dessus la porte. Cela paraissait si facile, on aurait dit qu'il volait. Elle se demandait ce qu'on ressentait dans ces moments-là.

Ce ne fut que plus tard qu'elle songea qu'il avait été bien prompt à la croire, quand elle lui avait dit que la voie était libre. Après tout, elle aurait pu l'envoyer se faire capturer, puis se réfugier elle-même dans sa chambre et feindre de ne rien savoir de son intrusion. Étrangement, elle n'y avait pas pensé. Pas un seul instant.

20
Un visage souriant dans les bois

Paul Clay n'était pas un ami. Il avait pourtant donné à Faith des aperçus précieux sur l'île. Et il lui avait révélé un fait important : son mensonge faisait son chemin.

En cet instant même, tout le monde à Vane parlait du fantôme du pasteur. Était-ce suffisant ? Un fruit était-il en train de mûrir sur l'arbre à mensonge ? Il fallait que Faith retourne dans la grotte marine et voie l'arbre, afin de savoir si elle perdait son temps.

Cette fois, cependant, elle se préparerait convenablement.

Prétendant être souffrante, elle s'enferma dans sa chambre afin d'étudier plus en détail les notes de son père. Au souvenir de sa première rencontre avec la plante, elle se sentait un peu gênée. Elle l'avait approchée comme un autel et lui avait parlé à voix basse comme à une confidente. Son attitude avait témoigné d'un manque scandaleux de méthode scientifique.

Faith se rappela à elle-même qu'elle était une scientifique. Les scientifiques ne succombaient pas à la superstition ni à une terreur sacrée. Ils posaient des questions et y répondaient à l'aide de l'observation et de la logique.

L'arbre n'avait pas d'oreilles. Comment pouvait-il savoir qu'on lui avait dit un mensonge ? Il n'avait pas de cerveau. Comment pouvait-il connaître les secrets du monde ? Étant originaire de contrées exotiques, comment pouvait-il comprendre l'anglais britannique ? Comment un fruit pouvait-il abriter des secrets, et comment pouvait-on les apprendre en le mangeant ?

Si son père s'était trompé sur l'arbre à mensonge, elle avait besoin de le savoir. S'il avait raison, elle devait trouver des réponses à ces questions. La magie n'était pas une réponse, mais un prétexte pour éviter d'en chercher une.

Faith parcourut les pages serrées du carnet, en déchiffrant les notes et les commentaires de son père.

Une grande énigme – l'aptitude de l'arbre à vivre, grandir et purifier l'air sans le secours des rayons bienfaisants du soleil. Il doit puiser l'énergie dans une autre source, de façon à mettre en branle les processus chimiques qui lui sont nécessaires.

Absorberait-il la chaleur de l'air ? Improbable, puisqu'il semble prospérer dans des environnements froids et humides. Serait-il insectivore, comme le drosera ? S'il est cavernicole, il se peut que son odeur glaciale et pénétrante persuade des créatures égarées de la proximité d'une ouverture sur l'extérieur. Aucune observation ne confirme ce type de prédation, mais les proies sont peut-être minuscules et apportées par l'air. La sève glutineuse de l'arbre les prendrait-elle au piège ?

Se rappelant la substance visqueuse qui couvrait ses doigts après qu'elle avait touché la plante, Faith eut soudain envie de se laver les mains.

Autre théorie : l'arbre pourrait être un symbiote. Il reste en dormance jusqu'au moment où il noue un contact psychique avec un membre intelligent d'une autre espèce, après quoi il est capable de se sustenter grâce au flot des énergies invisibles ressemblant plus ou moins à celles décrites dans les théories sur le magnétisme animal, aujourd'hui décriées.

Les mensonges pourraient-ils le nourrir à travers des ondulations dans le fluide magnétique? La consommation du fruit renforcerait-elle le contact, en déclenchant une crise propice à des visions délivrées de toute contingence?

Faith se souvenait vaguement avoir lu des textes sur le « magnétisme animal » dans la bibliothèque de son père au presbytère. Il s'agissait d'une théorie ancienne, d'après laquelle tout ce qui existait était plongé dans une sorte de bain spirituel invisible, que des courants parcouraient en tous sens en traversant les animaux et les humains. Tout obstacle à ce flux entraînait des maladies. Si l'on apprenait à le canaliser et à le diriger, on pouvait influer sur d'autres êtres, voire les guérir. Si l'on détruisait tous les obstacles en soi-même, on entrait dans une transe appelée « la crise », où l'on était censé pouvoir parfois voir à travers les objets solides. Faith n'avait jamais entendu parler de plantes capables de générer du « magnétisme animal », mais l'arbre à mensonge n'était pas une plante ordinaire.

Il se peut que je cherche en vain des explications rationnelles. Je me suis demandé si l'arbre ne daterait pas de l'aube des temps, si, ses feuilles se passant de lumière, ses fleurs inutiles et ses fruits sans pépins ne seraient pas un souvenir d'une époque plus fortunée, aujourd'hui révolue.

Ces derniers mots mirent Faith mal à l'aise. Ils renvoyaient à l'inexplicable et réveillaient en elle le souvenir de la caverne remplie de soupirs. Elle éprouvait une sourde appréhension à l'idée que le sol ferme de la science pourrait la trahir et se dérober mystérieusement, en la condamnant à tomber dans des eaux secrètes et ténébreuses...

Il était hors de question qu'elle cède à la superstition. Elle serait gouvernée par son esprit, non par ses peurs.

Elle se rendit sur la pointe des pieds dans la chambre de son père, à peu près certaine que personne ne viendrait la déranger dans cette pièce « hantée ». Elle y trouva une valise contenant le matériel que son père emportait dans ses explorations : un petit microscope portatif, des bocaux où enfermer des insectes, une boîte en fer appelée « vasculum » pour recueillir les spécimens botaniques, divers flacons d'acides destinés à l'analyse des roches, un petit clinomètre, un goniomètre et un compas. Une autre boîte abritait un compartiment où aurait dû se trouver son pistolet, de la grenaille de plomb, un sac d'amorces, une clé de démontage et un flacon de poudre. Elle dénicha également une petite règle métallique, une vieille montre cabossée et un canif.

La marée basse avait lieu une heure plus tard que l'avant-veille. Faisant un compromis entre la lumière et la marée, Faith partit un peu plus tard que la fois précédente mais sans attendre l'heure complète, car elle n'osait affronter la traversée dans l'obscurité.

Ce fut par un crépuscule assombri qu'elle sortit furtivement de la maison dans ses vêtements de deuil dévastés, se faufila entre les dépendances et descendit en hâte le sentier menant à la plage.

Le courant était plus fort que lors du dernier trajet, mais il était favorable à Faith, ce qui soulagea grandement ses muscles endoloris, mis à rude épreuve par les rames.

L'étrange grondement des brisants résonnant à l'intérieur de la falaise l'accueillit comme l'aboiement sonore d'un chien de garde qui la reconnaissait. Cette fois, la vague entraînant violemment le bateau dans la grotte la remplit non de peur mais d'excitation.

Après avoir amarré le bateau, elle retourna dans la caverne de l'arbre à mensonge, en prenant soin de ne pas secouer la lanterne et la valise de matériel. Les coutures déchirées autour de ses épaules lui permettaient de remuer plus facilement les bras, ce qui facilita son ascension.

Avant d'entrer dans la caverne, elle s'arrêta pour couvrir la lanterne avec son châle. Trop de clarté serait préjudiciable à la plante, mais puisque son père avait réussi à la dessiner, elle devait supporter au moins un peu de lumière. Celle de la lanterne était maintenant bien atténuée, mais suffisante pour voir le chemin.

En pénétrant dans la caverne, Faith crut entendre comme des soupirs de bienvenue, un murmure complice. Elle distinguait à peine la silhouette de l'arbre, dont la masse sombre lui parut plus imposante que la dernière fois.

– Je suis revenue, chuchota-t-elle.

Elle se tut abruptement. Voilà qu'elle parlait de nouveau à un spécimen botanique !

À mesure qu'elle approchait et que ses yeux s'habituaient à l'obscurité, elle dut se rendre à l'évidence. Ce n'était pas une illusion d'optique : l'arbre avait vraiment grandi.

Tendant la main, elle sentit que les vrilles hérissées, pareilles à celles d'une plante grimpante, débordaient maintenant du pot. Elle suivit du doigt leur progression sur la saillie rocheuse, à la manière des tentacules d'une pieuvre. Certaines retombaient en direction du sol de la caverne. Sous les feuilles, les sarments onduleux semblaient en bois épais, comme si l'arbre grandissait depuis un bon moment.

– C'est impossible, murmura Faith.

Elle n'avait jamais vu une plante grandir aussi vite, surtout sans la lumière du soleil.

– C'est... contraire à toutes les lois.

Sa propre voix lui parut absurde. S'attendait-elle à ce que l'arbre lui présente des excuses et entreprenne de se soumettre à la raison ?

Elle déglutit, sortit le canif de son père.

– Je suis désolée, dit-elle tout bas, mais je suis ici pour vous étudier.

Environnée par le tumulte adouci des vagues rugissantes et des rochers chuchoteurs, Faith se mit à examiner l'arbre. Il n'y avait pas assez de lumière pour prendre des mesures avec la règle et le compas, mais elle réussit à décalquer les nervures d'une feuille à l'aide d'un crayon et d'un papier. Elle prit des échantillons de feuilles fourchues, d'épines et d'écorce, puis préleva une goutte de sève, en rangeant chaque spécimen dans un bocal séparé. C'était une tâche pénible pour les nerfs. Faith avait l'impression de couper les ongles à un dragon. Elle agita même la boussole autour de l'arbre, en scrutant l'écran pour voir si elle détectait des champs magnétiques.

En même temps, elle ne cessait d'effleurer des doigts les feuilles, en cherchant une fleur, un bourgeon, n'importe quoi. Dans les dessins de son père, les fleurs étaient blanches, de sorte qu'elle espérait pouvoir les voir même dans l'obscurité. Elle observa l'arbre sous toutes ses faces, d'abord avec une lenteur méthodique puis avec un désespoir croissant.

Il n'y avait rien. Peut-être n'y aurait-il jamais rien. Peut-être l'arbre à mensonge était-il lui-même un mensonge.

Elle se sentit stupide et accablée. D'un coup, elle comprit combien elle avait été certaine que l'arbre ne la décevrait pas et qu'elle trouverait… quelque chose.

Alors qu'elle palpait encore désespérément le feuillage, un petit objet arrondi tomba d'une des vrilles. Il rebondit par-dessus le bord du pot, atterrit sur sa jupe, roula vers le bas du tissu.

Poussant un cri affolé, Faith l'attrapa juste à temps. Elle exhala un long soupir. S'il avait disparu dans l'obscurité, elle ne l'aurait probablement jamais retrouvé.

L'arbre ne l'avait pas trahie, finalement. Le fruit minuscule ne mesurait guère qu'un centimètre et présentait des sortes de lambeaux parcheminés, blanc crème, qui ressemblaient aux restes desséchés d'une fleur. Il était parfaitement rond et son écorce avait la texture d'un citron. Faith distingua sur sa surface sombre des rayures plus claires.

Elle ne pouvait qu'espérer qu'il était mûr, car il serait difficile de le fixer de nouveau à l'arbre.

Elle hésita. Il était tentant d'emporter le fruit dans sa chambre, afin de le manger avec une relative sécurité. À Bull Cove, cependant, elle risquerait d'être découverte à moitié inconsciente, les yeux jaunis. Ici, du moins, personne ne la dérangerait. Sa décision était prise : elle allait manger le fruit sur-le-champ, dans la grotte.

Il convenait de tout observer, y compris ses propres réactions, avec la méthode nécessaire.

Faith trouva une sorte de siège dans la première caverne, où le canot était amarré. Elle pourrait s'asseoir en s'adossant à un pilier rocheux, formé par la jonction d'une stalagmite et d'une stalactite. Pour avoir plus de lumière, elle ôta son châle de la lanterne. Puis elle appuya son miroir de poche contre une saillie, afin de voir son visage. À l'aide de la montre cabossée, elle prit son pouls. Il était rapide, et elle se rendit compte qu'elle avait peur.

Elle s'assit et s'attacha au pilier rocheux avec une corde humide du canot. Elle ne savait pas faire des nœuds de marin, mais elle espérait que ce serait suffisant pour l'empêcher de s'enfoncer dans la mer sous l'effet d'une transe.

Elle regarda l'heure à la montre, posa son carnet et ses crayons à portée de main sur un rebord rocheux. Puis elle prit son canif et coupa soigneusement le fruit en deux.

Aussitôt, le parfum glacé devint si mordant qu'elle tressaillit. Plissant ses yeux endoloris, elle examina le fruit de plus près. La chair semblait consister en des dizaines de minuscules cellules gorgées de jus, comme dans un citron, mais elle était d'un rouge intense.

Comme du jus coulait sur son poignet, elle le lécha machinalement. Le goût était horriblement amer, quelque part entre le thé de vers et la noix pourrie. Sa langue devint pâteuse tandis qu'elle avait l'impression que des milliers d'aiguilles lui piquaient la bouche.

Faith ne permit pas à sa résolution de faiblir. Elle sépara de l'écorce du fruit la chair rouge, qui se détacha avec des filaments blancs duveteux rappelant des fils de toile d'araignée. Rassemblant son courage, Faith fourra cette pulpe dans sa bouche.

Sa gorge se refusait à accueillir cette substance froide et amère. Elle dut se couvrir la bouche des deux mains pour s'empêcher de recracher le fruit. L'infecte boule poisseuse se colla un instant à sa langue, puis elle réussit enfin à l'avaler en frissonnant, avec une grimace de dégoût.

Voilà, elle avait mangé le fruit. Il était trop tard pour rebrousser chemin. Presque aussitôt, la peur s'empara d'elle.

Elle sentit le fruit glacé glisser dans sa gorge, puis un fourmillement engourdi se propagea dans sa poitrine. Elle respira en hâte, mais avec de plus en plus de peine. C'était comme si quelqu'un tirait subrepticement sur les lacets de son corset, en l'empêchant peu à peu de respirer.

Un bruit résonnait dans ses oreilles, et elle eut du mal à reconnaître les battements de son propre cœur. On aurait cru que quelqu'un était en train de battre un tapis. Sa langue et sa gorge étaient sèches comme du papier. Les couleurs sous ses yeux devenaient plus intenses, plus sombres, se mettaient à bouger. Elle songea soudain que le monde était une tapisserie, que des insectes noirs étaient en train de manger.

Elle était dans un tunnel et s'enfonçait en courant dans l'obscurité. De chaque côté du tunnel, d'énormes roues noires tournaient en bourdonnant, et la terre semblait trembler au rythme d'un cœur battant...

Elle luttait contre cette obscurité et ce bourdonnement, contre ce vertige, cette chute éperdue, et sa lutte n'était que terreur. Elle se battait pour sauvegarder la lumière, sa lucidité, sa maîtrise, en hurlant en elle-même car elle sentait que tout cela lui échappait et se détachait d'elle comme des pétales...

... puis il n'en resta rien. Sa panique elle-même avait disparu. Il n'y avait plus que le grondement silencieux de la peur étreignant son âme, pareil à un tonnerre inaudible, trop étrange et puissant pour qu'elle puisse vraiment s'en rendre compte.

Faith marchait dans une forêt à minuit. Les arbres étaient tout blancs et s'élevaient très haut au-dessus de sa tête, disparaissaient dans une obscurité bleu noir. Bien qu'il n'y eût pas de vent, les feuilles blanches comme neige frissonnaient et chuchotaient.

Levant la main pour écarter un feuillage tombant, elle sentit du papier sous ses doigts. Les arbres étaient plats et pâles. Des fougères hérissées, coupantes comme du papier, blessaient ses mains avec une cruauté sournoise.

Elle n'était pas seule.

À côté d'elle marchait une silhouette familière, réconfortante. Elle entendait craquer les feuilles sous de lourdes bottes. Puis elle reconnut les reniflements de son compagnon.

– Oncle Miles ! s'exclama-t-elle. Oncle Miles, que faites-vous ici ?

– Tout est pour le mieux, répondit-il. Vraiment pour le mieux.

Sa voix était étrange. Il avait le débit faible et monotone d'un somnambule.

– Je connais cet endroit !

Faith avait une forte impression de familiarité, mais qui l'angoissait au lieu de la rassurer.

– Nous ne devrions pas être ici ! Pourquoi nous y avoir emmenés ?

Du coin de l'œil, elle distingua l'étoffe couleur prune du manteau de son oncle. La clarté de la lune était si irrégulière qu'il n'était visible que par intermittence.

– Ils m'ont promis… murmura-t-il.

– Qui donc ? Que vous ont-ils promis ?

Faith se tourna vers son oncle et s'aperçut qu'elle le voyait à peine. Il était parfaitement plat. Vu de côté, il était aussi fin qu'une feuille de papier.

– Mes collègues de l'Académie royale se moquent de moi, gémit-il. Je les entends dans les clubs. Ce vieux Miles, il ne signe jamais un article, ne donne aucune conférence, ne nomme jamais une espèce. Il suit partout son beau-frère comme un chien... Il fallait absolument que je l'emmène ici. Ils m'ont demandé...

– Que voulez-vous dire ?

En proie à une appréhension soudaine, Faith l'attrapa par le bras et le força à la regarder.

Les yeux de son oncle étaient deux éclaboussures d'encre de Chine, sa bouche une tache souriante. Le clair de lune intermittent éclairait ses grosses mains maladroites, les spirales grossières ornant son gilet. Il n'était tout entier qu'un dessin d'enfant, mais cela ne l'empêchait pas de plisser ses yeux d'encre et de se pencher vers elle pour la dévisager.

– Ils voulaient Erasmus, dit sa bouche ondulant comme un trait de pinceau. Ils veulent toujours Erasmus...

– Qui ? Que voulez-vous dire ?

Faith serra plus fort le bras de son oncle. Avec horreur, elle le sentit se froisser sous ses doigts. Le lâchant aussitôt, elle recula, mais il émit un sifflement assourdi et tendit vers elle ses longs bras parcheminés, dont l'un était maintenant tout chiffonné.

– Dites-le-moi !

La peur de Faith se mua en colère, et elle frappa si violemment son bras qu'il se déchira. Comme il tournait vers elle sa grosse tête de papier, elle lui donna un coup qui creva son œil et fendit sa joue.

– Toujours Erasmus, souffla-t-il. Alors, je le leur ai amené.

Et sa silhouette chancelante était tellement horrible et difforme que Faith le frappa encore et encore, en le mettant en pièces à force de le déchirer. Des fragments de l'oncle Miles voltigèrent dans l'air comme des flocons de neige ou des serpentins. Il ne resta bientôt plus de lui qu'une bouche en papier, s'agitant comme un papillon sans cesser de prononcer des mots faibles et plaintifs.

Faith la saisit entre ses doigts, la pinça cruellement et faillit la couper en deux à force de l'étirer.

– Qu'avez-vous fait ? lança-t-elle.

– Ils m'ont promis que je participerais aux fouilles, geignit la bouche. Mon nom devait figurer dans leur article. Enfin, je serais reconnu ! Mais seulement si je pouvais convaincre Erasmus de venir aussi. Il avait déjà refusé leur invitation. Il n'était pas aisé de le persuader, mais le scandale a éclaté. J'ai compris que c'était ma chance. Vane est ma chance, en fait.

– Vous vous êtes servi de nous ! s'écria Faith. Vous nous avez amenés ici pour parvenir à vos fins ! Tout ce que vous vouliez, c'était participer aux fouilles ! Pourquoi tenaient-ils à la présence de Père ? Pourquoi ?

Mais elle tira trop fort sur la bouche grimaçante, qui se déchira.

Lançant un regard éperdu autour d'elle, Faith aperçut au loin une autre silhouette familière. À cette vue, un chagrin brûlant l'envahit, mais sur le moment elle ne se rappela pas pourquoi.

– Père ! cria-t-elle.

Elle courut à travers la forêt de papier pour rejoindre la silhouette qui s'éloignait.

Son père semblait se mouvoir plus vite qu'elle ne pouvait courir. Il paraissait glisser, et elle eut l'impression troublante qu'il ne bougeait pas les jambes.

– Père, attendez-moi ! Quelque chose ne va pas ! Nous ne sommes pas censés être ici !

Elle crut qu'il allait ralentir, se retourner, mais il n'en fit rien. En revanche, les feuillages se mirent soudain à s'agiter. Il y eut une pluie de feuilles de papier, puis une main d'ombre se tendit, immense, vers le paysage boisé.

Faith hurla un avertissement. Même après qu'elle n'eut plus de souffle pour hurler, son appel sembla se propager sans fin. La tête de son père était écrasée entre un pouce et un index géants. L'espace d'un instant, elle le vit tituber tandis que sa tête se déchirait à moitié. Puis la main referma son poing sur lui et l'entraîna vers le ciel, trop haut pour que Faith puisse le voir.

– Non ! hurla-t-elle en courant. Ramenez-le !

À ce moment, elle entendit au-dessus de sa tête un bruit de papier déchiré.

– Je vais vous tuer ! Vous tuer !

Il y eut un silence. En tendant le cou, Faith ne réussit à distinguer qu'une énorme silhouette noire au milieu des arbres, se détachant sur le ciel étoilé. Au-dessus de sa tête, le feuillage bruissait. Des branches craquaient et claquaient. Une pluie de feuilles blanches desséchées tomba sur son visage : la main allait de nouveau s'abattre.

C'est alors, et seulement alors, qu'elle fut saisie d'une terreur aveugle. Baissant les yeux, elle vit pour la première fois nettement son propre corps. Elle était en papier, une poupée en lambeaux couverte de griffonnages à l'encre noire. Il serait si simple de la déchirer. Elle avait commis une terrible erreur.

Elle se laissa tomber sur le sol obscur et se faufila sous les fougères blanches, non sans tressaillir en sentant son corps se froisser et se déchirer légèrement. Elle se figea sur place pendant que la main géante explorait la forêt à tâtons, à la recherche de la source du hurlement menaçant. À sa recherche.

Les secondes se dilatèrent jusqu'à l'extrême limite. Les battements du cœur de Faith parurent ralentir mais leur rumeur s'enfla au point que le sol se mit à vibrer. La masse pâle des arbres trembla, se dissipa, tandis que les ombres gagnaient du terrain. Puis, quelque part dans les hauteurs, la lune s'éteignit en tremblotant, et tout sombra dans les ténèbres.

21
Combustion spontanée

Un grondement. Un mugissement. Faith ignorait où elle était, elle savait juste que c'était un endroit froid et inhospitalier. Ses bras et sa nuque lui faisaient mal.

Entrouvrant les yeux, elle battit des paupières en découvrant une masse rocheuse indistincte dans l'ombre. Au bout d'un moment, elle comprit que les taches claires étaient des stalagmites et les taches sombres les entrées d'autres cavernes. Elle était toujours affaissée contre le pilier, et la corde s'enfonçait dans sa taille.

Faith frissonnait. Tout son corps était endolori. Elle avait la bouche sèche, un goût de bile et de citron vert sur la langue. Même ses yeux semblaient secs et elle sentait avec malaise le contact de ses propres paupières. Malgré tout, elle avait survécu.

Son rêve n'était encore qu'une ombre dans son esprit. Sa pensée confuse tenta d'arracher la réalité à l'écheveau embrouillé des chimères.

Elle se souvint qu'elle avait mis en pièces l'oncle Miles... puis se rendit compte, avec un soulagement indicible, que ce n'était pas arrivé réellement. Elle n'était pas en papier, ni traquée par une main géante. Elle n'avait pas vu mourir son père. Soudain, elle se rappela qu'il était vraiment mort – un chagrin affreux l'envahit.

Pressant ses poings contre ses tempes, elle tenta de tirer des pensées de son cerveau hébété. Une main énorme se tendant vers une forêt à la blancheur d'ossuaire... cette image avait quelque chose de familier. Si elle lui avait paru inquiétante, c'était qu'elle aurait dû être drôle, inoffensive, réconfortante...

– Le théâtre de Howard, chuchota-t-elle. J'étais dans la forêt de son théâtre de marionnettes.

Bien que la lanterne fût maintenant éteinte, Faith distinguait encore ce qui l'entourait. Une pâle lumière s'insinuait par l'entrée de la grotte marine. Cherchant à tâtons sa montre, elle découvrit avec horreur qu'il était cinq heures du matin.

Elle devait s'en aller ! Si elle ne rentrait pas à temps, on s'apercevrait de sa disparition. On lui poserait des milliers de questions auxquelles elle ne saurait que répondre. D'un coup, l'arbre lui revint à l'esprit. Elle ne pouvait partir sans lui avoir donné un nouveau mensonge en pâture.

Malgré les tremblements de ses mains engourdies, elle réussit à défaire les nœuds et se libérer de la corde. Quand elle se leva, la caverne se mit un instant à tournoyer. En s'appuyant de la main à la paroi, Faith s'avança en chancelant jusqu'à l'entrée de la caverne principale et scruta l'obscurité, où elle distingua à peine la silhouette de l'arbre, noire comme de l'encre.

Que pouvait-elle raconter ? Sa vision ne lui avait pas révélé l'identité de l'assassin de son père. Qu'avait-elle appris, en fait ?

Jusqu'alors, elle avait supposé que le meurtrier devait être quelqu'un que son père avait mécontenté après son arrivée à Vane – un ramasseur de coquillages frustré, un ami ou un parent du garçon estropié par le piège, ou encore une personne indignée par le traitement réservé à Jeanne. Toutefois, si sa vision était vraie, quelqu'un avait projeté de tuer son père bien avant que les Sunderly débarquent dans l'île. Quel que fût le coupable, il avait persuadé l'oncle Miles d'emmener son beau-frère à Vane, où un traquenard l'attendait. Il avait joué sur les ambitions de l'oncle Miles, qui avait sauté sur l'occasion.

Si c'était exact, une chose était certaine. L'assassin devait être impliqué dans les fouilles. Autrement, comment aurait-il pu soudoyer l'oncle Miles en lui faisant miroiter une invitation ? Peut-être l'accident de la cage défaillante n'en était-il pas un. Après tout, qui pouvait prévoir que Faith et Howard monteraient dedans à la place de leur honorable père ?

Trois naturalistes passionnés participaient aux fouilles : Lambent, Clay et le docteur Jacklers.

Faith procéda à l'examen de chacun de ces trois suspects. Lambent lui parut trop tapageur et impétueux pour commettre un crime de sang-froid. Puis elle se rappela l'ordre impeccable régnant dans son cabinet de curiosités, les étiquettes méticuleuses, la marque évidente d'un esprit discipliné. Il ne fallait pas se fier à son apparence, et ses gesticulations n'étaient peut-être que la gaine d'un poignard mortel.

Le docteur Jacklers semblait d'une sincérité confinant à l'indélicatesse, mais il était rongé par l'amertume. Faith le soupçonnait d'être du genre à collectionner les rancœurs et à les soigner avec amour. S'il était l'assassin, il ne pouvait choisir un rôle plus avantageux que celui du coroner et expert médical chargé d'enquêter sur un décès suspect.

Clay s'était toujours montré doux, bienveillant et désemparé. Non, pas toujours. Elle se rappela l'ardeur soudaine avec laquelle il avait parlé de la Bible, des calamités, de la jeunesse de la terre. Comment aurait-il réagi, s'il avait appris les tromperies éhontées du pasteur ? Comme un gaz, la ferveur était d'autant plus dangereuse qu'on ne la voyait pas. À tout instant, une étincelle malencontreuse pouvait l'enflammer.

Aucun d'eux n'avait un motif évident pour assassiner le père de Faith. Cependant, les fraudes du pasteur et ses rapports avec l'arbre pouvaient lui avoir attiré bien des inimitiés. Il était possible qu'un de ses mensonges ait sérieusement nui à quelqu'un. Les naturalistes s'étant portés garants de ses fossiles avaient maintenant l'air d'idiots et leur réputation était en lambeaux. Peut-être avait-il découvert lors de ses visions un secret dangereux pour un autre, qui avait alors cherché à le réduire au silence.

Il fallait qu'elle en sache davantage sur ces trois hommes. L'arbre à mensonge lui révélerait peut-être quelque chose, si elle trouvait le mensonge approprié. Un mensonge concernant les organisateurs des fouilles. Un mensonge auquel les habitants de l'île auraient envie de croire. Elle songea à ces vieilles histoires sur l'or du contrebandier.

Se penchant vers l'ombre attentive, elle chuchota :

– En réalité, les fouilles n'ont pas pour objet de déterrer de vieux os poussiéreux. Les responsables mentent à tout le monde. Ils cherchent un trésor de contrebandiers et veulent le garder pour eux seuls.

Un grondement enroué résonna dans la caverne quand l'eau déferla, comme si l'arbre avait absorbé d'un coup les paroles de Faith.

Pendant la perte de conscience de Faith, la marée avait monté. Le canot était à flot et tirait sur sa corde avec impatience. Alors qu'elle ramait péniblement pour sortir de la grotte, la lumière du petit jour la fit tressaillir et elle plissa ses yeux endoloris.

Lorsqu'elle les rouvrit, elle se rendit compte qu'elle était en feu.

Une petite tache sur sa manche se mit à grésiller au soleil puis se recroquevilla, tandis que le tissu dessous s'enflammait. Une flamme minuscule creusa comme un trou de mite dans l'étoffe, et les fils à leur tour commencèrent à rougeoyer.

Faith observa la scène sans réagir, jusqu'au moment où la douleur de son bras convainquit son cerveau engourdi que la flamme était réelle. Lâchant les rames, elle prit de l'eau dans sa main et la déversa sur le début d'incendie. Au même moment, elle se rendit compte que d'autres foyers étaient en train de s'embraser sur ses vêtements – un sur son corsage et trois sur sa jupe.

L'espace d'un instant, elle ne réussit à penser qu'à un cas de combustion spontanée. Elle avait entendu parler d'un tel phénomène. Des hommes et des femmes vaquant tranquillement à leurs affaires s'enflammaient soudain de l'intérieur et étaient réduits en cendres en quelques secondes, alors que leurs vêtements restaient parfois intacts.

Affolée, elle jeta de l'eau sur son visage, sa jupe, ses manches et son corsage. Même après que les foyers miniatures ne furent plus que des trous carbonisés, elle continua de s'asperger. Son cœur ne se calma qu'une fois qu'elle fut certaine de ne plus prendre feu. Elle ne comprenait pas ce qui s'était passé, mais au moins c'était terminé.

Le trajet du retour fut éprouvant, et elle se pencha plusieurs fois vers la mer pour vomir. Quand elle traversa subrepticement le jardin, l'aube se levait pour de bon. L'herbe verte illuminée par le soleil lui brûla les yeux tandis qu'elle s'avançait vers la maison d'un pas titubant, en s'efforçant de rester à couvert. Roussie par les flammes, à moitié aveugle, hébétée et trempée, elle monta laborieusement les marches jusqu'à la terrasse avant d'entrer enfin dans l'obscurité bienfaisante de sa chambre.

Se laissant tomber dans un fauteuil, elle but de l'eau à même la carafe, en frissonnant à chaque gorgée. Puis elle entrouvrit les volets et les rideaux, en laissant passer juste assez de lumière pour pouvoir défaire ses boutons et ses lacets. Alors qu'elle venait d'enfiler sa robe de nuit après avoir ôté sa tenue de deuil dévoyée, un coup poli à la porte la fit sursauter.

– Un instant, je vous prie !

La chambre était jonchée de preuves de sa sortie nocturne. En ramassant les vêtements qu'elle venait d'ôter, elle heurta du pied la valise contenant le matériel de son père, qui gisait grande ouverte sur le sol. L'un des petits bocaux à échantillons tomba et roula jusqu'au mince rayon de soleil.

Il contenait quelques feuilles de l'arbre à mensonge. Quand

la lumière du matin les effleura, elles noircirent, se recroquevillèrent puis s'enflammèrent soudain. Le verre du bocal se fendit bruyamment.

– Miss Sunderly ?

La voix grave et veloutée de Mrs Vellet se teignait d'une certaine inquiétude.

– Quelque chose ne va pas ?

– Non ! cria Faith en tentant vainement de saisir le bocal brûlant, qui se cassa aussitôt en deux.

Elle poussa du pied les débris sous la coiffeuse et ouvrit en hâte la fenêtre, dans l'espoir de dissiper la fumée âcre répandant une forte odeur de citron.

– Je... j'arrive tout de suite !

Après avoir caché toutes les preuves, Faith ouvrit la porte, horrifiée à l'idée du vacarme qu'elle venait de faire.

– Je suis vraiment désolée de vous déranger, dit Mrs Vellet avec sa raideur habituelle mais d'un air légèrement embarrassé.

Faith se demanda pourquoi la gouvernante s'était levée si tôt, et pourquoi elle était montée en personne frapper à sa porte. Le silence s'éternisa.

– Je voulais vous demander si vous désiriez prendre votre petit déjeuner à l'heure ordinaire, ou si vous pensiez vous lever un peu plus tard. Au cas où vous n'auriez pas... bien dormi, Miss.

Faith la regarda en essayant de déchiffrer son expression. La gouvernante savait quelque chose. Elle avait entendu ou même vu quelque chose. Tant que Faith ne saurait pas ce que Mrs Vellet savait exactement, elle ne pourrait forger un mensonge pour se justifier. Elle avait conscience de ses cheveux en bataille, de ses yeux cernés.

– Merci, dit-elle avec circonspection. Je préférerais prendre mon petit déjeuner plus tard, s'il vous plaît.

Elle ne pouvait résister à la tentation d'un peu de sommeil supplémentaire.

– Entendu, Miss.

Les secondes passaient, et la gouvernante ne bougeait pas.

– Miss Sunderly… reprit-elle en baissant la voix.

Son ton sérieux et monocorde étonna Faith.

– Pardonnez-moi de vous parler ainsi, mais… votre père ne voudrait pas que vous vous imposiez une chose pareille.

Faith sentit sa gorge se serrer.

– Si vraiment vous devez aller là-bas la nuit, continua Mrs Vellet, il y a dans le vestibule un manteau qui pourra vous réchauffer un peu. Mais le chemin de l'église est bien long, par ce froid, et la veillée funèbre n'est pas censée durer après que les morts ont quitté la maison. Votre père vous aimait. Si vous mouriez de la grippe, ce serait une étrange façon de le remercier de vous avoir élevée avec tant de soin.

Faith mit un moment à comprendre le sens de son discours. La gouvernante ne savait pas où Faith s'était rendue, mais elle en avait entendu ou vu assez pour savoir qu'elle s'était absentée. Elle avait conclu, un peu hâtivement, que Faith allait seule à l'église pour continuer de veiller le cercueil de son père, comme un chien sur la tombe de son maître.

En proie à un soulagement sans borne, Faith baissa les yeux pour que Mrs Vellet ne puisse lire dans son regard, et hocha brièvement la tête. La gouvernante s'inclina d'un air cérémonieux puis se retira. Une fois la porte close, Faith ferma les paupières.

Elle avait bien failli être découverte. Même maintenant, Mrs Vellet pourrait la dénoncer pour ses escapades nocturnes, mais cela paraissait peu probable à Faith. Si telle avait été son intention, Mrs Vellet serait allée droit chez Myrtle, plutôt que de s'entretenir à voix basse avec Faith.

Peut-être avait-elle agi par gentillesse. Cette pensée troubla Faith. Elle avait eu besoin de gentillesse, dans le passé, mais personne ne lui en avait témoigné. À présent, c'était trop tard, et elle ne savait qu'en faire.

À son réveil, Faith s'aperçut avec atterrement qu'elle avait dormi tout l'après-midi. Toutefois, quand elle sortit de sa chambre, passablement hébétée, son inquiétude céda la place à un constat plutôt vexant: personne n'avait remarqué son absence.

Myrtle était occupée à essayer un voile et un châle neufs. Tous deux étaient des «témoignages de sympathie», le premier de la part du docteur Jacklers, le second de Clay. Manifestement, leur rivalité progressait à vue d'œil. Faith tressaillit intérieurement en voyant le châle en paramatta d'excellente qualité. Il lui sembla que ce n'était pas une dépense négligeable, pour un vicaire mal payé. Elle se demanda ce que Paul en avait pensé, et frémit au souvenir de leur étrange affrontement et du défi impossible qu'il lui avait lancé.

Il s'avéra que Clay avait également envoyé la première épreuve de la photo de famille. En tenant le petit carton carré, Faith sentit sa main trembler. Le révérend Erasmus Sunderly était assis dans son fauteuil, l'air digne et serein, avec sa fille juste derrière lui. Il paraissait étrangement impeccable, avec ses yeux peints au regard froid et interrogateur.

– Puis-je garder cette épreuve? demanda Faith en serrant machinalement le carton contre sa poitrine. S'il vous plaît!

Myrtle soupira.

– Oh, d'accord.

Si elle voulait propager son nouveau mensonge et poursuivre son enquête, Faith devait trouver un moyen pour s'introduire sur le site des fouilles. Pour l'instant elle était bloquée à Bull Cove, et les responsables des fouilles étaient désespérément inaccessibles.

Mais l'oncle Miles, lui, n'était pas inaccessible.

Après le dîner, Faith suivit sa trace jusque dans la bibliothèque, où il lisait un numéro du *Prehistoric Times*. Elle eut un choc en le découvrant assis dans le fauteuil qui avait été celui de son père, voilà si peu de temps.

Il était installé près du feu avec sa pipe, cet oncle Miles au visage rond et aimable, qui avait toujours été présent à l'arrière-plan, chaleureux et inoffensif, comme un chat pelotonné sur le rebord d'une fenêtre.

C'était aussi lui qui avait amené toute la famille à Vane pour des motifs égoïstes, en faisant le jeu de l'assassin. Faith ne pouvait oublier sa vision, la façon dont le visage de son oncle, semblable à un barbouillage grotesque, s'était déchiré sous ses doigts.

– Bonsoir, dit-elle en réussissant à prendre un ton naturel.

– Bonsoir, Faith.

L'oncle Miles replia son journal et la regarda en souriant d'un air sérieux.

– Qu'il est donc agréable de voir un visage tranquille et raisonnable !

– Les autres se sont donc montrés agités et stupides ? répliqua-t-elle en se juchant au bord d'un siège.

– Plus ou moins.

Il poussa un soupir amusé et exaspéré.

– Tout le monde semble obsédé par les fantômes ! Il est vrai qu'ils sont bien commodes. Chaque fois qu'on casse ou renverse quelque chose, c'est la faute des fantômes. Si un objet disparaît, ce sont eux les responsables.

La jeune manipulatrice du fantôme local joignit posément les mains.

– Beaucoup d'objets ont donc disparu ? demanda-t-elle.

Elle était curieuse de savoir combien de ses « emprunts » avaient été remarqués.

– Je le crains, répondit l'oncle Miles, qui entreprit d'énumérer un nombre impressionnant d'objets perdus.

Certains avaient effectivement été empruntés par Faith, comme le matériel d'exploration ou la montre de rechange de son père. Toutefois on déplorait aussi la disparition de plusieurs plantes, deux cravates de soie, un pot de tabac et autres babioles.

Manifestement, Faith n'était pas la seule à profiter de la confusion générale pour se procurer ce qu'elle voulait.

– La vérité, c'est qu'il faudrait faire un inventaire en règle des affaires de ton père.

Faith garda le silence mais se hérissa intérieurement. Un « inventaire en règle » impliquerait probablement qu'on fouille toute la maison.

L'oncle Miles tambourinait nerveusement des doigts sur son journal.

– Faith, tu es... eh bien, tu es une grande fille, maintenant. Puis-je te parler comme à une vraie jeune dame ?

Elle hocha la tête. Étrangement, cette formule lui donnait l'impression qu'il la traitait moins que jamais en adulte.

– Vois-tu, il semble que j'aie besoin de ton aide. Ta mère est souffrante... elle n'est pas dans son état normal...

– Serait-elle à bout ? suggéra Faith, le visage impassible.

– Exactement. Du coup, plusieurs questions importantes restent en suspens. Faith, je suis sûr que tu veux aider ta mère. Aurais-tu une idée de l'endroit où elle a rangé les papiers personnels de ton père ?

– Non, répondit-elle d'une voix hésitante et d'un air innocent. Cela dit, je pourrais les chercher.

Elle regarda son oncle avec fascination. Qu'il était donc calculateur ! Pourquoi n'avait-elle jamais remarqué cet aspect de son caractère ? Mais elle aussi était calculatrice, et ses calculs lui disaient que c'était le moment ou jamais de lui poser des questions, car il avait besoin d'elle pour alliée.

– Croyez-vous que Père ait emporté ses papiers, quand il est allé donner cette causerie devant les érudits de l'île ? Peut-être devrions-nous interroger quelqu'un au champ de fouilles ? Il se pourrait qu'ils soient au courant.

– Non, je... euh... en fait, je leur ai déjà parlé, dit l'oncle Miles en toussant non sans embarras. Je suis retourné deux ou trois fois aux fouilles. Je voulais… garder le contact avec mes collègues scientifiques, apaiser quelques esprits… Ils ne sont pas si terribles que cela, tu sais.

– Ils ont fait faire toute cette traversée à Père pour se retourner finalement contre lui !

Même si elle avait pesé soigneusement ses mots, elle ne put empêcher sa voix de trahir ses sentiments réels.

Son émotion visible parut alarmer l'oncle Miles, et elle se hâta de baisser les yeux.

– Je sais, reprit-elle d'un ton plus calme. Je comprends leur comportement. Je suis au courant des rumeurs, de l'article de l'*Intelligencer*.

– Je suis désolé que tu en aies eu vent, déclara l'oncle Miles avec un soupir. Essaie de te mettre à leur place ! S'ils avaient continué d'être en relation avec ton père après un tel scandale, toutes les trouvailles auraient été remises en question ! Personne n'aurait pris au sérieux leurs découvertes !

– Oui, je vois. Ce serait affreux. (Elle réussit non sans peine à ne pas être sarcastique.) De toute façon, ce n'est pas votre faute, oncle Miles. Vous vouliez seulement nous aider.

Du coin de l'œil, elle vit que son oncle se détendait légèrement.

– Qui a eu l'idée d'inviter Père, au fait ? J'imagine que c'était Mr Lambent.

– Personne ne semble s'en souvenir, dit-il d'un ton bienveillant mais un peu circonspect. Apparemment, quelqu'un a fait cette suggestion lors d'un dîner, et tout le monde a été enthousiaste. Mais plus personne ne veut admettre que l'idée venait de lui, bien entendu.

Qui assistait à ce dîner ? Faith ne pouvait poser cette question. Elle aurait paru bizarre, et il était peu probable que l'oncle Miles ait la réponse.

– J'imagine que vous avez raison, oncle Miles, dit-elle d'un air docile. Nous devons garder le contact. Puis-je vous y aider ?

Peut-être pourriez-vous m'emmener, la prochaine fois que vous irez sur le champ de fouilles ?

– Sur le champ de fouilles ? (Son oncle semblait pris de court.) Eh bien, je n'y vois aucune objection mais… nous devrions demander la permission aux responsables des fouilles. Le nom de Sunderly pourrait poser problème, vois-tu… et je ne suis pas certain que ta mère approuverait…

Faith avait du mal à regarder l'oncle Miles, maintenant qu'elle le connaissait mieux. Elle croyait presque voir des pensées s'agiter derrière son visage placide, comme des vers dans un petit pain. Il pesait le pour et le contre, en se demandant si elle compromettrait par sa présence son propre droit chèrement acquis de participer aux fouilles.

L'assassin avait tiré parti de l'ambition de l'oncle Miles, mais Faith pourrait peut-être en faire autant. Mieux encore, elle comprenait peu à peu que les responsables des fouilles n'étaient nullement soudés. Derrière leur jovialité de façade, les rivalités, la méfiance et le ressentiment étaient comme des fissures n'attendant que la lame du ciseau de Faith.

– Oncle Miles, dit-elle. Si vous voyez le docteur Jacklers, pourriez-vous lui donner une lettre de ma part ? Je voulais… le remercier d'avoir tenté d'aider Père.

– Une lettre ? Bien sûr, je n'y vois aucun inconvénient.

Faith réussit à ne pas broncher quand son oncle tapota sa main. Au souvenir du visage grimaçant en papier, elle sentit ses doigts la démanger.

22
La lame dans la fissure

Cher docteur Jacklers,

Je suis vraiment confuse de m'être montrée si sotte et de vous avoir ennuyé avec mes lubies. Merci de m'avoir tranquillisée. Si vous revenez chez nous, je serais heureuse de vous présenter mes excuses de vive voix.

Faith relut sa lettre en plissant les yeux, puis ajouta un post-scriptum.

P.-S. Peut-être aimeriez-vous mesurer ma tête à cette occasion. Je serais enchantée de vous aider à servir la cause de la science.

La lettre fut remise au médecin le lendemain, et il vint en visite un peu plus tard le même jour. Après avoir passé une heure à parler avec Myrtle, il se joignit joyeusement à Faith pour prendre le thé au salon.

– Miss Sunderly, quelle idée magnifique ! (Il ne cessait de regarder la tête de Faith d'un air ravi, en jaugeant sans doute son crâne.) C'est toujours une joie pour moi de mesurer une tête dans les règles ! Si rares sont les gens prêts à affronter mes instruments ! Et votre cas est exceptionnel, Miss Sunderly. On dit que le génie se transmet de génération en génération, et votre père était doté d'une intelligence remarquable.

Faith nota qu'il avait emporté plusieurs boîtes et coffrets solidement attachés par des sangles. Elle s'était attendue à un mètre à mesurer, et la mention des « instruments » l'inquiéta un peu.

– Voyons, ne vous alarmez pas ! lança le médecin d'un ton enjoué en sortant d'une valise plusieurs engins bizarres. Ce ne sont que des appareils de mesure, qui ne vous feront aucun mal. Sapristi, j'ai si rarement l'occasion de les utiliser !

Le premier appareil était un compas étincelant, aux branches assez longues pour tenir un melon. Le second était un cadre en bois aux quatre côtés pourvus de vis, afin manifestement de l'ajuster autour de la tête.

Lorsque le médecin les sortit, Faith aperçut un petit tableau dans leur coffret. Il représentait le buste d'une femme brune aux traits fins, vêtue d'une robe jaune. Curieusement, quelqu'un semblait avoir griffonné à l'encre sur la peinture les données comparées du crâne, l'angle du visage et ainsi de suite.

– On dirait Miss Hunter, observa machinalement Faith.

– Pas du tout, répliqua aussitôt le médecin non sans aigreur. C'est un vieux portrait d'une dame inconnue. Encore que... comme Miss Hunter, elle a un petit crâne. C'est généralement l'indice de nombreux défauts. L'ingratitude, la superficialité, l'incapacité à comprendre son propre intérêt.

Il se montrait bien agressif envers la pauvre inconnue du portrait. Pour la première fois, Faith soupçonna Miss Hunter d'avoir refusé, tant elle était ingrate, superficielle et mal inspirée, de devenir Mrs Jacklers.

– Où voulez-vous que je m'asseye ? demanda-t-elle, désireuse de changer de sujet.

– Mmm ? Oh, peu importe, du moment que le dossier ne soit pas trop haut.

Faith prit place sur une chaise en bois. Un instant plus tard, elle sentit le compas agripper sa tête, une branche contre sa nuque, l'autre en bas de son front, juste au-dessus du nez.

– Vous êtes dolichocéphale, comme votre père, marmonna le médecin en reprenant un peu de sa bonne humeur.

Ces mots n'échappèrent pas à Faith, qui n'en fut guère surprise. L'idée lui était déjà venue que le médecin profiterait probablement de ses fonctions de coroner pour mesurer le crâne de son père. Elle serra les dents et resta impassible.

Retirant le compas, il abaissa le cadre en bois sur la tête de Faith, de façon que la barre transversale repose sur le sommet de son crâne. Il était doté de quatre bras verticaux, et le médecin tripota les vis afin qu'ils se pressent contre l'avant, l'arrière et les côtés de sa tête.

– Ma mère a été enchantée du voile, dit-elle doucement. Et ce châle ravissant !

– Un châle ? s'étonna le médecin. Il n'y avait pas de châle.

– Oh ! s'exclama Faith en battant des paupières. Excusez-moi ! Je me souviens, maintenant... le châle était de la part de Mr Clay.

– Mr Clay a offert un châle à votre mère ? demanda le médecin d'un ton aussi indigné que soupçonneux.

Faith savait qu'elle était en train de procurer à Clay un ennemi, mais elle ne pouvait se permettre de faire du sentiment. Du reste, tout ecclésiastique courtisant une veuve de la veille méritait un châtiment.

– Oui, balbutia-t-elle. Elle l'a reçu hier.

Il y eut un long silence.

– Cette mesure me paraît excessive, marmonna enfin le médecin. Seriez-vous en train de tendre vos muscles faciaux ? Essayez de ne pas élargir votre front, je vous prie.

Il serra tellement les vis qu'elle se demanda s'il voulait mesurer sa tête ou la réduire à la dimension requise.

– Vous serrez trop fort, docteur Jacklers ! s'exclama-t-elle quand elle commença à avoir mal.

S'était-elle montrée imprudente en mettant son crâne à sa merci ? Après tout, il faisait partie de ses suspects.

– Je tente d'obtenir une dimension crédible, grogna-t-il d'un ton peu aimable. Évidemment, le meilleur moyen de s'assurer de votre capacité crânienne serait de remplir votre crâne de graines, comme je le fais quand ils sont vides, mais je doute que vous soyez d'accord !

Alors qu'elle se demandait si elle n'allait pas finir avec une tête rectangulaire, il desserra les vis et enleva le cadre. Elle toucha avec précaution son front et ses tempes, tandis que le docteur Jacklers notait des chiffres dans un carnet. Du coin de l'œil, elle vit des colonnes annonçant « angle facial », « indice crânien », « largeur », « circonférence » et « longueur ».

– Quels sont mes résultats ? s'enquit-elle.

– Votre tête est plus longue que je ne m'y attendais, admit le médecin. Sans doute un héritage de votre défunt père.

Il fronça de nouveau les sourcils en regardant ses chiffres, et Faith le vit arrondir deux résultats.

– Docteur Jacklers, lança-t-elle timidement, puis-je vous demander conseil ?

Saisissant son carnet de croquis, elle le montra au médecin en tournant les pages.

– Je voudrais vous remercier… me rendre utile pour vous et vos collègues… et je sais que le dessinateur de Mr Lambent s'est cassé le poignet. Croyez-vous que je pourrais le remplacer ?

Le médecin observa le défilé des croquis d'oiseaux ou de bois de cerf, puis fit signe à Faith de s'arrêter à une page qui présentait la coupe d'une colline divisée en couches portant des légendes telles que « poterie médiévale cassée », « fragment d'un mur romain », « sol argileux », « os d'hippopotame nain et d'aurochs ».

– S'agit-il d'une coupe d'un champ de fouilles ? demanda-t-il.

– Oui, Père m'a appris à les dessiner.

C'était un mensonge. Faith avait déjà vu ce genre de schémas et les comprenait un peu, mais elle avait recopié avec soin cette illustration d'un des livres de son père le matin même.

– Cela pourrait-il vous être utile ?

Elle sentit que le médecin était tenté. Puis il la regarda, et elle se vit elle-même reflétée dans son regard – une jeune fille dont la place n'était pas au milieu de décombres et d'ossements. Il commença à secouer la tête.

– Mais je ne voudrais pas semer le trouble, lança-t-elle précipitamment.

Elle ferma le carnet.

– Je sais que Mr Clay prend des clichés pour vous, et il a sans doute besoin de cet argent. Je serais au désespoir de le mettre dans l'embarras en le privant de ses commissions.

Une lueur méchante brilla soudain dans l'œil du docteur Jacklers. Faith imaginait sans peine ses pensées. Si Faith faisait des croquis, on aurait moins besoin des clichés de Clay sur le champ de fouilles. Il perdrait son importance et aurait moins d'argent pour faire des cadeaux à de jolies veuves.

– Miss Sunderly, ne vous inquiétez pas. C'est une excellente idée ! Êtes-vous sûre que votre mère puisse se passer de vous ?

– Je pense que oui, répondit-elle d'un ton légèrement incertain. À vrai dire, j'ai l'impression d'être dans les jambes de tout le monde, ces temps derniers. Mais pensez-vous que ma présence puisse ennuyer Mr Lambent et Mr Clay ?

Elle se devait d'hésiter, de douter, puis de se laisser convaincre.

– Laissez-moi faire, déclara le médecin avec détermination.

En attendant le verdict des responsables des fouilles, Faith se consacra à la recherche scientifique dans sa chambre.

Se rappelant la façon dont ses vêtements avaient pris feu, et l'étrange incident du bocal d'échantillons, elle décida de procéder à quelques expériences prudentes, avec cette fois une carafe d'eau à portée de main.

Elle commença avec un minuscule fragment de feuille d'arbre à mensonge sur la pointe de son canif, qu'elle plaça dans un mince rayon de soleil. Il s'enflamma aussitôt et se consuma en un instant avec un sifflement, en ne laissant qu'une pincée de cendres qui flotta jusqu'au sol. Le même phénomène se produisit quand elle répéta l'expérience avec des épines, des gouttes de sève ou des morceaux d'écorce.

C'était donc vrai. Les fragments de l'arbre s'enflammaient au contact de la lumière solaire. Quand elle était rentrée au matin, il y avait sans doute de minuscules fragments de feuillage sur sa robe, qui avaient pris feu dès qu'elle était sortie de la grotte.

Après s'être brûlée une fois ou deux et avoir légèrement carbonisé le rebord de la fenêtre, elle en savait un peu plus. À la clarté des bougies et des lanternes, les feuilles se contentaient de se flétrir en grésillant. La lumière du jour, même simplement reflétée dans un miroir, provoquait une combustion instantanée. En revanche, une lumière indirecte semblait n'avoir aucune conséquence, à condition d'être suffisamment faible et diffuse. La lueur d'une lanterne atténuée par plusieurs couches de gaze paraissait, elle aussi, inoffensive.

– Père avait sans doute raison, murmura Faith. L'arbre doit être cavernicole et se plaire dans les endroits où le jour ne pénètre jamais. Mais pourquoi brûle-t-il ? J'imagine que c'est dû à des substances chimiques... des huiles volatiles. Peut-être cela explique-t-il qu'il sente si fort. Mais pourquoi se laisser ainsi brûler ?

Elle ne voyait pas comment s'enflammer pourrait être un avantage. Quelle était donc l'évolution d'un tel arbre ?

– Peut-être s'agit-il d'une défense, réfléchit-elle à voix haute.

Elle imagina des animaux amateurs de plantes s'aventurant dans une caverne et dévorant les feuilles poisseuses de l'arbre. Lorsqu'ils sortiraient, le museau barbouillé de sève, ils seraient soudain en proie à des brûlures cuisantes. Ils apprendraient ainsi à éviter cette plante à l'odeur glacée.

– Mais cela ne résout rien, marmonna-t-elle en notant par écrit ses idées. Les huiles volatiles sont de l'énergie emmagasinée. Où l'arbre trouve-t-il son énergie ?

Son père avait émis l'hypothèse que l'arbre se nourrirait grâce à un « contact psychique » avec un « membre intelligent d'une autre espèce ». Sa plume resta en suspens sur le papier. Si l'arbre à mensonge était en contact avec quelqu'un en ce moment, ce ne pouvait être qu'elle-même. Or il grandissait à vue d'œil. Toutefois elle n'avait nullement l'impression de subir une déperdition. En regardant ses notes, elle se sentait débordante d'énergie, de vie.

Si elle pouvait comprendre cet arbre, peut-être pourrait-elle apprendre quelque chose sur la lumière solaire, le règne végétal, la vérité ou même l'âme humaine. Sa crainte respectueuse face à l'arbre cédait maintenant la place à une curiosité dévorante.

Peu avant le dîner, Myrtle reçut une lettre du docteur Jacklers lui demandant si elle pourrait se passer quelques jours de la jeune Faith, afin que celle-ci fasse des croquis pour lui.

Myrtle n'était guère plus satisfaite que si Faith avait proposé de sauter au fond de la cavité des fouilles. Envoyer une jeune fille sur un site rempli d'hommes de peine n'était guère convenable. L'arracher à sa famille si tôt après un deuil était contraire à la bienséance. Vouloir qu'elle apporte son concours à des fouilles dont son père avait été exclu avec une telle grossièreté semblait plus que singulier.

Cependant, c'était le docteur Jacklers qui le demandait, de sorte que Myrtle passa tout le dîner à se persuader elle-même.

– Comme l'oncle Miles sera avec toi, cela ne sera pas totalement inconvenant, concéda-t-elle. Et cette invitation est peut-être une façon de s'excuser pour le traitement infligé à notre famille. Faith, les Lambent nous ont gravement offensés, mais je te prie d'être aussi polie avec eux que tu en auras la force. S'il était possible de les convaincre de se montrer raisonnables, tout le monde pourrait oublier cette enquête ridicule.

Jeanne servit le repas comme une somnambule. Elle avait les yeux cernés et semblait sans cesse oublier ce qu'elle faisait avec sa louche. Elle souleva chaque serviette d'un air méfiant, comme si elle s'attendait à trouver un monstre tapi dessous. Quand la sonnette d'un domestique retentit dans la cuisine, elle sursauta violemment.

« En réalité, les fouilles n'ont pas pour objet de déterrer de vieux os poussiéreux. Les responsables mentent à tout le monde. Ils cherchent un trésor de contrebandiers et veulent le garder pour eux seuls. »

Tel était le mensonge que Faith devait semer dans l'esprit des habitants de l'île. De retour dans sa chambre, elle prépara la première graine.

Elle avait emprunté une feuille du papier à lettres de son père et l'une de ses plumes. Avec soin, elle se mit à écrire en consultant par moments le carnet du pasteur, afin de copier son écriture aussi fidèlement que possible.

17 mai 1865
Gains de 2ème cavne à diviser comme suit :
Mr A. Lambent *763*
(plus 100 suppl. car propriétaire du terrain)
Rév. T. Clay *763*
Rév. E. Sunderly *763*
Toutes trouvailles à venir doivent être divisées en parts égales

Elle examina son œuvre avec une vraie fierté. Le document semblait griffonné en hâte, comme elle l'avait voulu. Mieux encore, il était obscur. Rien n'indiquait ce que signifiaient les chiffres. Il pouvait s'agir de livres, de guinées, de doublons ou de dents de mammouth. Tout ce qu'on pouvait déduire de ce texte, c'était qu'on avait trouvé quelque chose en grande quantité et qu'on l'avait partagé entre trois hommes... sans inclure le docteur Jacklers.

Faith était en train d'apprendre qu'il suffisait de fournir une partie d'un mensonge. On pouvait compter sur l'imagination des gens pour le compléter.

Elle se demanda dans quel endroit laisser ce papier. Il fallait qu'on le trouve, mais sans qu'il donne l'impression d'avoir été placé là dans cette intention. Sa découverte devait paraître un hasard excitant.

Son regard se posa sur le vase à allume-feu sur la tablette de la cheminée. Bien sûr ! Chaque cheminée était pourvue d'un vase similaire, rempli de bâtonnets de papier permettant d'allumer un feu de bois, une bougie ou une pipe. Elle enroula soigneusement le papier pour lui donner l'aspect d'un bâtonnet. Puis elle le déroula légèrement, de façon qu'on puisse distinguer la première ligne du texte.

Se glissant dans la bibliothèque, elle le plaça au milieu des autres allume-feu dans le vase de cuivre sur la cheminée. En le voyant, on penserait qu'il était là depuis des jours et commençait juste à se défaire. Elle le regarda, niché au milieu de ses pareils, et se sentit comme une artiste.

Deux heures plus tard, quand elle retourna dans la bibliothèque, le papier avait disparu.

23
Une opération d'infiltration

Le lendemain matin, Faith arriva au champ de fouilles dans la voiture du docteur Jacklers, en compagnie de l'oncle Miles. Pour une fois, le ciel était limpide et le soleil radieux, mais Faith était en proie à une violente agitation et serrait son carnet si fort qu'elle en avait mal aux doigts. Elle ne savait si le médecin avait persuadé tous les protagonistes d'accepter sa présence, ou si elle serait comme une pomme de discorde que tous se disputeraient.

– Peut-être ferions-nous mieux de demander au cocher d'attendre quelques instants, au cas où, dit l'oncle Miles.

Manifestement, il pensait comme elle.

Au grand soulagement de Faith, la première personne en vue était Ben Crock. Elle fut encore plus soulagée en découvrant qu'il l'attendait. Comme la fois précédente, son attitude était à la fois prudente et polie. Il semblait n'avoir aucune intention de l'exclure du site.

– Je suis sûr que ces messieurs entendent vous accueillir comme il convient, Miss Sunderly, mais ils sont occupés pour le moment à mettre au point une photographie.

En suivant le contremaître et son oncle sur le sentier tortueux descendant dans la petite gorge, Faith ressentit un certain contentement à l'idée qu'elle n'allait pas priver Clay de toutes ses commissions de photographe.

À côté de la galerie, une silhouette casquée et resplendissante attira son regard. La tenue de Lambent était plus que singulière. Un casque colonial d'un blanc éclatant était perché sur sa tête. Il portait la veste d'un costume de lin, lui aussi immaculé, mais avec un pantalon violet à la mode turque et des bottes montant jusqu'aux genoux. Il avait à la main une sorte de chasse-mouches tropical, dont il agitait le panache en crin de cheval à l'intention de mouches imaginaires.

Faith n'aurait su dire s'il s'était habillé ainsi délibérément, ou s'il avait simplement pioché au hasard dans ses collections.

Le trépied de l'appareil photographique de Clay faisait face à l'entrée de la galerie. On avait déplacé la tente de Bédouin, ainsi que son mobilier élégant, et elle se trouvait maintenant à deux pas de la galerie. Une silhouette solitaire vêtue d'une robe vert sombre était allongée sur le divan.

Devant l'entrée de la galerie, le docteur Jacklers se traînait à genoux d'un côté ou d'un autre, suivant les instructions de Clay. En voyant Faith et l'oncle Miles, il se leva d'un bond pour aller les saluer.

– Nous devrions vous trouver un endroit à l'ombre…

Il regarda la tente par-dessus son épaule.

– Lambent, pourquoi ne pas faire asseoir Miss Sunderly à côté de votre épouse ? Puisque la présence d'une dame donne de la distinction à une photo, autant multiplier l'effet par deux !

Lambent se figea et sembla soudain remarquer Faith. Son sourire s'effaça et il détourna les yeux, l'air terriblement embarrassé. Faith se demanda s'il avait eu l'intention de faire comme si elle n'existait pas.

– Oui, dit-il après un silence un peu trop long. Pourquoi pas ?

Son ton affligé apprit à Faith tout ce qu'elle avait besoin de savoir. Sa présence sur le site était tolérée, mais non bienvenue.

Si le médecin avait fait sa proposition en l'absence de Faith, elle soupçonna que la réponse de Lambent aurait été très différente. Mais le magistrat s'était retrouvé dans une position où il ne pouvait refuser, sous peine de se montrer d'une impolitesse inconcevable.

Non sans appréhension, Faith entra dans la tente. En approchant, elle constata que la femme étendue dans l'ombre était bel et bien Agatha Lambent, vêtue d'une robe et d'un bonnet verts, et semblant risquer de périr étouffée sous les écharpes et les châles de dentelle où elle était emmitouflée. À côté d'elle, un service à thé en argent luisait sur une table, tandis qu'un malheureux vase en verre rempli de lys menaçait de se renverser à chaque rafale.

– Bonjour, Mrs Lambent, murmura Faith en s'asseyant.

Il lui fallut un certain effort pour prendre un ton courtois, car elle ne se rappelait que trop bien le jour des funérailles.

Sans lui accorder un regard, Mrs Lambent continua à serrer un petit verre empli d'un liquide clair dans ses mains tremblantes gantées de dentelle. Le vent changea brièvement de direction, et une odeur pénétrante parvint soudain aux narines de Faith. Celle-ci comprit que Myrtle avait eu raison. Le « médicament » de Mrs Lambent était bien de l'alcool.

– On devrait nous voir faire une découverte ! s'exclama Lambent en reprenant son aplomb. Où est la corne d'aurochs ?

Les quatre messieurs se hâtèrent vers les autres tentes, en discutant l'affaire avec animation.

Sortant de son immobilité, Agatha Lambent s'avança sur le divan de façon à émerger en partie de l'ombre. Faith se rendit compte qu'elle voulait sans doute ainsi être clairement visible sur le cliché. Elle fit mine de l'imiter, mais Mrs Lambent l'arrêta net en toussant d'un air réprobateur.

– Miss Sunderly, dit-elle à voix basse, en remuant à peine les lèvres. Si vous avez le moindre sens du tact et de la bienséance, vous resterez dans l'ombre. Cette photographie est destinée à servir de *carte de visite**, qui circulera parmi nos connaissances et sera peut-être même publiée. Il est hors de question que votre nom figure avec ceux qui seront inscrits dessous. Nous ne pouvons lier le nom de Sunderly à notre entreprise.

La colère qui couvait en Faith devenait peu à peu un incendie.

– Je sais que vous n'avez pas demandé à apparaître sur ce cliché, concéda Agatha Lambent. Le docteur Jacklers et mon époux nous ont placées toutes deux dans une position intenable. Dans la mesure où mon époux est responsable, je vous présente nos excuses.

Faith s'aperçut qu'elle tremblait de la tête aux pieds. Il lui fut soudain impossible de garder humblement le silence.

– Si vous voulez présenter des excuses, Mrs Lambent, souffla-t-elle, vous pouvez vous excuser de nous avoir fermé votre porte le jour de l'enterrement de mon père, en contraignant ma mère à marcher pendant des kilomètres sous une pluie battante.

Agatha Lambent plissa les yeux et fit la moue.

– Je vois que vous avez hérité des manières de votre mère, murmura-t-elle froidement.

– Ce n'est pas à moi que vous pouvez parler de manières, rétorqua Faith d'un ton non moins glacial. Ne vous inquiétez pas, je resterai dans l'ombre. Je ne souhaite pas plus que vous qu'on nous voie ensemble.

Avant qu'elle pût rien ajouter, les messieurs revinrent. Clay se plaça derrière l'appareil photographique, tandis que le docteur Jacklers et Lambent s'agenouillaient devant l'entrée de la galerie. Lambent brandissait une corne recourbée, jaunie et rendue poisseuse par le fixateur et le vernis. Ils fixèrent l'objectif avec une gravité théâtrale.

– Et moi, où dois-je me mettre ? s'écria l'oncle Miles.

Il y eut un silence gêné.

---

* Les mots en italiques précédés d'un astérisque sont en français dans le texte.

– Euh...

Le docteur Jacklers se racla la gorge.

– En fait, Cattistock, vous nous rendriez un grand service en vous plaçant derrière la tente des dames, pour empêcher la toile d'onduler sans cesse et de gâcher le cliché.

Le visage rond et aimable de l'oncle Miles prit une expression plutôt froide, mais il s'exécuta.

Clay tripota son appareil pour déployer en avant le soufflet en forme d'accordéon.

– Ne bougez plus ! lança-t-il en ôtant le couvercle de la lentille.

Les secondes s'éternisèrent. Faith serra les dents et se dit qu'elle était heureuse d'être dans l'ombre. Au moins, elle n'avait pas à rester assise pendant plus d'une minute avec le soleil dans les yeux.

Après ce qui lui parut cinq bonnes minutes, Clay remit le couvercle devant la lentille.

– Merci. Vous pouvez bouger, maintenant !

– Au travail, tout le monde ! brailla Lambent en agitant fébrilement son chasse-mouches.

Les manœuvres cessèrent de regarder la scène, et le docteur Jacklers, l'oncle Miles et Lambent retournèrent sans se presser dans les tentes. La tête et les épaules de Clay disparurent derrière le capuchon noir attaché à l'arrière de son appareil, à l'intérieur duquel on entendit cliqueter faiblement des bouteilles.

– Merci, Miss Sunderly, murmura Agatha Lambent sans la regarder. (Faith serra son éventail avec tant de force qu'elle fit craquer les lamelles de santal. Elle n'avait pas envie que cette femme la remercie, surtout pas de cette voix basse et sincère.) Que vous le croyiez ou non, continua la femme du magistrat, je suis gentille, d'ordinaire. Mais je suis avant tout une bonne épouse. Mon mari se présente au Parlement et il faut protéger à tout prix sa réputation.

– Dans ce cas, vous auriez peut-être dû l'empêcher de porter ce pantalon, murmura Faith en se levant.

– Une épouse ne peut pas toujours refréner les impulsions de son mari, répliqua Mrs Lambent avec gravité. Mais elle doit toujours s'efforcer de lui en éviter les conséquences.

Faith sortit sans la regarder. Elle avait été insultée, mais au moins on ne l'avait pas chassée du site.

Glissant la main dans sa poche, elle la referma sur le métal froid d'une petite pièce, pour se rappeler que la vengeance était possible, même au cœur du camp ennemi.

L'arrivée de la jeune Sunderly n'était pas passée inaperçue. Faith sentait peser sur elle des regards durs, étonnés. Elle fut soulagée quand Crock la rejoignit de nouveau.

– Miss, j'ai pensé que vous préféreriez peut-être attendre que les hommes interrompent le travail pour le déjeuner, avant d'aller dessiner dans le tunnel. D'ici là, si vous souhaitez faire des croquis des trouvailles les plus marquantes, je peux vous installer une chaise dans la tente où elles se trouvent.

Il désigna de la tête la tente où Faith avait vu la vénérable aiguille en os.

– Oui, merci, Mr Crock!

Même si Faith se sentait en pleine imposture, il était si agréable d'être traitée comme un membre utile de l'équipe plutôt que comme une sorte de glace à la fraise qu'il fallait garder à l'ombre.

Elle le suivit tandis qu'il portait une chaise pliante dans la tente, la dépliait et l'époussetait pour elle.

– Permettez-moi de vous présenter mes condoléances, ajouta-t-il à mi-voix.

Faith le regarda avec stupeur, comme si le sol se dérobait soudain sous ses pieds. Elle se rendit compte que ces mots étaient parfaitement naturels, vu la situation. Cependant personne d'autre ne les avait prononcés.

– Merci, dit-elle.

– Comment va votre famille?

Elle songea à des silhouettes détrempées sanglotant sur la route, à des tiroirs mis à sac, à des tentatives désespérées pour trouver des pistolets pouvant tuer les fantômes. Incapable de lui donner une réponse polie, elle secoua la tête en silence.

– Ainsi… vous avez eu besoin de vous éloigner un moment de la maison, dit-il en hochant lentement la tête. Et vous vous sentez plus proche de votre père, en venant ici.

Son regard était grave et très bleu. Ses yeux semblaient ouverts sur le plein air, pensa-t-elle. Ils reflétaient la lumière de cieux innombrables.

Elle se sentit piquée au vif par sa pitié, à la pensée de ses propres motifs cachés. En même temps, elle se rendit compte qu'il avait raison en partie. Cette odeur étrange de poussière, de terre remuée et de sabot de cheval bouilli lui donnait vraiment l'impression de respirer l'air du monde de son père.

– Mr Crock, a-t-on découvert pourquoi la chaîne de la cage s'était cassée ?

– Nous n'avons pas encore trouvé le maillon rompu, répondit-il en fronçant les sourcils. Il a dû tomber dans le gouffre lorsqu'il s'est cassé, et se coincer dans une fissure. Quand nous l'aurons retrouvé, nous saurons la vérité. En attendant, nous ne laissons pas filer les cordes et nous ne faisons descendre qu'un passager à la fois.

– Un voleur aurait-il pu venir l'endommager la nuit ?

– Oui, à condition d'être aussi silencieux qu'un chat. Nous avons trois terrassiers sur le site, et ils dorment dans les tentes. Je plains le voleur qui les réveillerait.

Ce chaînon manquant excitait la curiosité de Faith. Peut-être Crock avait-il raison, et il était vraiment tombé dans une fissure. Néanmoins, elle se demanda si quelqu'un ne l'aurait pas caché discrètement. Et si l'usure ou la rouille n'étaient pas responsables de l'accident. Et si quelqu'un avait limé le maillon.

Quand les manœuvres cessèrent leur travail pour déjeuner, Faith fut conduite dans la galerie et se vit fournir une chaise, un chevalet et une petite table pliante. La lueur dorée d'une lanterne lui révélait les étançons de bois de la galerie, son sol de terre accidenté et ses parois de roche.

Elle avait la bouche sèche. Si elle ne voulait pas être démasquée, elle devrait fournir l'équivalent d'un schéma bien fait de strates géologiques. Quelqu'un avait creusé des sillons dans les parois avec une truelle, afin que les strates apparaissent clairement, mais elle voyait à peine la différence entre les couches. Il ne lui restait qu'à espérer que tout le monde autour d'elle soit encore plus ignorant qu'elle en matière de dessin en coupe.

Au cas où on l'observerait, elle tendit ostensiblement son crayon au bout de son bras pour mesurer le degré d'inclinaison des strates, puis parsema la feuille de points et de petites croix d'un air assuré.

Au bout d'un moment, elle constata avec ennui que Crock regardait son carnet de croquis par-dessus son épaule. La lumière de la lanterne faisait briller ses yeux. Le contremaître avait beau être gentil, il ne serait certainement pas dupe de ses griffonnages. Elle hasarda quelques lignes peu nettes, en reproduisant la pente des sillons sur la paroi.

Elle entendit un bruissement et s'aperçut qu'il avait posé une liasse de papiers sur la table à côté d'elle.

– Le dessinateur de Mr Lambent a fait plusieurs esquisses avant de se casser le poignet, déclara Crock. J'ai pensé qu'elles pourraient vous être utiles.

Il s'en alla avant que Faith ait pu le remercier.

Les esquisses étaient inachevées, mais le dessinateur avait réussi à rendre la forme de la colline. Mieux encore, il avait griffonné des étiquettes pour les strates, portant des mentions telles que « terre noire de caverne », « silex », « schiste » et ainsi de suite.

Pleine de gratitude, Faith corrigea ses lignes et étiqueta les couches en suivant ses indications. Cela faisait un certain temps que Faith souhaitait à l'île de Vane de sombrer dans la mer grise et agitée. Elle devait maintenant s'avouer que si une telle catastrophe se produisait, elle ne serait pas mécontente que Ben Crock puisse s'enfuir à temps en bateau.

Cela dit, sa reconnaissance envers le contremaître n'allait pas jusqu'à l'obliger à revenir sur ses projets. Après tout, elle était là pour semer le désordre et la discorde.

Elle avait observé discrètement les manœuvres et s'était aperçue qu'ils se divisaient en deux groupes. Trois hommes robustes parlant avec un accent irlandais se chargeaient de creuser à l'intérieur de la caverne, dont ils ressortaient avec des brouettes remplies de décombres. Deux insulaires faisaient office de porteurs et de commissionnaires, balayaient le gravier du sol et poussaient les brouettes pleines jusqu'à un tas non loin du site. Les deux groupes semblaient à peine échanger un mot entre eux.

Seuls les insulaires intéressaient Faith. Si elle voulait contaminer Vane avec une idée, elle devait d'abord l'inculquer à ces hommes.

L'occasion se présenta au milieu de l'après-midi, peu avant l'heure où l'oncle Miles devait la ramener à la maison. Les deux hommes s'étaient isolés pour se reposer un peu et savourer leur ration de bière. Personne ne faisait attention à leur brouette remplie à ras bord. Faith sortit de sa poche la pièce de monnaie, qu'elle laissa tomber parmi les gravats de façon qu'elle dépasse à peine. C'était un vieux dollar espagnol que le père de Faith avait rapporté de ses voyages. Son bord noirci lui donnait un air mystérieux.

Un peu plus tard, Faith vit les manœuvres retourner à la brouette. L'un d'eux se pencha pour mieux voir, puis donna un coup de coude à son compagnon. Ils se mirent à chuchoter en regardant furtivement à la ronde, après quoi l'un d'eux prit quelque chose dans la brouette et le glissa en hâte dans sa poche.

Le lendemain, Faith attira moins de regards sur le champ de fouilles. On ne l'avait pas vraiment acceptée, mais elle avait perdu de son intérêt. De plus, ses dessins étaient meilleurs, grâce à la consultation nocturne des livres de son père, et tout le monde paraissait ravi de la laisser à ses occupations.

Du coup, elle put se livrer à quelques observations. Elle découvrit bientôt que, sous couvert de dessiner, elle pouvait installer sa chaise pliante et son chevalet où bon lui semblait, afin d'écouter les conversations et d'épier ses voisins tout son soûl.

Elle ne fut pas longue à pouvoir dresser, en dessinatrice experte, une carte des camaraderies et des désaccords qui régissaient le site.

Le docteur Jacklers était plus heureux qu'elle ne l'avait jamais vu. Il avait réquisitionné une petite tente pour abriter diverses brochures de la Société des antiquaires, ainsi que son précieux exemplaire des *Reliquiae Aquitanicae*, l'ouvrage le plus récent et le plus excitant sur les objets découverts dans les cavernes. Il ne cessait de courir le consulter et entrait en fureur si quelqu'un d'autre osait s'en approcher. Faith était étonnée qu'il ne l'enchaîne pas à la table comme une bible médiévale.

Fort de cette source incomparable de savoir rupestre, le médecin régnait en maître absolu sur le tunnel. Il enfonçait dans le sol de la caverne des piquets entre lesquels il tendait des cordes de repérage, afin de diviser la zone en carrés à fouiller les uns après les autres. Crock hochait poliment la tête et approuvait toutes ses suggestions, après quoi il modifiait légèrement les ordres du médecin en les transmettant à ses hommes.

Lambent parcourait le site à grandes enjambées et se mêlait de tout. Il examinait les objets nouvellement découverts, s'excitait sur eux, les emportait chez lui au pas de course, revenait en courant avec des livres de sa bibliothèque et rangeait les précieuses trouvailles dans une boîte qui ne leur était nullement destinée. Crock le suivait discrètement pour remédier au chaos qu'il laissait derrière lui.

Malgré sa fameuse mauvaise santé, Agatha Lambent se montra de nouveau. Elle passa sa visite assise comme une reine invalide dans son abri secoué par le vent, en observant la scène avec une froideur majestueuse. Ben Crock s'arrêtait souvent devant le divan où elle trônait. La casquette à la main, il l'interrogeait avec sollicitude. Peut-être craignait-il, s'il relâchait son attention, de la voir se briser net après avoir été renversée par une rafale.

À la grande surprise de Faith, Miss Hunter vint aussi en visite. Elle se contenta de prendre le thé avec Mrs Lambent, sans témoigner le moindre intérêt aux fouilles. Son arrivée eut un effet magique sur le docteur Jacklers et Mr Lambent. Le premier courut se réfugier à l'autre bout du site, afin de contempler d'un air morose des dents de mammouth. Le second sembla se désintéresser complètement des fouilles et alla, lui aussi, prendre le thé dans la tente de Bédouin.

Comme Faith l'avait soupçonné, Crock était le ciment qui maintenait debout l'édifice. Il imposait son autorité au site, sans élever la voix ni attirer l'attention sur lui. Il semblait tout voir et tout entendre, et avait un don troublant pour déceler et étouffer dans l'œuf les problèmes. En somme, Faith comprit vite que si elle voulait espionner, voler, intriguer, ou se livrer à toute autre activité clandestine, Crock serait sans doute le principal obstacle qu'elle devrait affronter.

Par ailleurs, les deux insulaires avaient changé de comportement depuis la découverte de la pièce. Ils avaient l'air plus avides, plus vigilants, et tendaient à s'isoler pour des conversations aussi secrètes qu'animées. Faith les surprit à plusieurs reprises en train de fouiller discrètement dans les décombres de leur brouette et de rôder dans des parties du site où ils ne travaillaient pas d'ordinaire. Elle entendit l'un d'eux dire, sans remarquer qu'elle était dans la tente voisine :

– Peut-être y a-t-il anguille sous roche, finalement. Peut-être que le vieux Sunderly n'était pas satisfait de sa part.

– À moins que les autres n'aient eu envie d'une plus grosse part, suggéra son compagnon. Et Sunderly en savait trop. Ils ont laissé le médecin à l'écart, pas vrai ?

Faith eut mal à la mâchoire à force de se retenir de sourire. Quelle que fût la personne qui avait trouvé son allume-feu en papier, elle l'avait lu, manifestement, et elle en avait parlé à d'autres. Si ces hommes étaient au courant, c'était probablement que les langues allaient bon train dans l'île entière. Son plan fonctionnait.

Malgré tout, il était vraiment agréable de penser que son mensonge semait le trouble d'un bout à l'autre de Vane, déstabilisait ses ennemis prétentieux et les dressait les uns contre les autres. Sa fierté se mêlait d'un sentiment de puissance. Elle était douée pour ce jeu… et elle s'améliorait à vue d'œil.

24
Troubles

Le dimanche, bien entendu, les fouilles s'interrompirent et Faith ne put aller sur le site. Myrtle insista pour que la famille Sunderly au grand complet s'endimanche lugubrement, rassemble son courage et se rende à l'église.

À leur entrée, toutes les conversations se turent. Faith était au bord de la nausée. La scène lui rappelait trop le jour des funérailles, une semaine plus tôt. Cependant, lorsque la famille remonta la nef, les chuchotements lui semblèrent plus nerveux qu'hostiles. Quand ils arrivèrent au banc qu'ils avaient loué, ceux qui s'y étaient assis s'en allèrent sans un mot, en prenant soin de ne pas passer trop près d'eux.

Clay, qui avait paru si désemparé et impuissant lors des funérailles, monta cette fois dans sa chaire d'un air résolu. Il consacra son sermon aux morts, au respect qui leur était dû et à la nécessité d'être bon envers leurs proches survivants. Comment qualifier ceux qui se moquaient des défunts ? Voulaient-ils provoquer la vengeance des forces invisibles ?

Au milieu du sermon, on entendit un cri étouffé quelque part dans l'église, suivi d'exclamations inquiètes.

– … évanouie ! s'écria quelqu'un.

Prisonnière des parois de son banc, Faith ne put regarder

derrière elle. D'après les bruits, elle jugea qu'on portait quelqu'un dehors. Après cette interruption, le sermon reprit.

Alors que les Sunderly sortaient du cimetière après l'office, Clay courut les rejoindre d'un air inquiet.

– Mrs Sunderly, Mr Cattistock, je suis vraiment désolé, mais je crains que Jeanne Bissette, votre bonne, n'ait eu un malaise pendant l'office. Elle se remet, maintenant... mais elle refuse de quitter l'église.

– Pourquoi donc ? s'étonna Myrtle.

– Il semble malheureusement qu'elle soit en proie à une obsession assez grotesque. Je vais tenter de l'en détourner, mais elle se croit maudite, possédée. Elle tient absolument à rester dans l'enclos sacré.

Le visage de Myrtle était invisible sous son voile, mais elle demeura un instant silencieuse et sembla prendre note des propos du vicaire.

– J'ai entendu certaines rumeurs, murmura-t-elle. Combien de gens croient à ces histoires ? Nos domestiques vont-ils tous s'en servir de prétexte pour nous abandonner ?

Clay parut incapable de répondre et prit un air affligé.

– Je suis désolé, Mrs Sunderly. Je crains que beaucoup n'accordent crédit à ces fables. Chaque jour, des gens viennent au presbytère me demander pourquoi je n'ai pas encore « fait quelque chose au sujet du fantôme ».

– Mais alors... si vous leur disiez qu'enterrer mon époux apaiserait le fantôme...

– Hélas, la décision concernant sa sépulture n'est plus entre mes mains. C'est à la justice de décider.

Il semblait mal à l'aise.

– Du reste... je ne saurais, en toute conscience, encourager des superstitions qui ne sont que trop enracinées en eux. Certains prétendent avoir vu de leurs propres yeux le fantôme sur le chemin de la falaise, non loin de votre maison. Hier encore, quelqu'un a laissé sur l'autel de l'église une somme assez importante avec un billet non signé me demandant de célébrer un office pour le... euh... l'esprit en peine.

« Quant à Jeanne Bissette, sa peur semble réelle. En fait, son état nerveux me paraît inquiétant.

Ce ne fut que plus tard ce soir-là qu'un des propos de Clay frappa Faith avec une force nouvelle. Quelqu'un avait donné anonymement une somme « assez importante » pour qu'on exorcise le fantôme par des prières. Et l'inconnu avait laissé une lettre non signée, pareille à celle qui avait attiré le père de Faith dans un piège mortel.

Quelqu'un sur l'île était terrifié par le spectre du pasteur, et ne craignait pas moins éperdument de révéler son identité. Peut-être le fantôme créé par Faith avait-il fait davantage que de nourrir l'arbre à mensonge. Peut-être avait-elle réussi à faire peur au meurtrier.

25
Affronter le monstre

Faith découvrait qu'un mensonge était comme un feu. Au début, il avait besoin d'être entretenu et alimenté, mais en douceur, avec circonspection. Un souffle léger attiserait les flammes naissantes, mais trop d'air les éteindrait. Certains mensonges prenaient si bien qu'ils se répandaient avec un crépitement allègre, sans qu'il fût besoin de les alimenter davantage. Mais, du coup, ils ne vous appartenaient plus. Ils vivaient leur propre vie et échappaient à votre contrôle.

Bien entendu, il existait des idées qui prenaient plus facilement que d'autres. Rien n'enflamme autant les esprits que la promesse d'un trésor.

Le troisième matin, en se rendant au site avec son oncle dans la voiture du médecin, Faith ne put s'empêcher de remarquer qu'on voyait maintenant sur la route solitaire quelques badauds s'adossant au brise-lames, les mains dans les poches, ou bavardant à l'ombre de la falaise. Ils semblaient à la fois indolents et déterminés, comme des mouettes flairant une occasion de festoyer dans le sillage d'un bateau.

En approchant du site, la voiture passa devant le tas des décombres provenant des fouilles. Trois enfants de l'île examinaient les pierres brisées avec une ardeur avide.

Sur le site lui-même, l'atmosphère était tendue. Voyant Lambent discuter sérieusement avec le docteur Jacklers et Ben Crock, Faith installa discrètement son chevalet de manière à pouvoir les entendre.

– Ils se sont mis une idée dans la tête, déclara le médecin. Et tant que nous ne saurons pas ce qu'est cette idée, nous ne pourrons la faire sortir.

– Je leur ai demandé où ils voulaient en venir, dit Crock. (Comme toujours, il s'inclinait légèrement afin de ne pas rivaliser avec la haute stature de Lambent.) Ils m'ont regardé de travers et se sont éclipsés sans répondre. L'un d'eux m'a traité de trouble-fête et a dit qu'il supposait que je recevais ma part du gâteau.

– Votre part ? s'exclama le médecin d'un air sombre. Ces hommes deviendraient-ils des scientifiques ? Quel intérêt peuvent avoir des ossements et des fossiles pour des lourdauds pareils ? À moins que... Se pourrait-il qu'on leur ait offert de l'argent en échange de spécimens ?

– Il y a pire, monsieur, intervint Crock. Les terrassiers m'ont dit qu'ils avaient chassé deux intrus du site la nuit dernière.

– Des vagabonds ? suggéra le docteur Jacklers.

– Des vagabonds seraient allés dans le tunnel pour s'abriter, objecta Crock. Ou dans les tentes pour faire quelques larcins faciles. Ces hommes étaient en haut de l'excavation et tournaient la manivelle pour remonter la cage.

– Les musées ! s'écria Lambent en frappant du poing dans sa paume. J'étais sûr que ça allait arriver ! Certains musées ont dû avoir vent de nos découvertes. Vous savez comme ils sont, toujours prêts à voler aux scientifiques indépendants leur gloire et leurs spécimens ! Ils doivent avoir des agents à Vane ! Des voleurs de fossiles ! Des pilleurs de mammouths !

– Les terrassiers ont reconnu l'un de ces hommes, reprit Crock. Ils disent que c'était Stoke.

Peter Stoke était l'un des deux insulaires travaillant sur le site.

– Stoke ! (Lambent jeta un coup d'œil à l'homme en question.) Ils en sont sûrs ? Vous les croyez ?

– Ils en paraissent convaincus, monsieur, et je ne vois pas pourquoi ils mentiraient.

– Voulez-vous m'excuser, messieurs ? dit Lambent qui avait écouté l'explication de Crock avec une impatience croissante. Apparemment, je vais devoir aller dire un mot discrètement à Stoke.

Lambent marcha droit sur les deux natifs de Vane, qui chargeaient des décombres dans leur brouette. Il s'avéra qu'il avait nettement plus d'un mot à leur dire, et qu'ils étaient si peu discrets qu'ils résonnèrent pour certains jusqu'au fond de la gorge.

– ... criminels... vous enverrai en prison si vous ne disparaissez pas sur-le-champ !

Les deux hommes partirent en jetant derrière eux des regards pleins de crainte et de ressentiment.

Lambent rejoignit ses compagnons d'un pas martial.

– Crock, je crois que nous allons devoir engager encore deux de vos amis terrassiers, se contenta-t-il de dire.

L'affaire ne fut pas close pour autant. Les troubles n'attendirent que le début de l'après-midi pour éclater. Alors que Faith examinait l'un de ses croquis, installée au fond de la petite gorge, elle leva par hasard les yeux vers le sommet de la paroi rocheuse.

– Qui est-ce ? s'étonna-t-elle machinalement.

Elle avait aperçu le buste d'un homme se détachant sur le soleil. L'homme regardait le fond de la gorge.

Crock était assez près pour l'entendre. Levant à son tour les yeux, il eut tout juste le temps de voir la silhouette disparaître. Sans un mot, il s'élança et entreprit d'escalader la paroi rocheuse sans se soucier du sentier tortueux.

Il y eut un énorme craquement. Faith eut l'impression qu'un

rocher sautait soudain en l'air, à une dizaine de mètres d'elle, avant d'atterrir et de rouler sur le sol. En le regardant, elle vit qu'il était fendu en deux. Il n'avait pas sauté : on l'avait jeté du haut de la crête.

Elle se leva d'un bond et courut vers le tunnel. Même si des tentes de toile pouvaient amortir un projectile, elle serait plus en sécurité dans la galerie.

Des cris confus s'élevèrent au sommet de la paroi. L'une des voix était celle de Crock. Il y eut un bref bruit de lutte, encore des cris, puis ce fut le silence.

Peu après, l'oncle Miles apparut à l'entrée de la galerie.

– Faith, je crains que nous ne devions abréger notre journée ici. Il y a eu des problèmes, et ce n'est peut-être pas fini. Une poignée d'hommes de l'île ont fait un esclandre en se plaignant que les terrassiers leur prenaient leur travail. Ils ont aussi parlé vaguement d'une histoire d'or. Lambent nous conseille de partir au cas où ils reviendraient.

– Quelqu'un a-t-il été blessé ? demanda-t-elle.

– Personne de notre côté. À propos, rappelle-moi de ne jamais chercher querelle à Ben Crock. J'aimerais encore mieux me battre avec une locomotive.

C'était assez. Il fallait que ce soit assez. Il y avait à Vane des gens convaincus de l'existence de l'or des contrebandiers au point de s'introduire clandestinement sur le site, de fouiller les décombres et de jeter des rochers vengeurs. Il était temps pour Faith d'aller rendre une nouvelle visite à l'arbre à mensonge afin de voir si ses efforts avaient porté leurs fruits.

À la tombée du soir, elle sortit furtivement du jardin en terrasse, vêtue de nouveau de sa tenue de deuil. Cette fois, elle avait mis également le manteau que Mrs Vellet lui avait recommandé. La gouvernante avait raison, Faith avait beaucoup plus chaud avec lui.

Ramer lui parut plus facile. Les muscles de son dos s'habituaient peu à peu à l'effort, et son esprit était trop occupé pour s'inquiéter de la hauteur des vagues. La grotte marine aspira son bateau, qui s'échoua dans la caverne remplie de grondements et de mugissements.

Rassemblant son courage, Faith couvrit sa lanterne et entra dans l'antre de l'arbre à mensonge.

Un regard lui suffit pour constater que la masse sombre de l'arbre avait encore grandi. Le pot était maintenant invisible, perdu dans l'épais feuillage noir. Les vrilles s'étendant sur la saillie rocheuse la cachaient presque entièrement et retombaient sur la pierre claire de la paroi. En s'approchant, Faith buta contre quelque chose. Elle baissa les yeux et se rendit compte que des sarments obscurs se déployaient en avant, comme les pattes innombrables d'une araignée géante écrasée par terre.

Faith continua d'avancer, en marchant prudemment dans les espaces vides entre les sarments dans sa crainte de piétiner un fruit par mégarde. Une nouvelle fois, elle entendit autour d'elle la cacophonie des soupirs légers, des mots indistincts, des sons en liberté.

– Pourquoi mes mensonges vous font-ils grandir ainsi? demanda-t-elle à voix haute. Ceux de mon père étaient plus considérables, et beaucoup de gens les croyaient.

«Peut-être est-ce parce qu'il m'aime bien. (Cette pensée était stupide, pourtant Faith ne parvenait pas à l'écarter tout à fait.) Ou peut-être est-ce parce que je l'aime bien.»

Elle trouva le fruit, avec sa collerette de défunts pétales, niché dans l'énorme amas de feuilles au centre de la plante. Plus gros que le précédent, il faisait presque trois centimètres de large. Cette fois, elle avait apporté un tapis pour s'allonger, un coussin pour soutenir sa tête et sa nuque pendant qu'elle serait inconsciente, et une bouteille d'eau.

«Je sais que ce sera désagréable, se dit-elle en ouvrant le fruit. Mais je sais aussi qu'il est peu probable que j'en meure.»

Fourrant en hâte la pulpe dans sa bouche, elle l'avala en faisant la grimace et but de l'eau pour la faire passer. L'obscurité s'abattit sur elle avec un martèlement de tambour, jusqu'au moment où la lumière s'éteignit.

Debout sur l'herbe, Faith reconnut aussitôt le lointain souvenir qu'elle enfilait comme un vieux vêtement.

Elle avait neuf ans et toute la famille visitait Londres. Le clou de la visite était Crystal Palace. Faith avait été éblouie par l'immensité translucide du palais, alors que le Grand Labyrinthe l'avait un peu effrayée.

Ensuite, bien entendu, ils étaient allés voir les dinosaures.

On avait reconstitué le paysage propre à ces animaux monstrueux, de sorte qu'ils avaient l'air chez eux, vivants, comme si on les découvrait à la faveur d'un moment d'immobilité. Ils se prélassaient au soleil sur de petites îles, flânaient entre les arbres et s'ébattaient dans leur lac personnel.

Certains étaient accroupis comme des grenouilles, en ouvrant si grand leur gueule qu'ils semblaient sourire. Les cous minces des plésiosaures surgissaient de l'eau en ondulant. Des ichtyosaures, à moitié échoués sur le rivage, levaient leur tête aux yeux étrangement segmentés, rappelant des oranges, et aux longs museaux effilés garnis de dents. Le mégalosaure, gigantesque et bossu, semblait sur le point de tourner son immense corps reptilien pour s'éloigner majestueusement parmi les arbres.

Faith tenait la main de sa nurse et Howard dormait dans son landau vert. Maman était ravissante dans l'ombre bleutée de son ombrelle. Papa, qui savait tout, parlait de la fabrication de ces mannequins et évoquait ces scientifiques qui avaient donné un dîner dans l'un des iguanodons. Des nuages blancs et duveteux flottaient dans le ciel radieux. La foule indolente était bruyante et joyeuse, et toutes les dames étaient jolies.

Soudain, Faith s'aperçut qu'elle ne tenait plus la main à

personne, n'avait plus neuf ans. La nurse, Papa, Maman et Howard avaient tous disparu. Le ciel était gris et les dinosaures s'avançaient vers la foule en marchant lourdement, en ondulant, en nageant.

Comme cette scène était impossible, personne ne s'enfuit. Un ichtyosaure attrapa la taille fine d'une dame et l'entraîna dans l'eau. Les deux énormes iguanodons se mirent à arracher des têtes sans méchanceté et sans colère. Des crocodiles aux museaux fins comme des aiguilles s'élancèrent sur l'herbe à la vitesse de l'éclair pour happer des enfants.

Aucun de ces monstres n'attaqua Faith. Ils passaient à côté d'elle de leur pas rapide ou titubant. Tendant la main, elle effleura du bout des doigts des écailles rugueuses de reptiles. Quand l'imposant mégalosaure s'arrêta devant elle et s'aplatit sur le sol, elle escalada sa patte et son épaule pour monter en amazone sa bosse raboteuse.

Le mégalosaure se releva. Il était tellement grand qu'elle put voir à l'autre bout du parc un autre dinosaure, dont le dos était hérissé de pointes et sur la tête duquel un cavalier était juché. Alors qu'elle le regardait, cet autre dinosaure sortit du parc en renversant les barrières aussi aisément que des piquets de cricket.

En voyant le cavalier, elle eut l'étrange impression de le reconnaître, comme si une lueur éclairait soudain la surface tachetée d'un vieux miroir.

« Vous voilà », se dit-elle.

Elle ne pouvait se rappeler qui était ce cavalier, mais elle savait qu'il était comme elle. Elle savait aussi qu'ils étaient ennemis. Le cavalier lui avait dérobé quelque chose de précieux, et elle était là pour le poursuivre.

Devinant son désir, le mégalosaure s'élança à son tour à travers la brèche dans la barrière et arriva dans la rue, suivi d'autres dinosaures déchaînés. Faith garda les yeux fixés sur le cavalier, tandis que les iguanodons renversaient les omnibus et dévoraient les chevaux. Le mégalosaure broyait les charrettes sous ses pattes énormes. Il grondait, des baguettes d'ombrelle coincées entre les dents.

Faith gagnait du terrain sur son gibier. Elle pourrait bientôt voir le visage du cavalier. Encore un instant et sa monture serait assez près pour s'élancer vers l'arrière-train de l'autre dinosaure.

Un hurlement menaçant s'éleva au-dessus de sa tête. Elle n'eut que le temps d'apercevoir une créature ailée fondre sur elle, avec une silhouette humaine à peine visible sur son dos. Un bec aux dents acérées s'ouvrit. Puis ce fut le noir, le craquement indolore et affreux de sa nuque brisée.

26
Morsures

Il était doux de sentir l'herbe sous ses mains, sous sa tête. Faith respira profondément. Elle n'était donc pas morte. Cette idée lui parut délicieuse. Ouvrant les yeux, elle regarda le ciel nocturne. Il était si clair qu'elle distingua à peine les couleurs des étoiles les plus proches et l'éclat assourdi de galaxies vertigineusement lointaines.

« Je suis vivante, se dit-elle. Je n'ai pas eu la nuque brisée par un ptérodactyle. Les mannequins de dinosaures du Crystal Palace ne se sont pas animés et n'ont pas dévoré Londres. »

Puis elle constata, avec une perplexité grandissante :

« Je suis dehors. »

Elle se redressa aussitôt et dut s'appuyer au sol, car le monde s'était mis à tournoyer en tous sens. C'était vrai. Elle ne se trouvait plus dans la grotte.

Regardant à la ronde, elle découvrit qu'elle était assise sur un promontoire herbeux. Ses jambes pendaient dans une cavité à moitié cachée par des broussailles touffues. Elle distingua au fond de la cavité une faible lueur dorée.

– C'est sans doute ma lanterne, dit-elle à voix haute.

En y réfléchissant, il lui semblait bel et bien se souvenir qu'elle avait défait ses propres nœuds. Elle regarda les ongles de ses mains, qui étaient sales, cassés, abîmés. Oui, elle avait grimpé. Elle s'était faufilée et hissée au milieu des rocs. À force d'explorer le réseau des cavernes, elle avait trouvé une nouvelle sortie.

– Je me suis réveillée beaucoup plus tôt, chuchota-t-elle. (Elle se leva, chancela.) Et j'ai la tête plus claire, ajouta-t-elle tandis que les étoiles palpitaient au ciel.

Elle tenta de reconnaître les silhouettes des promontoires, afin de les situer sur sa carte mentale de l'île. Se rapprochant du gouffre, elle eut soudain les jambes flageolantes.

Elle savait où elle était ! Elle se trouvait non loin de la route reliant Bull Cove et la ville, à proximité de la cabane où elle avait été abandonnée au profit de « boutures diverses ».

« Chaque lundi soir, il y a un concours de ratiers dans la cabane de la route côtière, avait dit Paul Clay. Venez me retrouver là-bas. Nous pourrons parler de votre fameux meurtre. »

On était lundi soir, et la cabane était tout près. Sur le moment, il avait paru impensable à Faith d'assister au concours de ratiers, mais elle n'arrivait plus à se souvenir pourquoi. Elle voulait parler à Paul Clay.

Il l'avait mise au défi de venir. Il ne s'attendait pas à ce qu'elle puisse accepter un tel défi, c'était juste une façon de lui renvoyer en pleine figure sa pudibonderie et son impuissance. Mais elle ne se sentait plus pudibonde ni impuissante. Elle se rappelait encore le contact des écailles du dinosaure contre sa peau.

Tandis qu'elle marchait le long de la route, un vent obstiné tirait sur ses vêtements. Les étoiles scintillaient avec une patience glacée. Des arbres bas frissonnaient furtivement.

Elle reconnut enfin l'embranchement où elle avait dû sortir de la voiture des Lambent. Elle retrouva le sentier tortueux qu'elle avait emprunté ce jour-là et finit par apercevoir la silhouette pataude de la cabane se dressant sur la pente rocheuse. Cette fois, d'autres silhouettes se pressaient devant. Faith entendit des voix. Une clarté orangée s'écoulait de la porte ouverte.

Des hommes, tous ces gens étaient des hommes. « Que fais-tu ? hurla une voix dans sa tête. Pourquoi es-tu venue ici ? » La panique se déchaînait quelque part en elle, mais pour l'heure elle se faisait à peine entendre, telle une rumeur assourdie. Faith rabattit la capuche de sa pèlerine pour cacher son visage. S'immobilisant juste à la lisière du halo lumineux de la lanterne, elle attendit.

Trois garçons parlaient à côté de la porte. Alors qu'elle les observait, le plus jeune tourna la tête et la vit. À cet instant, la clarté du seuil éclaira son visage. C'était Paul Clay.

Comme il regardait Faith avec stupeur, ses deux compagnons se tournèrent également dans sa direction. Paul leur chuchota en hâte quelques mots puis accourut vers Faith.

– Que faites-vous ici ? demanda-t-il d'un ton incrédule.

– Vous m'avez lancé un défi, vous vous souvenez ?

Faith se demanda soudain l'effet qu'elle devait faire, avec sa capuche et ses vêtements noirs, tapie dans l'ombre au milieu des ajoncs.

– Je croyais que c'était moi qui devais avoir peur, pas vous, lança-t-elle.

– Je n'aurais jamais cru que vous viendriez ! souffla-t-il. Avez-vous perdu la tête ? Voulez-vous vraiment que les gens vous voient ici ?

– Vous leur avez dit qui j'étais ?

– Vous vous imaginez que vous êtes déguisée ? s'exclama-t-il en roulant les yeux. Il n'y a guère qu'une dizaine de personnes de notre âge dans l'île entière. Tous ceux qui vous voient savent aussitôt qui vous êtes. (Il jeta un coup d'œil par-dessus son épaule.) Il a fallu que je raconte à mes amis que vous étiez toquée, que le chagrin vous était monté au cerveau. J'ai dit que vous étiez inoffensive, mais sujette à vagabonder. Autrement, comment aurais je pu leur expliquer votre présence ici ?

En regardant du côté de la cabane, Faith se rendit compte que les deux garçons l'observaient subrepticement.

– Quel autre moyen avais-je de vous parler? chuchota-t-elle. Vous n'êtes jamais venu me voir!

– Ça vous étonne? répliqua-t-il en plissant les yeux. Vous nous avez privés de nos commissions pour les photos des fouilles! Pourquoi? Était-ce l'un de vos jeux maléfiques?

Faith résista à la folle tentation de répondre par l'affirmative, rien que pour voir si elle pouvait le faire exploser. Elle avoua donc la vérité:

– Non, simplement j'avais besoin de pénétrer sur le site pour mener mon enquête. Votre père vous a-t-il parlé de la chaîne cassée de la cage?

Paul hocha la tête.

– Il a dit que vous étiez dans cette cage avec votre frère. Mais c'était sans danger, non? Les cordes ont empêché la cage de tomber.

– Il n'a été décidé qu'au dernier moment que nous monterions dans la cage. Cela changeait tout, car nous étions des enfants. On a tout vérifié et resserré, et c'est alors qu'on a attaché les cordes pour plus de sûreté. S'il avait été question d'un, voire de deux adultes, comme mon père et le contremaître...

– On n'aurait rien vérifié, compléta-t-il pensivement. On n'aurait pas fixé les cordes.

– Et la cage se serait écrasée au fond.

– Vous pensez que le but était de tuer votre père, dit Paul sans se donner la peine de prendre un ton interrogateur.

– Je pense que quelqu'un a limé le maillon, et que ce quelqu'un devait être accepté sur le site.

Elle n'avait pas envie de parler de l'arbre à mensonge, de ses visions ni du fait que le propre père de Paul était l'un de ses trois principaux suspects.

Paul réfléchit, l'air toujours aussi impassible qu'une falaise. Il finit par esquisser un geste qui devait être un lointain parent d'un hochement de tête.

– Ça se tient, murmura-t-il. Je me suis renseigné sur les gens de la ville qui auraient pu souhaiter la mort de votre père, comme la famille de mon ami Toby qui s'est pris le pied dans son piège. Ils étaient tous chez eux cette nuit-là. Reste le champ de fouilles...

Il fronça les sourcils.

– Mr Lambent. Le docteur Jacklers. Crock, le contremaître. Stoke et Carrol. Les terrassiers. (Il ajouta en souriant d'un air sombre :) Mon père et moi.

– L'oncle Miles, ajouta Faith. Mrs Lambent. Miss Hunter.

– Ils n'auraient pas tous eu la force nécessaire, observa-t-il pensivement.

– C'est peut-être sans importance. Je crois que je sais pourquoi mon père n'a pas tiré sur son meurtrier.

Elle se rappela sa dernière vision, le dinosaure hérissé de pointes disparaissant au loin puis l'embuscade soudaine du cavalier du ptérodactyle. Tel était le message de la vision, comprenait-elle maintenant. Non pas un ennemi solitaire, mais deux.

– Je pense qu'il y avait deux assassins. L'un d'eux l'a distrait pendant que l'autre le frappait par-derrière. Un pistolet ne suffisait pas. Il aurait fallu que mon père ait des yeux derrière la tête.

Paul réfléchit puis hocha la tête avec lenteur.

– C'est lourd, un cadavre, dit-il avec l'assurance d'une longue expérience. Tant qu'on n'en a pas déplacé un soi-même, on ne peut pas l'imaginer. Si on l'a mis dans une brouette pour le transporter jusqu'à la falaise, c'était nettement plus facile à deux.

– Paul !

Levant les yeux, Faith s'aperçut que la plupart des silhouettes se pressant devant la cabane avaient disparu à l'intérieur. Seul un jeune rouquin d'environ seize ans était resté sur le seuil.

– Ils sont prêts pour le prochain chien ! cria t il à Paul. Dépêche-toi ! (Il lança à Faith un coup d'œil curieux.) Tant que tu y es, sois galant et emmène ton amie à l'intérieur, il fait tellement froid.

Il aurait été facile de répondre « non ». Cette réponse s'imposait, mais ce ne fut pas celle que donna Faith.

La cabane était mal éclairée et paraissait plus vaste, maintenant qu'elle était bondée. La proximité de tous ces corps d'hommes sembla à Faith aussi hostile qu'exotique. Leurs lourdes bottes lui donnaient l'impression d'être fragile, inutile. La plupart des assistants regardaient le centre de la salle et ne lui prêtèrent aucune attention quand elle se glissa à l'intérieur avec Paul et le rouquin.

En la voyant en pleine lumière, Paul fronça légèrement les sourcils.

– Qu'est-ce qui ne va pas avec vos yeux ? chuchota-t-il.

– Rien, dit Faith en détournant la tête.

Les autres amis de Paul s'étaient approchés et l'observaient avec une avidité circonspecte, en regardant par moments Paul d'un air impressionné. Faith n'en fut pas surprise. Ils l'avaient envoyé chercher une simple boucle de cheveux du pasteur, et voilà qu'il revenait avec sa folle de fille en personne. Heureusement, personne d'autre dans la salle ne parut la remarquer.

Même de sa place près de la porte, Faith vit qu'on avait construit avec des planches de bois un enclos d'environ deux mètres sur trois, qui occupait le milieu de la salle.

– Bessie ! annonça quelqu'un de l'autre côté de l'enclos.

La clameur qui s'éleva semblait pleine d'affection.

À côté de l'enclos, un homme soulevait un chien. Il s'agissait d'un terrier Jack Russell aux yeux brillants, dont la petite taille et l'aspect insignifiant étonnèrent Faith. Elle s'était plus ou moins attendue à un monstre au faciès plissé et aux bajoues tombantes, mesurant plus d'un mètre au garrot.

– Combien pèse-t-elle ? hurla un homme dans la foule, une montre à la main.

– Quatorze livres ! répondit le maître.

Des hommes étaient en train de vider dans l'enclos des sacs

gonflés et agités de mouvements frénétiques, tandis que la foule comptait en cœur jusqu'à quatorze. Il y avait maintenant des rats dans l'arène. Ils filaient en tous sens, cherchaient à escalader les planches, se bousculaient et tombaient les uns sur les autres dans leurs efforts pour s'échapper. Les assistants criaient le nom de Bessie avec une excitation croissante.

– Maintenant ! hurla l'homme à la montre.

Le maître de Bessie la laissa tomber dans l'arène.

Comme elle était rapide, cette petite chienne au visage hirsute ! C'était un jeu. Elle courait après un rat, l'acculait dans un coin, mordait son corps mou en le secouant puis continuait. Bondir, attraper, secouer… Une nouvelle silhouette brune gisait sur la sciure comme un minuscule sac de farine.

Les yeux de Faith devenaient comme insensibles, mais elle s'obstinait à regarder. C'était comme en ce matin affreux où elle ne pouvait détacher son regard du corps gisant sur le tapis.

Elle voulait encore du sang et des cris. Elle voulait que chaque mort éclate devant elle comme une petite fusée noire de feu d'artifice. Elle voulait que ce soit important. Autour d'elle, la foule rugissait, mais la tuerie elle-même était douce, paisible et prosaïque. De la vie à la mort, de la vie à la mort, sans plus de drame que si l'on retournait une courtepointe.

– Il reste trente secondes ! hurla la voix.

La chienne était si mignonne ! Si professionnelle ! Mais Faith ne voyait que ses dents, maintenant. Elle n'était qu'une mâchoire garnie de dents.

– Rien que des dents ! dit Faith en riant.

Dans le tumulte, personne ne l'entendit. Tout le monde criait à tue-tête. Toute cette viande qui hurlait, riait. Cette viande à laquelle n'était concédé qu'un bref instant de vie. Et qu'était la vie ? Des dents. Des dents, un estomac et une impulsion aveugle et stupide derrière les yeux, enjoignant à la viande de tuer et de manger d'autres viandes.

Et les os tombaient par terre, et d'autres os tombaient dessus, encore et encore, jusqu'au moment où ils formaient des collines, des falaises d'ossements. Mort sur mort sur mort sur mort. Et des bipèdes déterraient les vieux os et s'en émerveillaient. Puis ils mouraient à leur tour et gisaient là, comme des rats sur la sciure, en attendant de devenir à leur tour de vénérables ossements.

– Quatorze morts ! Reprise !

On récupéra Bessie, puis des hommes se penchèrent sur les barrières en poussant les rats avec des bâtons pour voir s'il restait en eux un frémissement de vie.

Quelqu'un tirait sur la manche de Faith. Elle entendit une voix à son oreille.

– Venez !

C'était Paul. Paul Clay.

– Non, dit Faith. Je veux voir le spectacle. C'est amusant. Laissez-moi regarder.

Elle se sentait étourdie. Elle songea à sa vision, au mégalosaure mordant inlassablement ses proies, aux corps élégamment vêtus s'effondrant, décapités.

Paul Clay la tirait par le bras, maintenant, et elle le laissa l'entraîner hors de la cabane, car qu'est-ce que cela changeait ? Elle voyait encore la scène, elle la regardait encore, tout recommençait dans l'obscurité dès qu'elle fermait les yeux.

Savoir que rien n'importait était libérateur. Elle avait une impression d'espace, comme si le ciel s'était dissipé et qu'elle avait découvert que la terre et la mer étaient faites de fumée. Rien que de la fumée. Elle-même était fumée. Son corps lui semblait chaud, léger, aérien.

– Asseyez-vous, dit Paul.

– Inutile, assura Faith.

Si elle l'avait voulu, elle se serait envolée.

– Asseyez-vous donc, insista-t-il.

Et elle obéit, autrement il n'aurait cessé de répéter ces mots, et qu'est-ce que cela aurait changé ?

– Si vous avez besoin de vomir...

– Vomir ? Je ne suis pas malade !

– Vous êtes blanche comme du papier et quelque chose ne va pas avec vos yeux.

– J'ai les yeux de mon père.

Faith avait du mal à se retenir de rire. Paul Clay ignorait combien c'était drôle, et cela rendait tout encore plus drôle.

– Pourquoi êtes-vous venue ici ? demanda de nouveau Paul, d'une voix où l'exaspération se teintait de désespoir.

– J'ai besoin que vous fassiez quelque chose pour moi, avoua Faith. Votre père a modifié une photo de vous en collant la tête d'un petit garçon à la place de la vôtre. Seriez-vous capable d'en faire autant ?

– De façon que ça ait l'air naturel ? (Il fronça les sourcils en lui jetant un regard méfiant.) Ce n'est possible que si les deux parties sont d'apparence et de proportions identiques.

Faith prit son carnet et en sortit sa précieuse et unique photographie de son père. Elle la regarda avec un pincement de cœur puis la tendit à Paul.

– Découpez la tête de mon père, dit-elle. Collez-la sur quelqu'un d'autre dans l'une des photos des fouilles. Il faut qu'on ait l'impression que mon père hante le site, qu'il les poursuit tous.

– Pourquoi ?

– Je veux faire peur au meurtrier.

– Non.

La voix de Paul était catégorique.

– Pourquoi non ?

Vous êtes folle ou quoi ? Ces photos ne sont peut-être qu'un jeu de société pour vous, mais nous avons besoin de l'argent qu'elles procurent ! Mon père ne veut pas en convenir, mais c'est la vérité. Si on commence à raconter que nous nous servons des visages de défunts pour faire des farces, qui voudra être notre client ?

– Vous avez accepté de parier que vous couperiez une mèche des cheveux de mon père ! Eh bien, maintenant je vous mets au défi de découper son visage !

– Vous pourriez aussi me mettre au défi de sauter de la falaise ! rétorqua-t-il. Vous-même, vous ne seriez pas prête à tenir n'importe quel pari.

– Vraiment ? lança-t-elle en bondissant sur ses pieds. Parions ! Mettez-moi au défi de faire n'importe quoi. Et si je le fais, vous devrez fabriquer la photographie.

Ils se regardèrent fixement et Faith sentit que leur conversation, cette fois encore, les menait à un abîme de folie et d'imprudence.

– Sortez un rat de ce sac, à mains nues, dit Paul en désignant un sac par terre.

Il était solidement attaché et Faith le vit bouger. Trois silhouettes rondes se débattaient en tous sens à l'intérieur. Paul parut effrayé par ses propres paroles.

– Attendez… lança-t-il.

Faith s'accroupissait déjà près du sac et dénouait la corde solide. Elle regarda Paul de nouveau, puis plongea une main dans le sac.

Elle sentit sous ses doigts une fourrure rêche, et une agitation convulsive qui la fit tressaillir. Des moustaches la chatouillèrent furtivement, des griffes minuscules frôlèrent sa peau. Elle tendit sa main vers la masse mouvante et la referma sur une créature ronde et poilue. Cette boule molle se démenait avec affolement sous la main de Faith, qui devait faire appel à toute sa volonté pour ne pas la lâcher.

Elle sentit une douleur aiguë à la base de son pouce, quand des dents invisibles se plantèrent dans sa chair. Son bras frémit, mais elle tint bon. Elle ne put s'empêcher de sourire devant l'horreur mêlée de fascination qui se peignait sur le visage de Paul.

– Arrêtez !

Paul tomba à genoux à côté d'elle et arracha sa main du sac. Le rat lui échappa et s'enfuit dans les broussailles assombries. Le sac ouvert s'affaissa et ses compagnons l'imitèrent en hâte.

– Pourquoi m'avez-vous arrêtée ? s'écria Faith avec fureur. J'avais le rat ! Vous ne pouvez pas dire que j'aie échoué !

– Il vous a mordue ?

Paul retourna la main de Faith. Elle avait deux petites plaies rouges et profondes à la base du pouce.

– Qu'est-ce que ça peut faire ? hurla Faith. Vous vouliez que je souffre, sans quoi vous ne m'auriez pas lancé ce défi.

– Je voulais vous voir reculer ! explosa-t-il. Rien qu'une fois !

– Donnez-moi un autre sac de rats !

– Non !

Paul se prit la tête dans les mains, ferma un instant les yeux et soupira.

– Vous avez gagné. Vous aurez votre photographie. Mais... c'est terminé avec les rats. (Il jeta un regard éperdu au sac vide gisant par terre.) Nous devrions partir avant que le preneur de rats revienne et découvre que ses marchandises ont disparu.

Sa voix était redevenue presque normale. Il l'accompagna jusqu'à la route. Elle refusa qu'il l'accompagne plus loin, car elle n'avait pas envie qu'il voie l'ouverture menant à la caverne de l'arbre à mensonge.

– Je ne voulais pas... commença-t-il.

Il n'acheva pas sa phrase et secoua la tête.

– Lavez la plaie, se contenta-t-il de dire. On peut mourir d'une morsure de rat.

Faith s'éloigna sans se retourner. Elle ne pouvait lui expliquer ce qu'elle éprouvait. La morsure du rat avait été douloureuse, mais cela ne l'avait pas dérangée. Étrangement, la douleur avait été un soulagement, de même que parler avec ce garçon qui la détestait.

27
Le silence comme poignard

Faith marchait depuis environ cinq minutes quand elle entendit derrière elle des pas crissant sur le gravier. Sa première pensée fut que Paul l'avait suivie. Jetant un coup d'œil par-dessus son épaule, elle aperçut deux silhouettes, mais aucune n'était celle de Paul. C'étaient ses amis, les deux garçons plus âgés qu'elle avait vus à la porte de la cabane.

– Ralentissez, voyons ! cria le rouquin. N'ayez pas peur !

Cette voix lui disant de ne pas avoir peur, dans ce paysage dénudé au clair de lune, donna envie à Faith de courir. Toutefois les garçons seraient plus rapides, car ils ne s'empêtreraient pas les jambes dans une jupe.

Ils la rattrapèrent et l'encadrèrent, en marchant à environ deux mètres d'elle.

– Vous ne devriez pas marcher seule dans la nature, dit le rouquin. Et si nous vous raccompagnions chez vous ? Nous sommes des amis de Paul. Avec nous, vous êtes en sûreté.

Cette proposition était assez naturelle. Peut-être même partait-elle d'une intention charitable. Le rouquin souriait, mais son regard luisait d'une curiosité glacée. Faith comprit qu'il n'agissait pas par gentillesse, avant même d'avoir surpris le regard de conspirateur qu'il échangea avec son compagnon. Elle tenta d'accélérer le pas, mais ils n'eurent pas de peine à rester à sa hauteur et elle reprit bientôt une allure normale.

– Nous ne pouvons pas vous laisser seule, Miss, insista le second garçon, qui avait les cheveux filasse, un nez épaté et des yeux attentifs. La galanterie nous l'interdit.

– Nous voulons seulement vous parler, ajouta le rouquin.

Faith glissa une main dans sa poche et ouvrit discrètement le canif de son père. Elle n'était qu'un rat entre deux chiens, mais elle pouvait mordre. « Ils ont l'avantage du nombre, se dit-elle avec un calme étrange, et ils sont assurément plus grands et plus forts. Mais si je donnais à l'un d'eux un coup de couteau, je crois que l'autre aurait une peur bleue. »

– Vous pourriez nous raconter des choses, continua le rouquin. Parlez-nous comme à notre ami Paul. Nous sommes tous amis, pas vrai ?

Après un instant d'hésitation, Faith hocha la tête, le visage inexpressif, hébété. Paul leur avait dit qu'elle était toquée, et c'était un rôle qu'elle savait jouer. Si elle leur paraissait stupide, toute action soudaine de sa part les prendrait par surprise.

– Nous avons tous été très tristes d'apprendre ce qui est arrivé à votre père, assura le rouquin sans prendre la peine de cesser de sourire. Et nous nous demandions…

– … ce qu'il avait fait de sa part du trésor, termina le filasse.

Le rouquin poussa un sifflement désapprobateur et Faith surprit le coup d'œil éloquent qu'il lança à son compagnon.

– Ne faites pas attention à mon ami, dit-il en hâte. Il a eu la tête écrasée par une roue de charrette hier et son cerveau n'est pas encore bien remis. Nous nous demandions juste… si le trésor était en lieu sûr. Ou… si vous auriez envie que nous vous le transportions dans une meilleure cachette.

– Ils ne lui ont jamais donné de trésor, répliqua Faith d'une voix rêveuse, enfantine.

Se tournant vers le rouquin, elle regarda fixement son oreille gauche.

– Est-ce pour cela qu'il était en colère ?

– Votre père était en colère ?

Le rouquin semblait déconcerté mais captivé, et Faith se rendit compte qu'il se jetterait sur tout ce qu'elle lui dirait.

– Je… je crois, dit-elle. Je… ne me souviens pas.

– Qu'est-il arrivé au trésor, alors ? demanda le filasse, dont la subtilité n'était manifestement pas le fort. Vous avez été sur le champ de fouilles. Le grand trou dans le sol… Vous n'avez vu personne avec des pièces de monnaie ? Peut-être dans un sac ?

– Non, murmura Faith. Seulement le coffre.

L'intérêt des deux garçons était à son comble. Elle commençait presque à s'amuser.

– Je ne sais rien du coffre ! ajouta-t-elle aussitôt en secouant frénétiquement la tête. Je ne l'ai jamais vu. Je n'ai rien vu ! Je ne l'ai pas vu donner le coffre.

– À qui ? À qui a-t-il donné le coffre ? la pressa le rouquin.

– Mr Lambent ? suggéra le filasse en tentant sans grand succès de modérer sa voix.

Sans les contredire, Faith baissa les yeux sur le bas de sa robe. Elle regardait son mensonge grandir, sans autre aliment que des allusions et des non-dits, et prendre sous ses yeux une forme nouvelle. Le silence lui-même pouvait devenir une arme aussi efficace et cruelle qu'un poignard.

– Nous sommes au courant du coffret de Mr Lambent, assura le rouquin avec un empressement peu convaincant. Vous pouvez nous en parler. À qui l'a-t-il donné ?

Il dévisagea Faith.

– À Mr Clay ? À Mr Crock ?

Il se tut un instant, puis ses yeux brillèrent sous l'effet d'une inspiration soudaine.

– Ou était-ce une dame ? Une dame brune ?

– Vous voulez parler de Miss Hunter ? demanda Faith, étonnée.

Elle ne voyait personne d'autre correspondant à cette description.

– Nous savons qu'elle se rend sur le champ de fouilles, dit le filasse avec un ricanement. Et nous savons pourquoi.

– Pourquoi ?

Faith était sincèrement intriguée. Les visites de Miss Hunter sur le site l'avaient laissée perplexe. Même si la receveuse des postes était amie avec Mrs Lambent, il aurait certainement été plus commode d'aller la voir à The Paints.

– Eh bien, nous ne devrions pas parler de ce genre de chose devant une demoiselle respectable comme vous, déclara le rouquin. À moins que… Nous pourrions conclure un marché. Nous vous parlons de Miss Hunter, et vous nous parlez du coffre. D'accord ?

Faith hocha la tête avec lenteur.

– C'est un secret de polichinelle, reprit le rouquin avec une joie mauvaise. Miss Hunter a un amoureux secret. Elle n'aime pas les violettes confites, mais elle en commande à chaque courrier. Elle sort seule dans son cabriolet à toute heure du jour et de la nuit, et elle prend la route du nord, en s'éloignant de la ville. Cette route ne mène pas à beaucoup d'endroits.

C'était vrai. Elle ne menait qu'à Bull Cove, au champ de fouilles et à The Paints.

– Et parfois, dit le filasse avec délectation, on voit un signal en provenance de la tour du télégraphe. Une lumière clignotant au soleil. (Il fit mine de faire pivoter un objet imaginaire.) Un miroir, expliqua-t-il.

– On raconte que Mrs Lambent va sur le champ de fouilles parce qu'elle sait que Miss Hunter y vient, ajouta le rouquin avec un clin d'œil. Elle surveille le poulailler, au cas où le renard entrerait.

– Miss Hunter a refusé au moins dix fois d'épouser le docteur Jacklers, observa le filasse. Elle a une meilleure affaire en vue. Mrs Lambent n'est pas éternelle, à ce qu'on dit.

Faith se rappela que Lambent, cet homme incapable de rester assis une minute, renonçait à sa bougeotte et à sa paléontologie pour prendre le thé avec Miss Hunter lorsqu'elle venait en visite. Il semblait difficile d'imaginer qu'on puisse avoir une histoire passionnée avec cette femme replète et narquoise, qui ressemblait à une poule d'eau, mais cela pouvait expliquer les visites aussi bien de Miss Hunter que de Mrs Lambent sur le champ de fouilles.

La vision de Faith suggérait que les meurtriers étaient deux. En y réfléchissant, elle se dit qu'ils pourraient être plus que des alliés – des amants. Derrière les impulsions tumultueuses de Lambent, il y avait peut-être les mains dodues et soignées d'une femme qui tirait les ficelles.

Faith prit aussi conscience d'un fait nouveau. Miss Hunter, avec sa ruse et sa finesse, était une force avec laquelle il fallait compter sur l'île, mais elle n'était guère aimée. On ne pouvait se méprendre sur la joie méchante dont vibrait la voix des garçons. Cette femme avait monté les habitants de l'île contre la famille Sunderly. Faith avait maintenant l'occasion de lui rendre la pareille.

– Je n'étais pas censée le voir, dit-elle d'un ton toujours hébété. Ce n'était qu'un vieux coffre. Ensuite, Miss Hunter est partie bien vite dans son cabriolet.

Les garçons échangèrent un regard excité.

Le terrain devenait plus accidenté et parsemé de buissons bas. Faith reconnut celui qui cachait l'entrée de la caverne. Elle ralentit, finit par s'arrêter, puis se retourna en regardant la route d'un air ébahi.

– Qui nous suit, là-bas ? demanda-t-elle en pointant le doigt devant elle.

Les deux garçons sursautèrent et scrutèrent l'obscurité. À cet instant, des nuages passèrent devant la lune, plongeant brièvement dans l'ombre le promontoire.

Faith s'élança.

Elle courut jusqu'à la hauteur la plus proche et se cacha au milieu des buissons, avant même que s'élèvent les cris confus des garçons. Elle les entendit parcourir le gazon en tous sens. Ils l'appelèrent, la supplièrent. Puis ils finirent par s'immobiliser, et elle n'entendit plus que leur souffle haletant.

– Je crois qu'elle est allée se jeter du haut de la falaise!

– Nous devrions peut-être descendre voir?

– À quoi bon? Si elle a sauté, nous ne pourrons pas recoller les morceaux. Filons!

Après le départ des garçons, Faith sortit des broussailles, s'avança sur l'herbe frissonnante et écarta le buisson dissimulant l'entrée du réseau souterrain. La lanterne brillait encore en contrebas. Guidée par sa lumière, elle descendit des pentes en glissant, se faufila entre des crevasses, jusqu'au moment où elle rejoignit la vaste caverne de l'arbre à mensonge.

Il l'attendait.

Elle était sûre qu'il avait encore grandi, depuis la dernière fois qu'elle l'avait vu. À présent, elle se sentait épuisée, mais elle avait l'impression d'être rentrée chez elle.

Un sarment descendant en formant une boucle lui rappela une escarpolette fleurie qu'elle avait vue dans un tableau. Elle s'y assit tout naturellement. Le sarment craqua, mais accepta de la porter. Faith tendit les bras des deux côtés, en caressant du dos de ses mains le feuillage frais et noir, puis elle s'adossa aux tiges entrecroisées et ferma les yeux.

L'écho de la mer était assourdissant. Elle y entendait bien des sons: les grondements du mégalosaure dans son rêve, les hurlements dans la cabane et les chuchotements hostiles dans l'église. Par moments, il lui semblait entendre son propre nom, déformé et estropié, comme si une voix inexpérimentée s'entraînait à le prononcer.

Elle avait déjà choisi son mensonge.

– Le trésor des contrebandiers n'est plus dans la grotte, dit-elle à l'arbre. Mr Lambent l'a donné à sa maîtresse, Miss Hunter.

Les gens étaient des animaux, et les animaux n'étaient qu'une mâchoire garnie de dents. Être le premier à mordre, et mordre souvent. C'était le seul moyen de survivre.

28
Les yeux révulsés et la peau déchiquetée

Faith s'éveilla dans, ou plutôt sur son lit. Elle portait toujours ses vêtements de deuil et se sentait une nouvelle fois malade, exténuée. Dans son hébétude, elle se rappela avoir ramé jusqu'à la plage et monté l'escalier en chancelant dans l'obscurité, avant de s'effondrer sur son lit.

Le souvenir de ses aventures nocturnes se déroula lentement, pareil à une tapisserie macabre. C'était comme une fantasmagorie. Chevaucher des dinosaures, se faire attaquer par un ptérodactyle, assister à un concours de ratiers, plonger sa main dans un sac rempli de rats…

Une douleur lancinant sa main attira son attention. Elle découvrit à la base de son pouce deux trous profonds, dont la couleur violacée contrastait sinistrement avec la peau blanchâtre autour d'eux. Les regardant avec stupeur, elle se souvint de la morsure douloureuse du rat, de la brûlure de l'eau salée où elle avait lavé plus tard les plaies.

Elle avait vraiment assisté au concours de ratiers. On l'avait vue là-bas, jeune fille isolée dans une foule d'hommes. Elle s'était sentie pleine d'assurance et de lucidité sous les étoiles, mais à présent, elle était au bord du malaise à la pensée des risques qu'elle avait pris. Les commérages allaient certainement se déchaîner, et c'en serait fait de sa précieuse invisibilité. De nouveau, son esprit se démena comme un rat cherchant désespérément une issue pour s'échapper. Elle devrait tout nier en bloc, ou prétendre qu'elle était allée se promener et s'était perdue.

Elle mourait de soif. Alors qu'elle buvait à longs traits l'eau à même sa bouteille, une pensée terrible lui vint soudain. Elle ne se souvenait plus quand elle avait rempli le bol d'eau du serpent pour la dernière fois.

Elle ôta précipitamment l'étoffe recouvrant la cage. Le serpent était lové au milieu des chiffons, comme toujours, mais les taches blanches et dorées sur ses écailles noires semblaient ternes.

– Non!

Faith ouvrit la porte de la cage, versa en hâte de l'eau dans le bol et caressa avec douceur le serpent. À son grand soulagement, il remua. Cependant, quand sa tête apparut, elle s'aperçut que ses yeux étaient voilés par une membrane translucide.

– Ne meurs pas! Ne m'abandonne pas! Je suis tellement désolée!

Quand il se glissa sur son bras pour s'enrouler autour de ses épaules, elle eut l'impression que les écailles étaient comme du papier sur sa peau.

On frappa discrètement à la porte.

– Excusez-moi, Miss, dit Mrs Vellet à voix basse. Si vous voulez prendre votre petit déjeuner avec votre frère à la nurserie…

– Mrs Vellet!

Dans son affolement, Faith ouvrit grand la porte.

– La souris que vous m'avez donnée pour le serpent voilà quelques jours… comment était-elle morte? Pourrait-elle avoir avalé du poison?

La gouvernante fut un peu déconcertée par l'apparition soudaine de Faith parée d'un serpent, mais elle garda son sang-froid.

– La souris était dans un piège, déclara-t-elle en regardant le serpent d'un air incertain. Il me paraît peu probable qu'elle ait été empoisonnée, mais j'imagine que c'est possible.

– Il ne va pas bien… Regardez!

Faith souleva l'avant du serpent pour que Mrs Vellet puisse voir ses yeux laiteux.

– Vous n'auriez pas quelque chose dans l'armoire à pharmacie pour le faire vomir?

Mrs Vellet la regarda en fronçant les sourcils.

– Miss… qu'est-il arrivé à votre main?

Faith était tellement inquiète pour le serpent qu'elle avait complètement oublié de cacher les traces de morsure.

– Il y avait un rat derrière la grange! expliqua-t-elle en hâte. C'est… c'est sans importance pour l'instant!

– Cette plaie réclame plus de soins que votre serpent, déclara Mrs Vellet avec une fermeté inattendue.

– Mais…

– Il est en train de muer, Miss, dit la gouvernante d'un ton patient. Rien de plus.

Faith resta bouche bée. Elle se sentait stupide. Bien entendu, elle savait que les serpents muaient, mais cette explication ne lui était pas venue à l'esprit. Sa seule pensée avait été que le serpent se mourait et allait l'abandonner. Le soulagement la rendait presque malade: elle n'avait pas tué le serpent.

Quinze minutes plus tard, Faith, sans serpent et dans ses vêtements de jour, se retrouva assise au petit salon pendant que Mrs Vellet ouvrait l'armoire à pharmacie.

La gouvernante tint la main de Faith avec une fermeté non exempte de douceur, en tapotant la plaie avec un linge trempé dans un liquide piquant. Une odeur âcre d'alcool se répandit. Faith s'efforça de ne pas tressaillir et détourna les yeux de la morsure pour regarder l'armoire, qui paraissait remplie de bouteilles.

– On croirait un buffet à liqueurs, dit-elle.

– C'est ce que voulaient les dames malades. (Mrs Vellet regarda les bouteilles par-dessus son épaule.) Vous seriez surprise des remèdes qu'elles y trouvaient. Du cognac pour stimuler le cœur. De la liqueur de cerise contre la fatigue. Oh, et il paraît que n'importe quoi mélangé avec de l'eau tonique est un médicament contre la malaria.

– Il y a beaucoup de malaria, par ici ? demanda Faith d'un ton dubitatif.

– Je n'en ai jamais entendu parler, Miss, mais je suis sûre que les dames malades savaient ce qu'elles faisaient.

Le visage de la gouvernante était impassible, mais sa voix était légèrement ironique.

Puis Mrs Vellet fronça les sourcils. Elle regarda fixement la fenêtre derrière Faith.

– Que Dieu nous protège, murmura-t-elle. Qu'est-ce que c'est ?

En se retournant, Faith n'aperçut qu'une tache grisâtre dans le ciel, vers le sud.

– On dirait de la fumée ! s'exclama Faith.

C'était trop proche pour venir de la ville. Les bâtiments n'étaient pas nombreux, dans cette direction – l'église, le presbytère, la tour du télégraphe, le bureau de poste et la demeure de Miss Hunter. Un soupçon sinistre s'insinua en elle. Mrs Vellet fixait la fumée d'un air sombre. Elle semblait se livrer aux mêmes réflexions qu'elle.

– Retournez vous coucher, Miss Sunderly, dit-elle enfin sans regarder Faith. Il faut que vous dormiez, ou vous allez vous rendre malade. Prythe va porter des lettres au bureau de poste ce matin. Il saura ce qui ne va pas.

Cédant à son épuisement et à l'insistance de la gouvernante, Faith regagna son lit en chancelant. Elle était certaine de ne pouvoir trouver le sommeil – et s'endormit presque immédiatement. Elle rêva qu'elle était au petit salon, à boire du thé en tentant de cacher les sarments qui s'échappaient sournoisement de ses manches et de son col. Miss Hunter se tenait assise en face d'elle dans un fauteuil à bascule, la peau semblable à du papier, les yeux terrifiés derrière la membrane blanchâtre qui les recouvrait.

Faith fut réveillée par des murmures semblant si proches qu'ils auraient pu provenir de sa propre chambre. Il lui fallut quelques instants pour comprendre que cette conversation assourdie se tenait dans l'escalier des domestiques. Sortant péniblement du lit, elle courut coller son oreille contre le mur.

– ... prend pour proie un esprit humain.

Il lui sembla reconnaître la voix de Prythe, choisissant comme toujours ses mots avec un soin solennel.

– Et vous, pensez-vous que nous subissions une malédiction ?

– Je pense qu'il y a autant de malédictions que de licornes dans cette maison, répondit sèchement Mrs Vellet.

– Jeanne se croit maudite.

Il y eut un long silence.

– Comment va-t-elle ? demanda la gouvernante.

– Mal, et ça ne cesse d'empirer, même dans l'église. Elle n'arrive pas à manger ni à dormir. Elle fait des cauchemars et se sent gelée. Certains disent qu'elle se meurt.

– Certains disent beaucoup de sottises, et j'espère qu'ils ne les disent pas à portée des oreilles de Jeanne. Je ne voudrais pas qu'elle se mette cette idée dans la tête...

Les voix s'éloignèrent.

Jeanne n'était pas mourante, se dit Faith. Bien sûr que non. Il n'y avait pas de malédiction. C'était simplement l'imagination de Jeanne qui lui jouait des tours, l'effet de sa peur continuelle, de ses insomnies, de son manque d'appétit et de ces nuits qu'elle passait dans l'église glaciale...

Un malaise s'insinua en Faith. L'espace d'un instant, elle regretta de ne pouvoir se débarrasser d'elle-même comme d'une peau de serpent, afin de se muer en une personne nouvelle.

On était au milieu de l'après-midi. Faith avait manqué le déjeuner, mais quelqu'un – sans doute Mrs Vellet – avait déposé devant sa porte une collation sur un plateau.

En descendant l'escalier, elle trouva Myrtle dans le vestibule, où elle faisait les cent pas, agitée et irritable.

– Faith ? Où étais-tu donc passée ? (Elle n'attendit pas que Faith réponde, ce qui valait aussi bien.) Il faut que tu t'occupes de ton frère. Il a été insupportable, ce matin !

– Mais je dois me rendre au champ de fouilles avec l'oncle Miles pour faire des croquis ! s'exclama Faith.

– Cet horrible endroit où les chaînes se cassent et les gens jettent des pierres ? Non, Faith, je n'aurais jamais dû t'autoriser à t'y rendre. Et de toute façon, ton oncle est parti là-bas ce matin à la première heure. Apparemment, ils sont sur le point de pénétrer dans la caverne la plus basse. Ton oncle ne voulait rien manquer.

C'était un coup pour Faith, qui souhaitait plus que jamais surveiller les gens du site.

– Du reste, j'ai besoin de toi ici pour garder Howard. Il a écrit dans la nurserie, qui est toute barbouillée d'encre, et il n'a pas mis sa veste bleue ! Tu sais qu'il doit toujours la porter quand il écrit ! Dans quelques années, il ira à l'école... (Elle s'interrompit et porta la main à son front.) L'école... murmura-t-elle, comme si cette pensée l'affligeait.

– Je suis désolée, dit Faith, mais la dernière fois que je lui ai mis cette veste, il a tellement pleuré...

– Laisse-le donc pleurer ! explosa Myrtle. C'est pour son bien ! La suite sera mille fois pire pour lui si nous l'encourageons dans cette phase ! On se moquera de lui à l'école, et il recevra des coups de baguette sur les doigts. Et cela comptera quand il commencera à faire son chemin dans le monde. S'il ne tient pas correctement ses couverts, personne ne l'invitera nulle part ! L'avenir de Howard est en jeu ! Son avenir...

L'air égarée, elle ne termina pas sa phrase.

Faith se mordit les lèvres.

– Et s'il ne s'agit pas d'une simple phase ? demanda-t-elle.

– Faith, ton frère n'est pas gaucher ! déclara Myrtle avec fermeté, comme si Faith venait de lancer une accusation injuste. Qu'est-ce que tu as, aujourd'hui ? (Elle fronça les sourcils et regarda sa fille avec attention.) Tu es dans un état ! Quand as-tu brossé convenablement tes cheveux pour la dernière fois ? Et pourquoi sens-tu le citron ? (Elle regarda autour d'elle dans le vestibule.) Tout est dans un état affreux ! Et le docteur Jacklers qui doit arriver d'un instant à l'autre ! (Elle jeta un coup d'œil à l'horloge.) Où est-il passé ? Deux heures de retard, et pas un mot. Quelque chose ne va pas, je le sens.

Alors qu'elle prononçait ces mots, on entendit dehors un bruit de sabots.

Myrtle poussa un soupir de soulagement.

– Enfin ! s'exclama-t-elle.

Toutefois, ce n'était pas le docteur Jacklers, mais ses excuses sous la forme d'une lettre. Il avait été retenu au chevet de Miss Hunter.

Il s'avéra que Miss Hunter avait aperçu au cœur de la nuit un groupe d'hommes rôdant non loin de sa maison. Bien qu'elle vécût seule avec une vieille servante, Miss Hunter ne s'était pas sentie menacée car il n'était pas rare de voir ainsi des rustres rentrer lentement chez eux après un concours de ratiers ou s'asseoir pour boire en haut des falaises.

Cependant, alors qu'elle s'était couchée, elle fut réveillée par un fracas et une voix criant : « Au feu ! » Elle réveilla sa servante et l'emmena au rez-de-chaussée, où elles découvrirent qu'une fumée brunâtre s'élevait de l'arrière de la maison. Miss Hunter envoya sa servante au presbytère pour demander l'aide de Clay, tandis qu'elle-même entreprenait de sortir les objets de valeur de sa maison et du bureau de poste attenant, à commencer par le précieux courrier qui lui était confié.

À l'improviste, elle se vit rejointe par des hommes qui passaient par là et avaient accouru pour l'aider à sortir ses meubles et ses autres biens, après avoir enveloppé leur visage dans des étoffes afin de se protéger de la fumée. Ce ne fut qu'en les voyant charger certaines de ses malles ou de ses meubles sur des brouettes, ou les hisser sur leur dos, qu'elle comprit qu'elle n'avait pas affaire à de bons Samaritains. Elle les avait invectivés, puis tenté d'arracher son coffret à bijoux des mains d'un de ces étranges sauveteurs. Il l'avait repoussée si brutalement qu'elle était tombée en arrière. Sa tête avait heurté le coin du mur, et elle avait perdu connaissance.

« Nous essayons d'établir s'il y a une fracture crânienne ou une hémorragie interne », disait la lettre du docteur Jacklers. Il semblait avoir perdu son enthousiasme coutumier pour les crânes et son mépris pour ceux des femmes.

Faith songea aux allusions qu'elle avait laissées tomber en haut de la falaise. Elles paraissaient si infimes, si impalpables. Mais les deux garçons devaient avoir couru à la cabane du concours de ratiers, où ils avaient mis au courant des insinuations de Faith ces hommes déjà surexcités et sérieusement éméchés, alors qu'ils n'étaient qu'à guère plus d'un kilomètre de chez Miss Hunter. Les autres mensonges de Faith avaient été des fusées à retardement, mais celui-ci avait projeté une étincelle droit sur un baril de poudre.

Myrtle ne lut pas à haute voix la dernière partie de la lettre du médecin. Elle resta immobile, frissonnante dans sa robe bien coupée, tandis que son visage rougissait au-dessus de son tour de cou en velours.

Faith la regarda avec appréhension, en se demandant s'il était question d'elle dans cette lettre. « On pense que cette agression est la conséquence des bruits scandaleux répandus par votre fille, alors qu'elle s'ébattait dans un bouge voué à des passe-temps sanguinaires... »

Toutefois, quand Myrtle leva les yeux, elle ne sembla pas la voir mais fixer le vide d'un air sombre et préoccupé.

– Le docteur nous remercie de l'avoir aidé dans son enquête, lança-t-elle abruptement. Il s'excuse ne nous avoir dérangés pendant cette période douloureuse. Il s'efforcera de ne plus abuser de notre patience à l'avenir.

– Qu'est-ce que cela veut dire ? demanda Faith.

– Cela veut dire que nous ne reverrons pas le docteur Jacklers, répondit Myrtle d'un ton désinvolte mais chargé d'amertume. Il est en train d'arracher Miss Hunter à la mort et s'imagine sans doute que cet épisode améliorera ses chances avec elle. Il se pourrait même qu'il ait raison, si le cerveau de la malheureuse ne sort pas indemne de cette aventure.

Faith sentit que la lettre contenait autre chose, que Myrtle avait passé sous silence. Apparemment, les avances déplacées du médecin avaient pris fin à l'improviste. Faith aurait voulu en éprouver du soulagement, mais quelque chose dans l'expression de sa mère l'emplissait d'appréhension. Myrtle n'était pas belliqueuse ni véhémente, comme elle l'aurait été si elle avait été blessée dans sa vanité. Son visage était dur, profondément las, et, pour une fois, elle faisait presque son âge.

Voyant que Howard n'en pouvait plus d'ennui, Faith l'emmena au jardin avec le vieux jeu de croquet de la famille et ficha les arceaux dans la terre rebelle. L'herbe était trop haute et les boules rebondissaient où bon leur semblait. Howard riait quand Faith oubliait le score et que les boules se cachaient dans l'herbe ou se terraient dans des trous. Au bout de deux heures, Mrs Vellet leur apporta leur dîner pour qu'ils le prennent sur le gazon, comme un pique-nique.

Pendant qu'ils jouaient, Faith marchait à côté de Howard comme une somnambule, en imaginant des fractures crâniennes sous la chevelure brune et soignée de Miss Hunter. Elle voyait la jeune femme s'agiter dans son délire, ou réduite à l'état d'une faible d'esprit baveuse.

« C'est ce que tu voulais », disait une voix en elle. Même s'il s'agissait de sa propre pensée, elle avait vraiment l'impression de l'entendre. « Tu voulais te venger d'elle, c'est fait. » Mais elle n'en était nullement heureuse.

– C'est peut-être une meurtrière, murmura-t-elle.

Pressant sa tête dans ses mains, elle se força à réfléchir. Si elle avait bien interprété sa vision, il y avait deux assassins. On racontait que Miss Hunter avait une aventure avec Lambent. Miss Hunter sortait à toute heure du jour et de la nuit, et Lambent prétendait avoir des insomnies, ce qui lui donnait un prétexte commode pour être dehors à des heures indues. Ils pouvaient se rencontrer en secret. Il était possible qu'ils aient une liaison.

Faith ignorait pourquoi ils auraient voulu tuer son père, mais Lambent avait écrit à l'oncle Miles pour inviter le pasteur à Vane, et Miss Hunter avait été d'emblée hostile à la famille Sunderly.

« Tu dois te montrer impitoyable, dit la voix en elle. Tu es allée trop loin pour reculer. »

– Pouvons-nous faire une autre partie ? demanda Howard pour la vingtième fois en surgissant à côté d'elle.

– Tu devrais en avoir assez, maintenant ! s'exclama Faith, même si elle lisait sur son visage que ce n'était pas le cas.

Elle l'enviait. Y avait-il eu un temps où elle pouvait jouer inlassablement au même jeu sans cesser de s'amuser, et sans penser à rien d'autre ? Peut-être avait-elle perdu ce don, à moins qu'elle ne l'ait jamais eu.

Regardant autour d'elle, elle s'aperçut que le ciel s'assombrissait et qu'un halo couleur de pêche s'effaçait à l'occident. Il devenait plus difficile de distinguer sur l'herbe les vieux arceaux en bois.

– Il commence à faire sombre, dit-elle.

Elle ne s'en était même pas rendu compte.

– Ce sera la dernière partie, How. Je suis sérieuse, cette fois.

– Tu es fatiguée ? demanda Howard en penchant la tête sur le côté. Qu'est-ce qui ne va pas ? Tu es colérique ?

Sa nurse, Miss Caudle, était souvent colérique, et Howard avait adopté ce mot.

– Non, assura Faith. Mais... j'ai mal à la tête.

– C'est le fantôme qui te rend malade ?

Le regard de Howard était inquiet, et Faith se demanda combien de conversations sur Jeanne il avait entendues.

– Non, bien sûr que non ! s'exclama-t-elle en se forçant à sourire. Tu le tiens à distance, tu te souviens ? En étant sage et en faisant tes exercices d'écriture.

Howard baissa les yeux et ses mains se crispèrent nerveusement.

– Je n'ai pas pu le faire partir, chuchota-t-il. Il est revenu.

– Non, How...

– Je l'ai vu. La nuit dernière.

Faith s'arrêta et regarda droit dans les yeux ronds et sérieux de Howard. Elle eut soudain l'impression irrésistible qu'en se retournant brusquement, elle verrait son père l'observer en silence. Cette idée aurait dû la réconforter, mais l'emplissait en fait d'une peur sournoise. Malgré tous ses efforts, elle n'arrivait pas à se le représenter plein de bienveillance et de compréhension.

– Où donc ? Où l'as-tu vu, How ?

Howard se tourna et pointa le doigt sur la serre.

– Il a allumé une lumière, dit-il tout bas. Je l'ai vu de ma fenêtre.

Prenant la main de Howard, Faith s'approcha lentement de la serre. Il avait plu dans la nuit et l'herbe était encore assez humide pour mouiller le bas de sa robe. Les vitres de la serre étaient embuées. Elle leva le loquet et entra.

Plusieurs plantes en pot avaient été légèrement déplacées. De minuscules mottes de terre fraîche étaient éparpillées çà et là. Faith découvrit une petite tache poisseuse de cire de bougie jaune.

L'effroi superstitieux de Faith céda la place à une appréhension nettement plus pragmatique. Il n'y avait pas que les fantômes qui rôdaient la nuit.

– À quoi ressemblait-il, How? demanda-t-elle doucement. Qu'as-tu vu?

– On aurait dit un homme. Dans un grand manteau noir.

– Tu as vu son visage?

Howard secoua la tête et prit un air vaguement buté.

– Il regardait dans tous les coins. Je pense qu'il me cherchait, mais il ne savait pas que j'étais en haut, à ma fenêtre. Ensuite il a fait le tour de la maison.

Faith emmena Howard hors de la serre, dans la direction qu'il avait indiquée. Elle se retrouva devant un parterre de fleurs, au pied des marches menant à son jardin en terrasse.

L'une des marches portait une grosse empreinte de pied maculée de terre.

– Reste ici, How.

Faith monta les marches. Dans le jardin, elle trouva deux autres empreintes moins nettes sur les dalles. Ici aussi, les pots avaient bougé, et les enfants de pierre se faisaient face comme pour échanger quelques mots dans leur surprise. Quelqu'un était venu ici, dans son refuge secret. Peut-être s'était-il glissé furtivement sur la terrasse pendant qu'elle dormait, à quelques pas de là. Quelqu'un avait fait des recherches, et elles l'avaient conduit à la porte de Faith.

« Mais ce n'est pas moi qu'il cherchait », se dit-elle.

Ce constat s'imposa à elle tandis qu'elle redescendait lentement les marches. Le prétendu fantôme avait fouillé la serre, les parterres de fleurs, le jardin en terrasse. Il cherchait une plante.

Elle comprenait enfin pourquoi une plante manquait dans la serre. Quelqu'un l'avait emportée par erreur dans sa précipitation, trompé par l'obscurité. La détermination de l'oncle Miles à prendre possession des papiers et des spécimens de son père prenait également une signification nouvelle.

Quelqu'un connaissait l'existence de l'arbre à mensonge et voulait s'en emparer. Son père avait eu raison de le cacher, de craindre qu'on ne vienne le chercher. Quelqu'un avait tenté de le voler, avait demandé à l'oncle Miles de l'acquérir. Quelqu'un était prêt à tout pour l'avoir.

Un arbre capable de vous révéler des secrets que personne d'autre ne connaissait, de vous donner la clé des mystères du monde. Un arbre qui pourrait dévoiler aux gouvernements les plans de leurs ennemis, aux savants les énigmes des siècles, aux journalistes les vices des puissants. Il n'était pas seulement fascinant d'un point de vue scientifique. Sa valeur et sa puissance n'avaient pas de prix.

On pourrait tuer pour une telle plante.

Le visage brûlant d'excitation, Faith reprit tous les éléments du mystère en les examinant sous un jour nouveau. L'invitation à Vane avait amené sur l'île le pasteur, mais aussi l'arbre à mensonge. Le père de Faith ne pouvait le confier à personne, et les meurtriers avaient peut-être compté sur ce fait. Elle n'avait cessé de scruter la vie de son père en tentant de découvrir qui avait pu être assez envieux, mécontent, jaloux ou vindicatif pour le tuer. Mais peut-être était-il mort simplement parce qu'il possédait une plante que quelqu'un d'autre voulait.

Et maintenant... c'était Faith qui la possédait.

Faith se figea en bas des marches. Saisie d'une autre pensée, elle regarda précipitamment autour d'elle.

Si les meurtriers cherchaient l'arbre, ils savaient probablement qu'il se nourrissait de mensonges. Des histoires de fantômes, par exemple, ou des bruits sur un trésor curieusement introuvable. Et s'ils essayaient de remonter jusqu'à l'origine du dernier commérage à propos de Miss Hunter, ils rencontreraient tôt ou tard quelqu'un qui se souviendrait que deux garçons avaient évoqué leur conversation avec une certaine Faith Sunderly...

Elle se rappela sa vision, l'instant où elle s'était aplatie sur le sol dans sa terreur. Elle n'était pas une manipulatrice toute-puissante. Elle n'était qu'une poupée en papier, qu'il serait aisé de déchirer si on la découvrait.

– Le fantôme est peut-être mort, dit Howard d'un ton plein d'espoir en la prenant par la main. Je lui ai tiré dessus avec mon pistolet.

– Oh.

Faith pensa à son petit pistolet en bois et tenta d'avoir l'air rassurée.

– C'est vrai ?

– Oui ! s'exclama Howard en agitant son bras. Bang ! Sauf qu'il n'a pas fait bang. Il y a juste eu un déclic. Mais comme le fantôme est parti, je crois que je l'ai touché.

Un déclic.

Le pistolet en bois de Howard ne faisait aucun bruit.

– Howard, dit Faith avec lenteur. Avec quel pistolet as-tu tiré sur le fantôme ?

– Le pistolet à fantôme, répondit-il aussitôt. Celui que nous avons trouvé dans les bois.

– Celui que nous...

Faith plongea son visage dans ses mains. Ils avaient exploré le vallon ensemble, en cherchant des pistolets à fantôme, mais elle avait été trop occupée à observer des traces de roue pour faire attention à Howard.

« Faith, regarde ! Regarde ça ! », avait-il crié après avoir trouvé quelque chose. Mais elle n'avait pas regardé.

– Ce pistolet est gros comme ça ? demanda-t-elle en osant à peine respirer. Il est en métal, avec une crosse blanchâtre ?

Comme Howard hochait la tête, Faith s'accroupit de façon à le regarder en face.

– Écoute, Howard. C'est un vrai pistolet. Il est dangereux. Il faut que tu me le donnes !

– Non ! (Howard lâcha sa main et recula.) J'en ai besoin ! J'en ai besoin pour le fantôme !

Faith essaya de l'attraper, mais il s'enfuit vers la maison. Elle eut beau le suivre, elle ne le trouva pas dans la nurserie.

– Monsieur Howard est-il prêt à prendre son lait ? demanda Mrs Vellet à Faith dans l'escalier.

– Presque prêt, répondit précipitamment Faith. Nous faisons juste une partie de cache-cache avant d'aller au lit.

Si elle révélait la vérité, toute la maison se mettrait à la recherche de Howard. Toutefois le pistolet serait confisqué dès qu'on l'aurait trouvé, or Faith en avait plus besoin que jamais.

– Eh bien, cela lui fera du bien, de se dépenser un peu, déclara Mrs Vellet.

La gouvernante paraissait elle-même particulièrement fatiguée et soucieuse.

Faith avait déjà repéré les diverses cachettes offertes par la maison, mais Howard était petit et pouvait se glisser dans n'importe quel recoin. En outre, le soir tombait et une petite silhouette opiniâtre pouvait plus aisément se dissimuler dans l'ombre.

– Howard ! souffla-t-elle en cherchant. Montre-toi, je t'en prie !

Alors qu'elle traversait le vestibule, elle entendit soudain un bruit étouffé dans la bibliothèque. S'approchant à pas de loup, elle regarda par le trou de la serrure.

Elle ne vit d'abord rien d'inhabituel, rien que les étagères chargées de livres faiblement éclairées par une bougie. Cependant, elle entendait des tiroirs qu'on ouvrait avec précaution, des tissus qu'on semblait déchirer, et par moments des grincements assourdis.

Puis des pas approchèrent, une ombre se profila sur les étagères. Un homme apparut et entreprit de tirer les livres un à un de la bibliothèque, en les secouant comme pour tenter d'en faire tomber des papiers, avant de les laisser tomber, probablement déçu.

Il se mit à tapoter la paroi derrière les livres, peut-être dans l'espoir de trouver un creux. Ce faisant, il tourna son visage vers la porte.

C'était l'oncle Miles.

29
Myrtle

Sa colère de voir ainsi profanés les livres de son père l'emporta sur la peur de Faith. Elle se releva, tourna la poignée et ouvrit violemment la porte.

– Oncle Miles ! Que faites-vous ?

Son oncle sursauta. Une unique bougie éclairait son visage.

– Un inventaire dans les règles… des possessions de ton père… il n'était que temps… Avec tous ces vols…

Faith regarda à la ronde. Il avait déchiré les coussins et sorti leur rembourrage. Tous les tiroirs étaient par terre. Il avait même soulevé quelques lattes du parquet.

– Mère est-elle au courant ?

– Faith ! (L'oncle Miles se mit à chuchoter :) Nous étions d'accord, toi et moi… ta mère est à bout, mieux vaut ne pas la déranger avec tout cela !

Faith contempla les lambeaux de cuir et de papier gisant aux pieds de son oncle – les précieux livres de son père, dévastés.

– Mère ! hurla-t-elle.

Elle foudroya du regard l'oncle Miles tandis que le parquet craquait au-dessus de leurs têtes. Des pas descendirent l'escalier, et Myrtle apparut dans un bruissement de crêpe.

– Seigneur, quel était ce cri ? Howard s'est fait mal ?

Rejoignant Faith sur le seuil, elle se figea.

– Miles ! s'écria-t-elle en regardant son frère avec stupeur.

– Il fallait que je prenne les choses en main, dit-il en rougissant.

– Prendre les choses en main ? lança Myrtle en s'avançant dans la pièce. Tu n'as rien à prendre ici, Miles ! Tu n'en as pas le droit ! Tout ceci appartient à mon époux ! À ma famille ! À moi !

– Il est temps que cela change, répliqua-t-il. (Il avait reculé, mais seulement d'un pas.) Myrtle, j'ai parlé à Lambent sur le champ de fouilles. Il m'a dit que le coroner devait rendre ses conclusions demain après-midi. Nous n'avons plus le temps.

Les épaules de Myrtle s'affaissèrent légèrement. Une nouvelle fois, elle parut plus vieille et fatiguée que d'ordinaire.

– Est-ce vrai ? lui demanda Faith. Le docteur Jacklers l'annonçait-il dans sa lettre ?

Sa mère hésita, puis hocha la tête.

– Et tu crois que ce bon docteur s'est entiché de toi au point de se rallier à ta version ? s'exclama l'oncle Miles.

Il regarda sa sœur avec un petit rire triste.

– Je pense que si on t'en avait donné le temps, tu aurais pu arriver à tes fins avec lui, mais c'est trop tard.

– N'en sois pas si certain. Il m'apprécie beaucoup.

Le ton de défi de Myrtle sonnait creux.

– Je n'en doute pas, mais tu lui en demandes trop ! Tu veux qu'il se parjure, ou à peu près. N'oublie pas aussi que Lambent, en tant que magistrat, décide si le coroner doit être payé. Et il refusera certainement de le payer, si son verdict est douteux. Non, ma petite, je crois qu'un homme pragmatique, raisonnable et pondéré comme le docteur Jacklers préférera s'en tenir à ses deux guinées plutôt que de tout risquer pour une veuve jolie mais imprévisible.

– Si je dois témoigner moi-même sous serment… commença Myrtle en se redressant.

– Si tu fais ça, tu récolteras des commérages, rien de plus, l'interrompit l'oncle Miles, qui n'avait plus l'air d'un cambrioleur pris en flagrant délit. Tout le monde fait déjà des gorges chaudes des visites que tu continues de recevoir depuis la mort de ton mari. Crois-tu que le jury te regardera avec bienveillance, si tu viens déposer avec une telle effronterie ? Et quels autres témoins as-tu ? Je sais que Prythe ne mentira pas pour toi, j'étais là quand il l'a dit.

– Mère, permettez-moi de témoigner ! implora Faith.

Le docteur Jacklers ne l'avait pas écoutée quand elle avait parlé de meurtre, mais il en irait peut-être autrement d'un jury. L'occasion était trop belle pour la laisser passer.

– Non ! s'exclama Myrtle d'un air à la fois irrité et horrifié. Tu n'as même pas fait ta confirmation. Ton âme est neuve et pure, Faith, il ne faut pas la gaspiller !

– Alors permettez-moi de dire la vérité ! s'écria Faith dans sa frustration. Personne ne croit en notre version, car elle est mensongère ! Nous aurions dû dire la vérité dès le début !

– Faith, va dans ta chambre ! ordonna Myrtle en rougissant.

– Non ! répliqua Faith.

Les deux adultes la regardèrent avec stupeur. Pour la première fois, Faith se demanda s'il y avait trois adultes dans cette conversation.

– Nous ne pouvions pas dire la vérité, et nous ne le pouvons toujours pas ! lança Myrtle.

Elle respirait péniblement, entravée par son corset. Ses grands yeux brillaient d'une lueur dangereuse.

– La vérité, c'est que ton père nous a abandonnés, sans penser un instant aux conséquences pour nous, sans se demander comment nous ferions pour survivre. Il a agi comme il l'a toujours fait, en n'en faisant qu'à sa tête et en laissant les autres ensuite dans le pétrin !

Faith serra les poings et sentit des larmes lui monter aux yeux. Elle aurait voulu que sa mère soit morte.

– Tu seras bel et bien dans le pétrin, si tu ne m'écoutes pas, intervint l'oncle Miles avant que Faith puisse répliquer. Myrtle, la situation s'est renversée, maintenant. C'est toi qui as besoin de moi. Pour que je prenne soin de vous tous, il faut que tu me laisses décider. Tout ce que je demande...

– C'est que nous te donnions tout, compléta Myrtle avec amertume. Tu veux tout ce que nous avons...

– J'ai trouvé un moyen de nous procurer pas mal d'argent, reprit l'oncle Miles sans se troubler. Il y a dans cette île même une personne respectable prête à verser une belle somme pour les papiers et les spécimens que ton mari a apportés ici. Pour subvenir aux besoins de ta famille, il me faudra des fonds!

– Qui est cette «personne respectable»? lança Faith.

Son oncle prit aussitôt un air ennuyé, sournois et calculateur. Faith se rendit compte qu'elle n'obtiendrait pas de réponse. L'identité de l'acheteur était l'une de ses cartes maîtresses, et il n'avait pas envie que Myrtle coure conclure elle-même l'affaire.

– Tu n'as vraiment pas le choix, insista-t-il avec douceur.

Faith vit que sa mère perdait courage.

– Mère, nous avons le choix, voyons! protesta-t-elle.

Elle devait absolument la convaincre d'empêcher l'oncle Miles de mettre la maison à sac.

– Nous avons de l'argent chez nous, et aussi à la banque, je me souviens que Père l'a dit! Il a mis une somme de côté pour que Howard aille à l'école et à l'université, et pour ma dot! Comme je ne me marierai jamais, nous pouvons vivre sur ma dot!

Myrtle la regarda fixement de ses grands yeux bleus. Une larme coula sur sa joue. Elle l'essuya machinalement. Ses épaules s'affaissèrent et elle baissa les yeux, vaincue.

– Faith, murmura-t-elle, va chercher les papiers de ton père.

– C'est toi qui les avais? s'exclama l'oncle Miles en regardant Faith d'un air accusateur.

– Laisse cette enfant tranquille, dit Myrtle d'un ton las. Je lui ai demandé de les cacher et de n'en parler à personne. Tu as gagné, Miles. Cela ne te suffit pas?

– Non, lança Faith.

Ce n'était pas un défi, comme lorsqu'elle avait refusé de sortir. Ce non glacé tomba comme une pierre dans le silence.

– Faith… dit enfin Myrtle d'un ton d'avertissement.

– Non.

Faith recula de quelques pas en secouant la tête. Elle avait songé un instant à accepter, courir à l'étage et revenir avec tous les papiers de son père, sauf les dessins des visions et son carnet intime. Mais son oncle l'aurait sans doute suivie. En outre, elle n'avait jeté qu'un coup d'œil rapide sur les autres papiers et ne pouvait être certaine qu'ils ne contenaient pas quelque révélation cruciale sur l'arbre.

– Faith, fais ce que te dit ta mère !

L'oncle Miles s'avança. Son visage rond n'avait plus rien de gentil ni de débonnaire.

– Mère, il faut qu'il nous dise qui lui a proposé de l'argent ! déclara Faith. Oncle Miles nous a menti. Il nous a amenés ici parce qu'il voulait participer aux fouilles de Vane ! Ils lui ont dit qu'il pourrait se joindre à eux s'il persuadait Père de venir. Il s'est laissé soudoyer…

Faith ne put continuer, car l'oncle Miles l'avait attrapée par le bras. Elle avait mal, et elle se rendit compte avec stupeur que c'était ce qu'il voulait.

– Tais-toi !

Il ne lui avait jamais paru aussi grand.

– Où sont les papiers ? demanda-t-il en la secouant brutalement.

Il la tenait par le cou et elle tenta de se dégager, mais il resserra sa prise, l'entraîna hors de la pièce.

– Montre-moi où ils sont !

– Miles, arrête ! cria Myrtle derrière eux.

Faith n'était pas forte, et personne n'en avait profité jusqu'alors. À présent, elle comprenait que cette menace avait toujours été là, tapie dans chaque sourire, chaque courbette, chaque égard envers son sexe. Un voile s'était déchiré, révélant la vérité dans toute sa laideur. Ses chaussures glissaient sur le sol. En bas de l'escalier, elle se prit les pieds dans sa robe et s'effondra sur les marches.

Sans hésiter, l'oncle Miles la força à se relever. Elle se retourna et le frappa de toutes ses forces. Il changea d'expression. La colère déformait ses traits. Elle comprit qu'il allait la frapper à son tour, écraser son visage comme une meringue.

– Lâche ma fille !

Il y eut un coup sec. L'oncle Miles poussa un cri, porta sa main libre à sa nuque et regarda par-dessus son épaule. Faith vit Myrtle derrière lui, un tisonnier à la main, prête à frapper de nouveau.

– Myrtle, es-tu devenue folle ?

– Lâche-la tout de suite, Miles, sinon Dieu m'est témoin que je vais t'assommer et te faire jeter dehors par les domestiques !

La voix de Myrtle s'enfla à mesure qu'elle parlait, et la fin de sa phrase résonna dans le vestibule.

L'oncle Miles regarda nerveusement à la ronde, comme s'il s'attendait à voir Prythe arriver en courant et lui donner une correction. Il déglutit. Il y eut un long silence.

– C'est ce que tu décides ? demanda-t-il.

Elle ne répondit pas mais continua de lui faire face en brandissant son tisonnier comme le fleuret d'un escrimeur.

– Dans ce cas, je me lave les mains du sort de ta délicieuse tribu, dit-il d'un ton acerbe avant de lâcher Faith.

Il esquissa un pas en direction de l'escalier, mais en voyant le tisonnier tressaillir dans la main de Myrtle il s'élança dans le vestibule, attrapa au passage son manteau et son chapeau, ouvrit la porte de la maison et disparut dans la nuit, sans même prendre la peine de refermer la porte.

Myrtle baissa son bras armé du tisonnier. Elle se dirigea vers la porte, la ferma puis retourna lentement dans le salon. Faith la suivit, encore tremblante et bouleversée.

Myrtle laissa tomber le tisonnier au milieu des autres accessoires de la cheminée. Tournant le dos à Faith, elle plongea son visage dans ses mains et ses épaules se mirent à frissonner. Faith trouva un mouchoir, s'avança, posa une main hésitante sur le bras de sa mère.

– Mère...

Myrtle s'écarta violemment, se retourna et la gifla. Pas très fort, mais Faith eut vraiment mal.

– Pourquoi as-tu refusé de lui donner ces papiers ? s'écria Myrtle d'une voix entrecoupée. Nous avions besoin de lui ! À présent... je ne vois pas ce que nous pouvons faire.

– Il a trahi Père, déclara Faith, dont la colère se réveilla sous l'effet de la surprise et de la douleur. Et nous n'avons pas besoin de lui. Nous avons...

– Nous n'avons rien, Faith ! hurla sa mère. Rien du tout ! Notre maison était le presbytère alloué au pasteur. Maintenant que ton père est mort, le nouveau pasteur touchera son traitement et s'installera dans la maison. Nous n'avons plus ni foyer ni revenu. (Elle s'interrompit, hors d'haleine.) Tu as dit que nous pourrions vivre sur ta dot, reprit-elle avec une grimace affligée. Il n'y aura pas de dot, Faith, ni d'argent pour les études de Howard. Nous n'aurons même pas de quoi nous nourrir. Si ton père était mort de mort naturelle, nous aurions ses économies... mais le suicide est un crime. Dès qu'il aura été jugé coupable de suicide, tous ses biens seront confisqués par la Couronne.

Faith la regarda avec stupeur. Elle commençait enfin à comprendre pourquoi sa mère tenait à mentir sur l'endroit où le corps avait été retrouvé, pourquoi son oncle avait fait ces remarques énigmatiques sur la nécessité de lui donner les biens de son père afin qu'ils ne soient pas perdus.

– Mais... pourquoi nous punir, nous ? C'est cruel et absurde !

– Le monde est cruel et absurde, répliqua Myrtle avec amertume. On procède ainsi pour tous les suicides, sauf en cas de folie avérée. Mais je crois qu'il est trop tard pour que je change ma version et prétende que ton père était fou. D'ailleurs, ton avenir serait compromis si les gens pensaient que le sang d'un fou coulait dans tes veines.

– Vous ne m'avez jamais parlé de tout cela, dit Faith en palpant sa joue endolorie.

On lui avait caché la vérité, et elle venait de recevoir une gifle parce qu'elle l'ignorait.

– J'avais assez à endurer sans devoir te dire de surcroît ce que ton cher père nous avait fait.

– Comment osez-vous parler ainsi de lui ? lança Faith en s'abandonnant à sa propre colère. Il ne nous a jamais abandonnés ! Il a été assommé ! On l'a assassiné !

– Qu'est-ce que tu racontes ?

La voix de Myrtle était morne et fatiguée.

– J'ai essayé de vous en parler, mais vous n'avez pas voulu m'écouter ! On l'a tué dans le vallon. On l'a frappé par-derrière, on l'a emporté sur la falaise dans une brouette et on l'a jeté dans le vide.

– Comment ? Qui ?

Myrtle fronça les sourcils. Son regard était toujours incrédule.

– Qu'est-ce que ça peut vous faire ? cria Faith.

Elle était allée trop loin, il n'était plus possible de reculer.

– Père est mort, et tout ce qui vous intéresse, ce sont vos robes, vos bijoux, vos amourettes ! Vous n'avez même pas attendu qu'il soit enterré ! Je vous ai vue ! Je vous ai vue avec le docteur Jacklers, quand Père gisait mort sur le tapis !

– Comment oses-tu ! (La voix de Myrtle n'avait plus rien d'enfantin. Elle était aussi puissante et féroce que celle d'une chatte en colère.) Crois-tu que j'agissais par vanité ? Je luttais pour la survie de ma famille, et ma beauté était la seule arme à ma disposition ! J'avais besoin que le docteur Jacklers dise que la mort de ton père était un accident. J'avais besoin que Mr Clay modifie la photo pour que nous puissions nous en servir pour faire taire les rumeurs à notre retour en Angleterre. J'ai donc joué le rôle d'une riche et jolie veuve qui comptait sur eux et pourrait peut-être un jour les épouser dans sa gratitude.

« Cette vie est un champ de bataille, Faith ! Les femmes doivent livrer bataille exactement comme les hommes. Nous n'avons pas d'armes et ne pouvons pas nous battre ouvertement. Mais nous devons lutter, ou périr.

Faith avait le visage en feu. Elle avait entendu pour la première fois la vraie voix de sa mère, dépouillée de toute minauderie. Elle était dure, laide et forte.

– Vous me dégoûtez, dit Faith.

Sa propre voix était incertaine. Elle aurait voulu que ces mots soient vrais, mais ils ne l'étaient pas.

L'espace d'un instant, Myrtle eut une expression blessée, un peu enfantine, puis la rage reprit le dessus.

– Et moi, j'ai peine à te reconnaître ! lança-t-elle en regardant sa fille comme si elle était en feu. D'où te vient cette colère ? J'ai fait tant d'efforts avec toi, Faith, mais tu ne te montrais jamais agréable. J'avais l'impression de parler à une somnambule...

– J'étais toujours bien éveillée ! l'interrompit Faith. Et toujours en colère !

– Tu me rejetais !

Les lèvres de Myrtle se mirent à trembler, et pas seulement de rage.

– Tu es comme ton père...

– Oui ! hurla Faith. Oui ! Je suis comme lui, pas comme vous ! Je tiens tout de lui, et rien de vous !

Elle se détourna et s'enfuit de la pièce, en regrettant de ne pouvoir y laisser le souvenir des paroles de sa mère.

30
Une mort minuscule

« Vous me dégoûtez. »

En montant l'escalier en trombe, Faith se couvrit les oreilles avec ses mains tant elle voulait chasser de sa tête ses propres paroles. Elle se répéta que ces mots étaient vrais, que Myrtle les méritait. Cependant, elle ne cessait de revoir en elle son expression blessée. La douleur qu'exprimaient les yeux de sa mère rappelait à Faith celle qu'elle-même avait ressentie, le jour où son père s'était acharné sur elle dans la bibliothèque.

Myrtle s'était battue sans honneur, mais elle l'avait fait pour sa famille. Comment Faith pouvait-elle prétendre donner des leçons de morale ? À ce qu'elle savait, ses propres actions avaient déjà fait plusieurs victimes.

Elle tendit l'oreille. De faibles bruits s'échappaient des appartements de Howard, des sortes de grincements et de grattements.

Arrivée sur le palier, elle tourna la poignée de la nurserie de jour, mais elle entendit de petits pas précipités. Quand elle entra, la nurserie semblait déserte. Le cahier d'écriture de Howard gisait sous la table, et sa couverture se refermait lentement. Un crayon abandonné roulait sur le plancher.

– Howard ? appela Faith.

Le silence régnait. Elle n'osa s'aventurer dans la nurserie de nuit, de peur que Howard surgisse d'une cachette et s'enfuie par la porte derrière elle.

– Montre-toi, Howard !

Silence.

– Howard, je vais sortir ton théâtre ! s'écria-t-elle, prise d'une inspiration subite.

Elle s'assit par terre et sortit le petit théâtre de la boîte à jouets.

Il y eut quelques craquements, puis une petite silhouette apparut sur le seuil de la nurserie de nuit. Howard était crasseux et donnait l'impression d'avoir pleuré.

– Ah, te voilà enfin, How !

Faith se sentit envahie d'un soulagement épuisé.

Howard s'avança d'un air intimidé. Manifestement, il s'attendait à être grondé.

– Pourquoi tout le monde criait ? demanda-t-il.

– Ne t'en fais pas, How.

Même à ses propres oreilles, la voix de Faith paraissait assourdie. Quand Howard vint s'agenouiller près d'elle, en s'appuyant lourdement contre elle, elle passa un bras autour de ses épaules.

– How, dit-elle avec douceur, il faut que nous parlions de ce pistolet.

Howard enfouit son visage dans le bras de sa sœur et secoua la tête.

– Nooon ! cria-t-il d'une voix étouffée. Nooon ! J'en ai trop besoin !

Il leva de nouveau son visage, les yeux brillants, l'air éperdu.

– Un spectacle, Faith !

Baissant les yeux sur la scène miniature, elle sentit soudain son courage l'abandonner. Elle aurait vraiment voulu réconforter Howard, mais en voyant le petit décor boisé, d'un blanc d'ossuaire, elle ne put s'empêcher de penser à la main gigantesque cherchant à découvrir sa cachette. Elle se sentait hypnotisée par l'œil mort de la lune peinte. Une terreur inattendue s'empara d'elle.

– How, chuchota-t-elle. Je... je ne peux pas. Pas maintenant.

– Je t'en prie !

Howard avait les joues luisantes, le regard hagard. Il était terrifié. Il voulait que sa sœur de nouveau ait réponse à tout. Elle songea qu'il était tout petit. Peut-être était-ce pour cela qu'il appréciait ce monde miniature, qu'il pouvait observer et contrôler.

Faith prit le bâtonnet du bouffon, qu'elle fit tournoyer. En regardant la marionnette faire des culbutes, elle songea à ses mensonges, qui mettaient les gens dans tous leurs états et parfois les jetaient par terre en leur fendant le crâne.

La langue sèche, la voix tremblante, Faith fit danser les figurines dans la forêt sans couleur, en les laissant se battre, se narguer, tourbillonner et mourir. Elle les regardait, fascinée, et ses doigts lui semblaient engourdis. Était-elle vraiment leur maîtresse ? Sa main la démangeait lorsqu'elle tenait le diable. Levant la tête vers elle, il l'observait en montrant les dents en un sourire menaçant.

– Je veux le sage, dit Howard.

Faith fit entrer sur la scène le petit sage au visage brouillé. Au moins, le spectacle semblait toucher à sa fin.

– Monsieur Howard ! lança le sage de sa voix aiguë. Que puis-je pour vous aujourd'hui ? Avez-vous une question ?

Howard jeta un coup d'œil par-dessus ses genoux, qu'il serrait contre sa poitrine. Pendant un instant, il se contenta de frotter son nez contre ses genoux.

– Est-ce ma faute, à cause du fantôme ? demanda-t-il très bas. Est-ce ma faute, parce que je n'ai pas réussi à le faire partir ? Est-ce pour ça que Jeanne est tombée malade, qu'elle est partie et qu'elle se meurt ? Et est-ce ma faute ?

Sa voix devint plus forte mais aussi plus rauque. Des larmes coulaient maintenant de ses yeux.

– Oh, non ! répondit Faith en peinant à garder sa voix de sage. Non, monsieur Howard, vous êtes un bon petit…

– Mais je n'ai pas réussi ! gémit Howard d'une voix enrouée par la détresse. Je… j'ai essayé ! J'ai essayé ! Mais je…

Saisissant son cahier d'écriture, il l'ouvrit à tâtons et se mit à le feuilleter fébrilement.

Les lettres étaient presque lisibles, au début, même si certaines étaient à l'envers ou mal formées. Au fil des pages, les gribouillages et les marques du crayon se faisaient plus éperdus et désespérés, et ressemblaient de moins en moins à des lettres. Par endroits, le papier était creusé de profonds sillons, irréguliers et affolés. Il y en avait des pages entières. Des pages et des pages.

Le cœur affreusement serré, Faith se rendit compte qu'elle avait sous les yeux les tentatives de Howard pour s'entraîner à écrire.

« Les fantômes ne s'en prennent jamais à un bon petit garçon qui récite ses prières et recopie ses textes saints avec la main droite. Ils ne pourchassent que les méchants. »

Avec un terrible remords, elle imagina Howard raturant chaque jour ses lettres avec une panique croissante, et passant les nuits à guetter les pas d'un fantôme...

– Est-ce ma faute ? répéta-t-il d'une voix tremblante.

– Non ! (Faith déglutit vigoureusement, mais ne put empêcher sa propre voix de trembler.) Non, rien de tout cela n'est votre faute, monsieur Howard ! Absolument rien ! Le fantôme n'en a jamais eu après vous !

– Alors pourquoi est-il venu ? lança Howard en agrippant le bout de ses chaussures. Pourquoi rend-il Faith malade ? Il en a après elle ?

Faith pensa aux assassins lancés à la recherche de l'arbre à mensonge, et elle articula un « oui » presque inaudible.

– Pourquoi ? insista Howard. Pourquoi veut-il faire du mal à Faith ?

– Parce qu'elle est stupide et méchante ! s'écria Faith, incapable soudain d'en supporter davantage. Elle gâche tout, elle empoisonne tous les endroits où elle se rend. Et elle va aller en enfer !

Repoussant le petit théâtre juché sur ses genoux, elle se leva en chancelant et sortit de la pièce en courant. Sur le palier, elle éclata enfin en sanglots. Ses pleurs semblaient la dépasser elle-même, et pendant un moment elle se perdit dans son chagrin.

Faith fut tirée de sa prostration angoissée par un étrange vacarme. Des bruits de papier déchiré, de bois cassé, s'élevaient de la nurserie. Se retournant d'un bond, elle regarda par la porte ouverte.

Howard était en train de piétiner le théâtre miniature. Des larmes ruisselaient sur ses joues. L'encadrement de la scène s'était effondré, son rideau peint de couleurs vives était défoncé. Le théâtre entier était tordu et cabossé. Un bâtonnet gisait par terre à côté d'un minuscule bonhomme en papier à la tête arrachée. Son petit visage était coiffé d'un chapeau chinois.

– Oh, How ! (Faith entra en courant, tomba à genoux et ramassa les restes du sage.) Qu'as-tu fait ?

Son petit oracle n'était plus, et elle avait l'impression d'une perte affreuse.

Howard s'avança vers elle, les yeux brillants de larmes.

– J'ai tué le sage. Il… il disait que tu devais aller en enfer ! Mais… mais maintenant qu'il est mort… il ne peut plus t'y envoyer ! Je ne veux pas que tu ailles en enfer !

– Oh, Howard !

Faith lui tendit les bras et il la rejoignit d'un pas chancelant, en reniflant. Elle le serra contre elle.

– Il ne peut plus te faire de mal, n'est-ce pas ? gémit-il tout bas.

– Chut ! Non… je… non. Il est mort. Il ne peut pas me faire de mal. Tu… tu m'as sauvée, How.

Il sanglota pendant un long moment, tandis que Faith murmurait des mots apaisants en caressant sa tête. Quand ses larmes se tarirent enfin, elle essuya son visage avec un mouchoir.

– Viens, dit-elle.

Elle l'emmena dans la nurserie de nuit. Howard ouvrit de grands yeux en la voyant prendre sa veste bleue et ouvrir un canif. Elle commença par trancher les coutures qui emprisonnaient la manche gauche, puis elle taillada le tissu en tous sens.

– Cette veste est laide et stupide, déclara-t-elle en haletant légèrement. Tu ne dois plus jamais la porter. Jamais. Tu peux faire tes lignes d'écriture maintenant, How, et tu peux te servir de ta main gauche tant que tu veux.

Quand elle se tut, elle était hors d'haleine. Le frère et la sœur regardèrent ensemble la veste lacérée, comme deux conspirateurs. La veste était bien morte. Comme le sage.

– Tu as peur du fantôme ? demanda Howard.

– Oui, How, répondit-elle à voix basse.

Il disparut sous son lit, se démena dessous puis ressortit. Un peu à contrecœur, il glissa dans la main de Faith un petit objet froid.

– Il faudra me le rendre quand tu auras tué le fantôme, déclara-t-il.

Faith tenait un petit pistolet au canon courtaud. Le pistolet de son père.

L'arme semblait encore chargée, même si l'amorce avait disparu. Faith savait que le pistolet avait passé une nuit dehors, mais au moins il n'avait pas plu cette nuit-là, de sorte qu'on pouvait espérer que la poudre n'était pas mouillée. De toute façon, elle n'avait pas envie d'essayer de le recharger. Elle avait vu son père le faire, mais c'était une manœuvre compliquée, qui exigeait d'utiliser des aiguilles et d'enlever le canon, et elle ne se souvenait plus clairement dans quel ordre il fallait procéder. Avec circonspection, elle arma le pistolet à demi et installa une nouvelle amorce, après quoi elle cacha l'arme dans un réticule qu'elle glissa dans sa poche.

– Tu peux rester dans la nurserie avec moi, dit Howard d'une voix pleine d'espoir. Je ferai le guet. Tu pourras tirer sur le fantôme de ma fenêtre.

Faith hésita. Il était tentant de rester en sûreté dans la maison, mais l'audience devait avoir lieu dès le lendemain. Si elle n'avait pas trouvé d'ici là une preuve du meurtre, son père serait reconnu coupable de suicide et enterré dans un lieu non consacré, et sa famille se retrouverait à la rue.

– Monte la garde, dit-elle. Si tu vois quelqu'un dans le jardin, cours prévenir Mère, Mrs Vellet ou Prythe. Moi, je… je dois aller en mission secrète. Tu ne le répéteras à personne, n'est-ce pas, How?

Cela ne faisait pas longtemps qu'elle avait donné en pâture à l'arbre le mensonge concernant Miss Hunter, mais ce mensonge avait rencontré suffisamment d'adhésion pour pousser à l'incendie, au vol, à la violence. Il était fort possible que l'arbre ait donné naissance à un fruit. Dans ce cas, au moins, les conséquences funestes de la rumeur n'auraient pas été vaines.

L'arbre à mensonge obsédait Faith. Elle avait l'impression que ses sarments s'étaient insinués dans son esprit et l'entraînaient maintenant vers lui.

Elle songea à emprunter pour plus de sûreté la route menant à l'entrée secrète de la caverne, mais elle réfléchit qu'elle irait plus vite en bateau et risquerait moins de se faire remarquer. En ramant une nouvelle fois vers la grotte marine, elle sentit le vent glacé s'engouffrer par toutes les déchirures et les accrocs de sa tenue de deuil à la patience inusable. La pleine lune resplendissante peignait sur les flots gris noir une rivière de lait.

L'excitation de Faith à la pensée de l'arbre à mensonge se mêlait désormais de sombres pressentiments. Elle dut se répéter que l'arbre n'avait fait de mal à personne, que seuls ses mensonges étaient en cause. Malgré tout, il semblait éveiller en elle les pires instincts. Mais si elle renonçait maintenant, tout ce gâchis aurait été inutile. Il était trop tard pour qu'elle s'avoue vaincue. L'espace d'un instant, elle se demanda si son père avait éprouvé le même sentiment et persévéré dans ses tromperies au risque de se détruire, plutôt que d'admettre que tout ce qu'il avait fait n'était qu'une terrible erreur. Ils étaient comme des joueurs ayant trop perdu pour pouvoir s'arrêter de miser.

Elle laissa la vague porter le canot dans la grotte. Quand il fut échoué, elle sauta sur le roc et l'amarra. Il était temps pour elle de vérifier les résultats de ses expériences. Ôtant avec précaution le linge épais recouvrant la lanterne, elle le remplaça en hâte par plusieurs couches de gaze, qui atténuaient la clarté comme une toile d'araignée mais sans l'obscurcir tout à fait. Si Faith ne se trompait pas, cette lueur ne serait pas assez vive pour faire du mal à l'arbre.

Saisissant la lanterne ainsi voilée, elle grimpa péniblement jusqu'à la caverne principale puis s'arrêta net.

Devant elle, un enchevêtrement de sarments noirs encombrait l'entrée de la caverne, comme si on l'avait gribouillée au charbon. Elle s'avança à l'intérieur, et l'odeur glacée brûla sa gorge et son nez. Pendant l'absence de Faith, l'arbre avait rempli entièrement son antre.

On était en plein conte de fées. Faith se rappela une vieille histoire sur des enfants qui avaient fui la maison d'une sorcière et jeté derrière eux un peigne magique, qui avait donné naissance à une forêt aussi immense que touffue.

D'une main hésitante, Faith toucha les sarments, dont la plupart semblaient pendre du plafond. Ils étaient minces et souples, et elle n'avait pas de peine à les écarter. Elle s'avança lentement dans cette jungle nouvelle, étrange, dont les feuilles poisseuses se collaient à son visage.

Les sarments se refermèrent dans son dos. Sans autre lumière que celle de la lanterne fantomatique, il était difficile de se repérer. Consultant en hâte la boussole clinomètre de son père, elle prit note de la direction et de l'inclinaison du sol, au cas où elle se perdrait.

Le dernier fruit se trouvait au cœur de la plante. Il fallait espérer qu'il en irait de même cette fois, autrement elle ne le trouverait jamais.

Elle progressa plus facilement qu'elle ne s'y était attendue, malgré les sarments tapissant le sol. Elle dut se baisser sous quelques tiges épaisses montant en spirale, mais la plupart des sarments se contentaient de se lover sur ses épaules aussi paisiblement que son serpent. Elle avait l'impression irrationnelle que l'arbre appréciait sa présence.

Les robustes sarments fourchus veinant le sol lui servaient de guides. Comme ils provenaient tous du cœur de l'arbre, elle les suivit lentement jusqu'à lui. À mesure qu'elle avançait, les voix se mêlant aux grondements de la caverne semblèrent devenir plus fortes, mais non plus intelligibles. Par moments, elle avait l'impression qu'une bouche se pressait contre son oreille et s'apprêtait à chuchoter.

La saillie rocheuse se dressa devant Faith. Elle était maintenant enveloppée de vrilles noires et la silhouette sombre qui la surmontait, pareille à une araignée, luisait faiblement à la clarté assourdie de la lanterne. Faith explora les feuilles du bout des doigts, jusqu'au moment où elle sentit enfin un objet petit, dur et rond, suspendu à une tige comme une boule de Noël. Elle détacha le fruit parfait et minuscule.

Alors qu'elle le glissait dans sa poche, elle vit du coin de l'œil quelque chose bouger.

Se retournant vivement, elle éleva la lanterne et regarda autour d'elle. De tous côtés, la profusion des sarments déroutait son regard. La lanterne ne faisait guère que dorer les ténèbres. Elle ne discerna aucun bruissement au milieu des grondements stridents de la mer, des murmures gémissants des voix fantomatiques.

Glissant sa main dans sa poche, Faith sortit le pistolet de son père et tira le chien en arrière de façon à l'armer. Elle respira profondément, réussit à tenir fermement la lanterne dans l'autre main.

À trois mètres d'elle environ, au milieu des vrilles enchevêtrées, le feuillage bougea de nouveau. Cette fois, elle fut certaine de ne pas s'être trompée et d'avoir aperçu une ombre parmi les vrilles. Elle était plus grande que Faith et ressemblait à une silhouette humaine.

Elle n'avait nulle part où s'enfuir. Debout avec sa lanterne, elle était aisément repérable. L'inconnu l'avait vue et, s'il se déplaçait encore, elle perdrait sa trace.

Faith braqua son pistolet sur l'ombre. Son cœur battait comme une aile de colibri.

– Je vous vois ! Et je sais que vous me voyez ! Avancez-vous, lentement, ou je tire !

Elle ignorait si elle serait capable d'appuyer sur la détente, même si l'autre se précipitait sur elle, mais elle réussit plus ou moins à parler sans montrer sa peur.

L'ombre remua, vacilla légèrement. L'espace d'un instant, Faith crut que l'intrus allait se baisser et se perdre dans l'obscurité pour lui échapper. Puis il se dirigea vers elle, en levant le bras pour écarter les vrilles. Quand il fut assez proche, la lueur dorée de la lanterne éclaira enfin son visage.

C'était Paul Clay.

31
Winterbourne

Paul Clay, l'allié et l'ennemi de Faith. Elle sentit la peur, l'incertitude et la méfiance l'envahir. Il avait découvert son repaire et elle ne pouvait permettre à personne d'avoir vu ce qu'il avait vu.

– Que faites-vous ici ? demanda-t-elle sans baisser son arme.

– Arrêtez de me viser ! protesta-t-il en clignant des yeux dans la clarté assourdie. Et vous, que faites-vous ici ? Pourquoi tout est...

Il regarda la jungle noire comme la nuit.

– Comment nous avez-vous trouvés ?

– Nous ? s'étonna-t-il.

– L'arbre et moi.

– Cette plante vous appartient ? (Il leva les yeux avec stupeur vers les sarments.) Qu'est-ce que c'est ? D'où vient-elle ? Et allez-vous vous décider à baisser ce pistolet ?

Faith ne dit rien et continua de tenir fermement son arme.

– Eh bien, restez donc avec votre lierre sinistre, grogna Paul en reculant d'un pas. Je vous souhaite une bonne soirée avec lui.

– Je ne peux pas vous laisser partir.

Faith savait que son bras tremblait, même si le pistolet ne pesait guère.

– Comment ?

L'inquiétude succéda à la colère dans le regard de Paul.

– Quelqu'un cherche cette plante, déclara Faith. Et il est prêt à tuer toute personne qui l'a en sa possession. Il se pourrait que cet assassin, ce soit vous.

– C'est une plaisanterie ? dit Paul d'un air stupéfait. Vous m'avez demandé de vous aider !

– Il fallait que je fasse confiance à quelqu'un !

Faith vit qu'il avait un bras plié, comme s'il portait un objet volumineux.

– Peut-être me suis-je trompée dans mon choix. Il y a deux assassins. Ils peuvent être amants ou complices… à moins qu'il ne s'agisse d'un père et d'un fils.

– Dites donc ! cria Paul. Mon père n'a jamais fait de mal à personne !

– Comment le saurais-je ? Qu'est-ce que je connais de vous deux ? Votre père participait aux fouilles, il a très bien pu saboter la chaîne de la cage.

En parlant, Faith se souvint d'un autre épisode.

– Et le jour de notre arrivée, il est venu nous accueillir. Comme la voiture était trop chargée, il a suggéré qu'on enlève le pot contenant cet arbre. Et il a proposé de rester pour veiller sur lui. Si mon père n'avait pas refusé, il se serait retrouvé seul avec l'arbre.

« Quelqu'un a fouillé notre serre et le jardin pour trouver l'arbre. On l'a vu, mais on l'a pris pour un fantôme. Vous-même, je sais que vous avez rôdé autour de notre maison. Je vous ai pris en flagrant délit ! Vous avez prétendu chercher une boucle de cheveux, mais qui me dit que c'était vrai ?

« Et maintenant… vous êtes ici. À l'endroit même où le meurtrier aimerait se trouver.

Il y eut un silence.

– J'étais sur le promontoire, dit enfin Paul, et je vous ai vue passer dans votre canot…

– Que faisiez-vous là-bas en pleine nuit ? l'interrompit Faith.

– Je prenais des photos.

Paul se tourna avec précaution pour montrer que l'objet qu'il portait était un appareil photographique.

– La nuit ? On ne peut pas prendre des photos la nuit !

– Je photographiais la lune ! lança-t-il. J'ai entendu dire que c'était possible. Qu'on pouvait prendre des photos si nettes qu'on distinguait les ombres et les sommets. Chaque nuit de pleine lune, si le temps est clair... je sors tenter ma chance.

Il semblait en colère, et Faith comprit qu'il était embarrassé.

– En voyant le canot, j'ai deviné que c'était vous. Mes amis m'ont raconté que vous vous étiez volatilisée sur le promontoire la nuit dernière. Je me suis dit que vous étiez peut-être descendue dans l'une des cavernes. Quand je vous ai vue disparaître dans la falaise, j'ai su laquelle.

Faith se mordit la lèvre. Bizarrement, elle était davantage convaincue par la gêne de Paul que par l'appareil qu'il portait.

– Voilà donc comment vous m'avez trouvée, dit-elle plus doucement. Mais pourquoi ? Pourquoi m'avez-vous suivie dans la caverne ?

Pourquoi fallait-il qu'il ait vu tout ceci ? Elle ne pouvait plus le laisser partir, maintenant...

– J'étais curieux, répondit aussitôt Paul. (Il y eut de nouveau un silence. Il baissait la tête, les sourcils froncés.) Non, reprit-il. Je... je ne sais pas pourquoi je suis descendu dans un trou en suivant une folle. C'est absurde. Chaque fois que je parle avec vous, je deviens fou, moi aussi.

« Tout s'est déréglé, depuis que vous et votre famille êtes arrivées ici. On n'avait jamais vu d'émeutes, à Vane, ni d'incendies criminels ! Et le comble, c'est que vous venez sans aucune raison me raconter vos histoires de meurtres, de brouettes, de cages sabotées... et je ne peux pas m'empêcher de vous écouter. Vous êtes bonne pour l'asile, mais je crois quand même ce que vous me dites.

– Je ne veux pas de votre confiance !

Faith sentit les ténèbres se refermer de nouveau sur elle.

– Vous ne me connaissez pas! Je suis… je suis dangereuse. C'est moi la source de tous les mensonges à Vane.

– Vous m'avez menti?

Elle se rendit compte qu'elle ne lui avait jamais menti. Elle déglutit et garda le silence.

– Votre père a donc été assassiné, déclara-t-il sans ménagement. Et aucune photographie ne pourra vous aider. Si vous ne trouvez pas l'assassin, vous serez à jamais hantée par un fantôme. Je sais ce que c'est. Ma mère s'est noyée. Pas de corps, pas d'enterrement, pas de stèle au cimetière. La seule image que nous ayons d'elle, c'est un cliché où elle est cachée à l'arrière-plan. Vous l'avez vu, il est sur notre étagère. Le petit garçon au premier plan, c'est moi. Mon père… il est gentil avec moi, mais il me sourit comme si j'étais une photographie de ma mère. Parfois, j'ai l'impression qu'il attend que je sorte de la pièce, afin qu'il puisse continuer de lui parler en lui-même.

Faith tressaillit. Des mots de compassion se tendaient vers elle comme des tentacules. Elle voulait s'en débarrasser, leur tirer dessus, les brûler.

– Vous aimeriez que je pleure sur votre sort? demanda-t-elle aussi froidement qu'elle put.

– J'aimerais que vous vous décidiez! explosa-t-il. Vous voulez que je vous aide, vous voulez me voir mort dans un fossé, vous me révélez des secrets, vous me cachez des choses, vous venez me chercher, vous me fuyez, vous me demandez service, vous braquez un pistolet sur moi… (Il secoua la tête d'un air incrédule.) Choisissez! Faites-moi confiance ou non, mais choisissez une fois pour toutes!

Les voix impalpables semblèrent murmurer à l'unisson: «Tire-lui dessus.» Paul en savait trop long. Paul en voulait trop. Paul s'imposait à sa pensée et l'empêchait d'avoir les idées claires.

À regret, elle baissa son arme. En remettant le cran de sûreté, il lui sembla entendre l'arbre soupirer et elle eut l'impression de trahir son père et ses secrets. Paul respira et se détendit un peu.

– Eh bien… il est trop tard pour vous empêcher de voir l'arbre, dit Faith en luttant contre le tremblement de sa voix. Je suppose que maintenant je dois vous faire confiance ou vous tuer… et cela m'ennuierait de devoir recharger le pistolet.

Elle eut le sentiment gênant de donner même ainsi l'impression de s'excuser.

Paul s'avança avec circonspection.

– Je croyais que vous vouliez partir, observa Faith abruptement.

– Ça dépend de vous. (Paul regarda autour de lui et écarta les vrilles de son visage d'un air soupçonneux.) Quelque chose ne tourne pas rond ici. Aucune plante ne peut pousser aussi vite. Un arbre qui était dans un pot voilà deux semaines ne devrait pas avoir grandi comme ça. Et j'entends sans cesse… (Il s'interrompit et secoua la tête.) Il y a vraiment un problème avec cet arbre.

– Moi-même, je ne le comprends pas encore complètement, admit Faith, se sentant à son tour sur la défensive. Je vois d'où il tire son humidité, et peut-être trouve-t-il dans la roche de la caverne des minéraux et des substances nutritives, mais son énergie… (Elle haussa les épaules.) Il se pourrait qu'il soit carnivore.

– Il mange les gens ?

Paul n'avait pas l'air rassuré.

– Pas exactement.

Faith caressa la vrille la plus proche. Elle se sentait terriblement possessive envers *son* arbre, les secrets de *son* père. Mais quelque chose d'irrévocable était advenu, lorsqu'elle avait baissé son pistolet. En acceptant de faire confiance, elle avait transpercé sa propre armure.

– Il se nourrit de mensonges, expliqua-t-elle. De mensonges auxquels croient les gens. C'est un symbiote. Son espèce ne survit qu'en coopérant avec une autre espèce. Les humains le nourrissent de leurs mensonges, et en échange il donne des fruits qui procurent des visions ou des vérités secrètes. Du moins, c'était ce que croyait mon père.

– Avait-il raison ? demanda Paul sans ambages.

Faith eut envie de crier : « Bien sûr qu'il avait raison ! Mon père était un génie. Bien sûr qu'il savait ce qu'il faisait, bien sûr qu'il n'aurait pas ruiné sa carrière et sa famille sans un motif sérieux ! » Elle se surprit à examiner plutôt les faits dans un froid esprit d'analyse. L'apparition du fruit pouvait-elle être une coïncidence ? Qu'avait-elle appris vraiment de ses visions ?

– Je ne peux pas encore l'affirmer, avoua-t-elle à contrecœur. Il semble bien que le fruit exacerbe ma vision et me fait voir des choses que j'ignore… mais je ne saurais dire dans quelle mesure elles sont vraies. (Elle plissa les yeux.) Je serai davantage fixée si nous trouvons le meurtrier.

– Vous avez mangé des fruits de ce monstre ?

Cette idée semblait horrifier Paul encore plus que le pistolet.

– Oui, et je m'apprête à recommencer, proclama-t-elle en lui jetant un regard rageur. Il le faut ! Si cela ne vous plaît pas, vous pouvez partir. Dans le cas contraire, rendez-vous utile. Le fruit va me plonger dans une transe. J'ai essayé de m'attacher moi-même pour m'empêcher d'errer au loin, mais… ça n'a pas vraiment marché. Il serait plus sûr que quelqu'un me surveille. Vous pourriez faire des observations en même temps.

Paul s'approcha, en regardant la corde qu'elle portait en bandoulière. Il ne semblait guère ravi de sa proposition.

– Il y a cinq minutes, vous vous méfiiez du moindre de mes mouvements. Et maintenant, vous vous fiez à moi pour veiller sur vous pendant que vous êtes inconsciente ?

– Vous m'avez dit de choisir, rétorqua Faith.

Le fruit était plus amer que jamais et l'envoya sur une route tortueuse s'enfonçant dans des ténèbres où résonnaient les battements de son cœur.

Ensuite, il faisait trop sombre pour rien distinguer, mais elle savait qu'elle se frayait un chemin dans une jungle. Le sol sous ses pieds n'était plus en roche. Elle escaladait péniblement des sarments enchevêtrés se déployant comme des ponts suspendus, passait devant les troncs puissants de plantes grimpantes en torsades, gravissait d'énormes spirales en bois comme si c'étaient des escaliers. Et l'air était rempli du bourdonnement assourdi de mensonges chuchotés.

Il y avait les mensonges gentils. « Tu es toujours belle. Je t'aime. Je te pardonne. »

Les mensonges effrayés. « Quelqu'un d'autre doit l'avoir pris. Bien sûr que je suis anglican. Je n'ai jamais vu ce bébé. »

Les mensonges intéressés. « Achetez ce tonique si vous voulez que votre enfant se remette. Je veillerai sur toi. Je garderai ton secret. »

Les demi-mensonges, et les petits silences tendus là où il aurait dû y avoir une vérité. Les mensonges poignards, les mensonges cataplasmes. Les rayures du tigre et les mouchetures sombres du faune. Et partout, partout, les mensonges que les gens se racontaient. Les rêves pareils à des fleurs coupées, sans racine pour les nourrir. La lueur des feux follets pour se sentir moins seul dans l'obscurité. Les fausses résolutions et les vains prétextes.

Sans leur prêter attention, Faith grimpait sans relâche car elle sentait l'odeur de la pipe de son père.

Elle était maintenant face à un énorme nœud de sarments, large de trois mètres, suspendu en l'air comme le cocon d'une araignée. Une fumée bleuâtre s'échappait des fentes, et le cœur de Faith se serra tant ce parfum était familier. Elle déchira les sarments à main nue, ouvrit une brèche et se glissa péniblement à travers.

Elle se retrouva debout dans une cellule obscure, où régnait une chaleur étouffante. Des moustiques écrasés constellaient les murs blanchis à la chaux. L'unique fenêtre, haute et minuscule, ouvrait sur un ciel violacé, tumultueux, et laissait entrer le fracas de la pluie et une odeur de boue brûlante.

Un homme gisait sur le sol de terre, attaché à la cheville par une chaîne de fer contrastant avec ses vêtements élégants. Sa moustache et sa barbe brunes, autrefois coupées avec soin, étaient maintenant tellement négligées qu'elles débordaient sur ses joues et son menton. Ses cheveux pendaient, sales et trempés de sueur, et des ombres noires comme des ecchymoses s'étendaient sous ses yeux.

– Vous devez m'aider, dit-il. Vous devez leur parler, Sunderly. Dites-leur qui je suis, pourquoi je suis ici. Vous avez des papiers du consul, ils vous écouteront. Vous pouvez vous porter garant pour moi.

Au début, Faith crut qu'il s'adressait à elle. Puis une fumée bleuâtre s'éleva de nouveau à côté d'elle. Tournant la tête, elle vit son père, le révérend Erasmus Sunderly, luisant de sueur mais par ailleurs impeccable.

Faith eut envie de le serrer dans ses bras, mais elle se retint en le regardant. Elle avait oublié combien il paraissait inaccessible, avec son regard glacé et indéchiffrable. Sa présence semblait presque aussi lointaine que son absence.

– Mr Winterbourne, dit-il du ton détaché qui lui était habituel, vous me demandez de répondre de vous, d'engager ma parole de gentleman. Je vous connais à peine. Voilà moins de deux semaines que nous nous sommes rencontrés. Je ne sais que ce que vous et vos compagnons m'avez raconté, à savoir une fable absurde et incroyable.

– Je vous en prie ! lança Winterbourne avec désespoir. Songez que je ne suis pas seul ici. Ce n'est pas uniquement moi qui vais souffrir ! Ayez pitié de nous !

– En me donnant la preuve que votre histoire est vraie, vous me convaincrez et je serai en mesure de convaincre à mon tour les autorités. Dites-moi où je peux trouver cet arbre à mensonge. S'il correspond à votre description, je vous accorderai ma confiance.

L'homme enchaîné sembla stupéfait, puis prit un air buté et furieux. Son regard croisa un instant celui du pasteur. Avec désolation, il se rendit enfin.

– Je n'ai pas d'autre choix que de vous faire confiance, dit-il d'un ton amer. Avant d'être arrêté, j'ai trouvé quelques notes de Kikkert. Si j'ai bien compris sa carte, il y a un bâtiment à cinq kilomètres au nord de sa maison, au bord d'un fleuve qui traverse la forêt de bambous. Je pense que l'arbre est caché là-bas. Mais dépêchez-vous, Sunderly !

Le pasteur inclina brièvement la tête d'un air cérémonieux, puis il se détourna et alla frapper à la porte, qui s'ouvrit aussitôt. En sortant, il jeta un dernier regard sur la cellule. Pendant un instant, il parut regarder Faith droit dans les yeux. Les siens étaient d'un gris glacé d'ardoise. Il referma la porte entre eux.

Faith courut vers elle, sentit le bois rugueux sous ses mains, entendit le cliquetis d'une lourde barre qu'on abaissait pour fermer la porte de l'autre côté. Pressant l'oreille contre le battant, elle réussit à entendre la voix de son père.

– Non. (Sa voix était aussi froide et précise qu'un scalpel.) Si cet homme croit me connaître, il se trompe ou est en proie au délire. Je n'ai jamais vu son visage.

La pluie se transforma en applaudissements assourdissants. L'obscurité se referma comme un poing.

Faith se réveilla. Elle sentait un froid glacé en elle et autour d'elle. Jamais elle n'avait eu aussi froid.

Elle se rappela en quels termes son père avait rapporté sa conversation avec Winterbourne.

Je lui promis de tout entreprendre pour obtenir sa libération, et il me confia ses dernières hypothèses sur la localisation de l'arbre à mensonge, en me suppliant de le découvrir si lui ne pouvait le faire.

Je ne pus le sauver. La fièvre le tua dans sa cellule avant que j'aie pu le faire libérer.

Elle se demandait maintenant si elle avait toujours senti une fausseté dans ces mots, comme le miroitement d'une eau plus profonde. Winterbourne n'avait pas pris sur lui de révéler l'emplacement de la précieuse plante de Kikkert, il y avait été contraint par le père de Faith. Et le pasteur ne s'était nullement efforcé de sauver Winterbourne. Il avait menti pour le maintenir dans sa cellule infestée de malaria, en sautant sur l'occasion pour trouver l'arbre.

Et Winterbourne était mort.

Elle remua légèrement. Cette fois, la corde était toujours attachée à sa taille. Ouvrant les yeux, elle vit Paul assis un peu plus loin. Il lui tournait le dos. Devant son indifférence manifeste, elle se sentit encore plus seule, jusqu'au moment où elle baissa les yeux et découvrit sur son bras un mouchoir qui lui était inconnu.

En touchant ses joues, elle s'aperçut qu'elles étaient mouillées. Elle avait pleuré, elle ne savait pendant combien de temps. Après avoir essuyé précipitamment son visage, elle se donna une minute ou deux pour se calmer, puis se racla la gorge afin d'avertir Paul qu'il pouvait la regarder sans crainte. Il se retourna aussitôt et la rejoignit, en lui glissant dans la main la bouteille d'eau qu'elle avait emportée. Comme toujours, il veillait à ne manifester aucune émotion.

– Combien de temps cela a-t-il duré ? demanda-t-elle d'une voix aussi grinçante qu'un vieux soufflet.

– Une heure, peut-être. Vous me voyez, maintenant ?

Elle hocha la tête.

– La vision est terminée. Comment sont mes yeux ?

Il leva la lanterne pour l'observer, puis tressaillit comme sous l'effet d'une piqûre.

– Ils ont la couleur du beurre fondu, dit-il. Je n'ai jamais rien vu de pareil. Qu'est-ce que cela signifie ?

– Cela signifie que je suis encore sous l'emprise du fruit, répondit-elle en tripotant ses liens d'un air hébété. Je... je ne ressens pas son influence, mais la dernière fois non plus. Ne me laissez pas attraper des rats...

Paul hocha la tête – manifestement, il commençait à comprendre.

– Avez-vous découvert ce que vous vouliez, cette fois ?

– Je crois.

Non sans peine, Faith réussit à dénouer la corde. Elle se leva, flageolante.

– Mais pour en être certaine, je dois consulter le registre paroissial. Où se trouve-t-il ?

– Dans la sacristie. Mais ne feriez-vous pas mieux de vous reposer ?

– Non.

Faith secoua la tête en s'appuyant au pilier.

– L'audience aura lieu demain. Mon plan doit être prêt dès le matin. Il faut absolument que je voie ce registre cette nuit.

– Vous n'êtes pas du genre exigeant, pas vrai ? lança Paul d'un air lugubre.

Toutefois il ne refusa pas, ce qui la surprit légèrement.

32
Un exorcisme

Tandis qu'ils marchaient, Faith remarqua que Paul s'interposait entre elle et la falaise, peut-être effrayé à l'idée qu'elle puisse danser au bord dans un accès de folie provoqué par le fruit. Ils échangèrent à peine un mot, avant d'approcher du clocher se dressant comme un doigt noir dans la nuit.

– Ne faisons pas de bruit, chuchota Paul quand ils atteignirent la porte ornée de cuivre de l'église. Jeanne Bissette doit dormir sur l'un des bancs. Attendez-moi ici. Je dois aller chercher les clés du coffre.

Il disparut du côté du presbytère.

Seule dans le cimetière, Faith se sentait toujours glacée. Le clair de lune resplendissant faisait luire les petits carreaux des fenêtres comme des écailles de lézard.

Elle voyait non loin d'elle la tombe qu'on avait creusée pour son père. La terre était encore entassée d'un côté, mais on avait placé des sacs dans la fosse, avec un pragmatisme admirable, sans doute pour empêcher les gens de tomber dedans.

Sans les commérages malveillants de Jeanne, le père de Faith serait couché en sûreté dans cette tombe, sous une couverture de gazon, au lieu d'attendre dans la crypte de l'église un sort incertain.

Faith empoigna le grand anneau de métal de la porte. Non sans surprise, elle le tourna sans peine et la porte s'ouvrit. Après un instant de réflexion, elle comprit que Clay n'avait sans doute pas voulu laisser une jeune femme enfermée dans l'église sans pouvoir sortir.

Elle entra. Le sanctuaire paraissait beaucoup plus vaste sans les gens et les lumières. La lune brillait à travers les vitraux, en baignant le banc le plus proche de couleurs liquides. Il faisait froid dans l'édifice et la respiration de Faith embuait l'air.

Elle découvrit Jeanne Bissette vers l'avant de la nef, pelotonnée dans une couverture sur l'un des bancs des notables. Elle dormait, et sa respiration sifflante était inquiétante. Sa peau cireuse rappela à Faith l'éclat terne des écailles de son serpent.

«Je ne peux pas l'aider maintenant, se dit Faith. Il me faut encore un jour, pas plus. Ensuite, peu importe qu'on apprenne la vérité sur mes histoires.»

Cependant, les cernes violacés sous les yeux de Jeanne lui firent penser à ceux de Winterbourne dans sa vision. Peut-être son père s'était-il dit la même chose: «Il ne me faut qu'un jour, le temps de trouver l'arbre. Winterbourne peut survivre encore quelque temps dans cette prison. Dès que j'aurai l'arbre, je le ferai libérer.»

Faith se demanda ce que feraient les gens, s'ils découvraient Jeanne Bissette, bleuie par le froid, sur ce banc un beau matin. Peut-être retireraient-ils les sacs de la fosse pour y coucher son corps. Cette idée était pleine d'une poésie affreuse. Une nouvelle fois, Faith tremblait au seuil de l'impossible, comme en ce jour où elle s'était figée devant la porte du bureau de son père, en s'adjurant intérieurement de frapper et d'avouer.

– Oh, pourquoi faut-il que ce soit toujours pour vous que je fasse ça? murmura-t-elle. Vous ne m'êtes même pas sympathique!

Ces mots prononcés à voix basse résonnèrent avec une force surprenante dans le silence. Jeanne battit des paupières, se réveilla. Elle tressaillit violemment en voyant une silhouette vêtue de noir penchée sur elle, puis son regard s'éclaira.

– Miss Sunderly ? s'exclama-t-elle d'un ton incrédule.

– N'auriez-vous pas un autre endroit où aller ? demanda Faith tout bas.

– Un autre endroit ?

Jeanne se redressa et ses cheveux en désordre cachèrent la moitié de son visage.

– C'est impossible ! Je ne peux pas partir d'ici !

– Mais... si vous le pouviez ? Avez-vous de la famille ou des amis dans l'île ?

– Un oncle...

La jeune fille était manifestement encore hébétée et tentait de déterminer si Faith était un rêve ou une apparition.

– Mais...

– Il n'y a pas de fantôme ! lança Faith comme une insulte ou une accusation.

Jeanne secoua la tête en silence, d'un air accablé de détresse et d'épuisement.

– Il n'y a pas de fantôme, répéta Faith. Il n'y a que... moi. C'est moi le fantôme. J'ai interverti les fils des sonnettes des domestiques. J'ai arrêté les pendules, brûlé du tabac de mon père dans la bibliothèque et déplacé des objets dans la maison. J'ai glissé le crâne dans votre lit.

À mesure que Faith parlait, l'hébétude de Jeanne semblait se dissiper. Quand elle eut fini, Jeanne était bien réveillée et ses yeux grands ouverts semblaient plus sombres et plus menaçants.

– Vous ? Pourquoi ?

– Je vous détestais, répondit simplement Faith. Vous avez raconté partout que mon père s'était suicidé. À cause de vous, il n'a pas de tombe.

Jeanne se leva péniblement, en regardant Faith comme si des serpents sortaient de sa bouche. Elle serra la mâchoire et son souffle s'accéléra avec colère. Des larmes d'humiliation et de fureur brillaient dans ses yeux.

– Espèce… espèce de sorcière! (La voix de Jeanne se brisa.) J'espère qu'on va enfoncer un pieu dans le cœur de votre précieux père! Et j'espère qu'on le fera devant vous! Je souhaite à toute votre famille de finir à l'hospice!

Elle était plus grande et vigoureuse que Faith, et l'aurait aisément emporté dans un combat loyal. Mais bien sûr, le combat ne serait jamais loyal. Si Jeanne Bissette frappait Faith Sunderly, elle aurait des ennuis sans commune mesure avec ceux qui attendraient cette dernière si elle la frappait. Il était plus aisé de jouer les justicières du haut de l'échelle qu'en bas. À cette pensée, la honte envahit Faith.

– Je vais le dire à tout le monde! À tout le monde! Quand j'aurai fini, vous ne pourrez plus vous montrer dehors!

Jeanne se détourna et se mit à courir en chancelant. Elle franchit la porte de l'église, se volatilisa au clair de lune.

Quelques instants plus tard, Paul apparut sur le seuil avec un trousseau de clés. Il regarda le cimetière avec insistance puis lança un regard interrogateur à Faith.

– Elle est partie, dit Faith.

– Que faisiez-vous ici?

– Je ruinais mes propres projets contre toute raison.

Elle se rendit compte que quelque chose d'important manquait en elle depuis un certain temps, et qu'elle en avait retrouvé une parcelle. Même si elle se sentait plutôt plus mal que mieux, elle se raccrocha à cette impression.

– Vous en entendrez probablement bientôt parler. Tout le monde va être courant.

– Et en quoi vos projets sont-ils ruinés? demanda Paul avec brusquerie. Ne me dites pas que vous n'avez plus besoin de cette photo!

– Bien sûr que j'en ai besoin! répondit-elle en hâte. Vous avez fait ça pour moi? Elle est prête?

Il sortit de sa poche un petit carton, qu'il regarda en fronçant les sourcils, comme pour lui apporter quelques changements de dernière minute par la seule force de sa volonté.

– Ce n'était pas facile, marmonna-t-il en lui tendant la photo, les sourcils toujours froncés. Je n'ai pas pu faire mieux.

En baissa les yeux, Faith eut un choc. Paul s'était servi du cliché des fouilles qu'on avait pris le jour où elle avait commencé ses dessins. Au premier plan, le docteur Jacklers et Lambent regardaient avec attention la corne d'aurochs. Derrière eux, légèrement de côté, on apercevait Mrs Lambent et Faith, cette dernière n'étant qu'à peine visible dans l'ombre. Et une silhouette à moitié cachée émergeait de derrière la tente de Bédouin, avec son visage si familier aux traits aquilins, au front bombé, aux yeux froids et distants...

L'espace d'un instant, Faith ne comprit pas comment son père pouvait avoir été transporté tout entier dans ce décor. Puis elle se souvint de l'oncle Miles. Bien sûr, on lui avait demandé d'aller derrière la tente pour empêcher la toile de s'agiter. Mais étant ce qu'il était, il s'était arrangé pour se pencher afin de figurer sur le cliché. Paul avait découpé le visage du pasteur avec précision et l'avait collé sur celui de son beau-frère. Le résultat était stupéfiant.

– C'est... (Faith se mordit la langue. Les compliments étaient contraires aux règles de ses conversations avec Paul, mais en l'occurrence ils étaient inévitables.) C'est vraiment du beau travail, admit-elle d'un ton bourru.

Elle sortit son carnet et glissa soigneusement la photo entre ses pages.

Elle n'avait pas osé espérer réellement que Paul relèverait son défi insensé et confectionnerait cette photo. Le goût de la gageure était une chose, mais ce travail exigeait du temps, de l'effort et une précision implacable.

– Merci, ajouta-t-elle à mi-voix.

Elle ne fut pas sûre qu'il eût entendu.

Une lanterne à la main, Paul la conduisit à travers l'église jusqu'à la petite sacristie, où il s'arrêta et tourna les clés des trois serrures d'un vieux coffre à l'ancienne mode. Soulevant le couvercle, il sortit un gros registre relié en cuir.

Il le tendit à Faith, qui entreprit de le feuilleter en se concentrant sur les mariages de « l'année mil huit cent soixante ». Elle se figea.

– Voilà, souffla-t-elle.

Elle tapota l'un des noms écrits avec soin.

– Ce nom vous dit-il quelque chose? demanda Paul en regardant par-dessus son épaule.

Faith hocha la tête.

– Ce nom signifie que je sais qui sont les meurtriers, comment ils ont appris l'existence de l'arbre et pourquoi ils haïssaient probablement mon père, chuchota-t-elle.

Le carnet de son père lui donnait la clé depuis le début, mais elle ne l'avait pas vue. Elle ne s'était pas attardée sur une petite phrase qui aurait pu lui apprendre tout ce qu'elle voulait savoir.

« *Je découvris que les Winterbourne s'étaient installés dans une auberge minable...* »

Pas « Winterbourne », mais « les Winterbourne ». Hector Winterbourne voyageait en Chine avec son épouse. Le pasteur n'avait vu aucune raison de parler d'elle. Pour lui, son existence n'avait aucune utilité, aucune importance.

À la lueur de la lanterne, Faith distingua les plaques de marbre sur les murs. Cette nuit-là, ses yeux s'attachèrent à tous ces noms de femmes.

Anne, la mère bien-aimée de...

En mémoire de ma chère sœur Elizabeth...

Et ici repose également Amelia, son épouse aimante...

Qui avaient-elles été, ces mères, ces sœurs, ces épouses? Où étaient-elles à présent? Telles des lunes sans visage, brillant d'un éclat emprunté, elles avaient tourné chacune avec loyauté autour d'un astre plus imposant.

– Invisibles… murmura Faith.

Les femmes et les filles étaient si souvent oubliées, inaperçues, secondaires. Faith elle-même en avait profité pour se cacher en pleine lumière et mener une double vie. Toutefois, elle avait été aveuglée par exactement la même évidence invisible, et elle ne s'en rendait compte que maintenant.

Le registre paroissial consignait le mariage d'Anthony Lambent Esq. avec Mrs Agatha Winterbourne (Veuve).

33
La poudre et l'étincelle

La journée du lendemain s'annonçait tristement limpide et cruellement ensoleillée. Le vacarme impitoyable des oiseaux tira Faith de son sommeil. Une nouvelle fois, elle se réveilla dans son lit, les yeux endoloris et les entrailles en émoi. Tandis qu'elle buvait rapidement de l'eau, elle se remémora ses aventures de la nuit précédente. La visite à l'arbre à mensonge, la rencontre avec Paul, le trajet vers l'église, la conversation avec Jeanne, les révélations du registre paroissial… Ensuite, elle avait élaboré un plan avec Paul, avant de retourner dans la grotte marine et de regagner le rivage en bateau.

Elle devrait agir rapidement, avant que Jeanne ne révèle la sombre réalité de Faith à tous les habitants de l'île. Être en butte à tous les regards ne terrifiait plus Faith. Cette idée ne l'emplissait plus que d'une résignation engourdie. En revanche, elle espérait être en mesure de jouer ses dernières cartes avant que les gens du champ de fouilles n'apprennent la vérité sur son compte.

Bien entendu, aucune voiture ne vint la chercher ce matin-là. Elle enfila donc son manteau, prit son carnet de croquis et s'en alla à pied sur la route.

– Miss Sunderly !

Ben Crock sembla stupéfait quand Faith fit son apparition sur le site un peu plus tard, la robe poussiéreuse et le visage luisant sous le soleil brûlant. Il regarda la route derrière elle.

– Vous avez fait tout ce trajet à pied, Miss ?

– L'audience au sujet de mon père a lieu cet après-midi, répondit Faith, un peu essoufflée après les montées et les descentes de la route. Je ne pense pas que ma famille reste à Vane, ensuite. Il se pourrait que je n'aie plus d'autre occasion de me rendre sur le site.

Songeant à Myrtle, elle prit un air vulnérable et incertain.

– Croyez-vous que ces messieurs vont me renvoyer ?

Crock hésita un instant, comme s'il se demandait s'il ne devrait pas lui-même lui dire de rentrer chez elle. Toutefois, aucune voiture n'était disponible, et Faith espérait qu'il répugnerait à la contraindre de repartir à pied sur la route.

– Je ne pense pas qu'il y ait de problème, Miss, déclara-t-il en jetant un coup d'œil sur la petite gorge. Ils ont la tête ailleurs, aujourd'hui. Hier, le tunnel a atteint le fond de l'excavation. Nous avons ôté les décombres pour mieux voir.

– Ont-ils trouvé quelque chose ? demanda Faith avec une curiosité polie.

En fait, elle en savait aussi long que lui, car Paul lui avait raconté les dernières nouvelles des fouilles.

– Une partie du gravier s'écoule vers le bas par des fissures. Comme nous le pensions, il y a une autre caverne sous le niveau actuel de l'excavation. Mais comme il y a une couche épaisse de brèche, nous allons faire sauter un baril de poudre pour ouvrir un chemin vers le bas.

– J'imagine que tous ces messieurs seront là-bas au moment de l'explosion ?

– Pour sûr, Miss, répondit Crock en esquissant presque un sourire. Je crois qu'aucun d'entre eux ne voudrait manquer ça.

Faith le croyait aussi. À l'idée de pénétrer dans une caverne inconnue et excitante, tous les savants du site voudraient participer à la curée, en se soupçonnant mutuellement de vouloir voler des ossements pour leur propre collection ou donner leur nom à des fossiles au détriment de leurs collègues. Ce jour-là, l'élite du champ de fouilles serait là-bas au grand complet, et Faith comptait en profiter.

En s'avançant dans la petite gorge, elle s'attira quelques regards curieux, comme le premier jour, mais tout le monde était trop occupé pour remettre en cause sa présence.

L'oncle Miles, qui rôdait comme un écolier dans les parages de la galerie, blêmit en apercevant Faith. Elle lui adressa un petit sourire aussi amène qu'un poisson mort. Elle sentait encore sur ses bras les marques des doigts de son oncle. Lui-même tourna ses regards dans toutes les directions où elle ne se trouvait pas.

Elle passa devant le docteur Jacklers, qui parut embarrassé mais eut la bonne grâce de s'incliner.

– Bonjour, docteur Jacklers, dit-elle doucement. Comment va Miss Hunter ?

– Assez bien pour négliger les conseils de son médecin.

Il fronça les sourcils. Manifestement, le sujet était délicat.

Faith se sentit soulagée. Si Miss Hunter recommençait à contrarier le docteur Jacklers, on pouvait certainement espérer qu'elle allait se remettre.

Au fond de la gorge, Lambent marchait en tous sens en agitant son chasse-mouches. Clay et son fils étaient là tous deux – Paul était chargé d'un trépied et d'une mallette. Les terrassiers, plus nombreux qu'auparavant, étaient occupés à entasser des sacs de sable et de gravier autour de l'entrée du tunnel, de façon à obtenir un mur bas en fer à cheval.

La tente de Bédouin n'était plus à côté du tunnel, mais en levant les yeux vers le sommet de l'escarpement, Faith aperçut son toit s'agitant au vent. Manifestement, on l'avait installée près du treuil de la cage métallique.

Faith s'assit sur un rocher dans un coin, ouvrit son carnet de croquis. Paul Clay s'approcha pour poser son trépied sur le sol inégal. Ils n'échangèrent pas un regard. En les voyant, personne n'aurait pu soupçonner une complicité entre le fils impassible du vicaire et la fille timide et mal fagotée du pasteur.

– Elle est là ? murmura Faith en s'efforçant de ne pas trop remuer les lèvres.

– Oui, marmonna Paul en observant le trépied d'un air concentré. Ils ont installé sa tente en haut pour qu'elle soit à l'abri de l'explosion tout en étant aux premières loges quand des gens descendront dans la cage. Êtes-vous sûre que le coup du fantôme marchera avec elle ?

Si Faith ne se trompait pas, elle avait affaire à deux meurtriers aux caractères différents. L'un avait distrait son père, l'autre lui avait porté un coup fatal. L'un était terrifié par le prétendu fantôme, l'autre ne voyait aucun inconvénient à arpenter le domaine hanté et à passer lui-même pour un fantôme. Il y avait donc un sous-fifre et un chef. Un maillon faible et un maillon fort.

– Non, mais je parierais que ça marchera.

Elle songea à tous les *memento mori* ornant le salon de Mrs Lambent.

– Comme elle se croit aux portes de la mort, elle passe la plus grande partie de sa vie à scruter ses ténèbres. Elle est plongée jusqu'au cou dans les livres de prières et les guirlandes de vœux pieux.

– Nous serons bientôt fixés. Nous n'aurons qu'à serrer la vis pour voir si elle tient le coup.

Unissant la parole à l'action, il serra rapidement la vis du trépied.

– Et lui, qu'en dites-vous ?

Faith réussit à ne pas regarder du côté de la silhouette imposante d'Anthony Lambent.

– Agatha est une épouse fidèle, déclara-t-elle tout bas.

« Une épouse ne peut pas toujours réfréner les impulsions de son mari, avait dit Agatha Lambent. Mais elle doit toujours s'efforcer de lui en éviter les conséquences. »

– Elle a une raison de haïr mon père, continua-t-elle, mais je ne vois pas pourquoi elle voudrait l'arbre. Lui, en revanche, est un collectionneur, un naturaliste… et il se présente au Parlement. Personne ne peut répandre des mensonges mieux qu'un politicien.

– Dans ce cas, nous devons nous arranger pour l'éloigner.

Le plan de Faith consistait à faire pression sur le maillon faible afin qu'il craque. On ne pouvait espérer y parvenir tant que le maillon fort serait là.

– Quand ils auront ouvert un passage dans la nouvelle caverne, tous ces messieurs voudront être le premier à descendre, expliqua-t-elle en plissant les yeux. Nous devons faire en sorte que Mr Lambent parvienne à ses fins.

On jugea enfin la barricade de sacs de sable assez solide. Après qu'on eut installé avec précaution un baril de poudre dans le tunnel, tout le monde sauf Crock sortit au grand jour. Ces messieurs s'accroupirent comme les manœuvres dans un fossé derrière la barricade, en observant avec attention l'entrée de la galerie.

Étant une dame, Faith fut mise en sûreté derrière un rocher. Étant le gardien du précieux appareil photographique, Paul se retira derrière un autre rocher. Ni l'un ni l'autre ne restèrent à leur place.

Ils se retrouvèrent à l'arrière des tentes. Saisissant prestement un gros sac caché entre deux pierres, Faith le tendit à son complice. Paul le prit sans un mot et entreprit de gravir la pente menant à la route.

Faith jeta un regard prudent de derrière la tente la plus proche, juste à temps pour voir Crock sortir en trombe du tunnel, sauter par-dessus la barricade de sacs de sable et se jeter à plat ventre de l'autre côté.

– La mèche est allumée ! cria-t-il. Restez couchés !

Faith se baissa vivement. Elle avait beau s'y attendre, la puissance de la déflagration la prit de court. Une pluie sèche s'abattit sur les tentes et les secoua violemment. Elle sentit un goût de sable dans sa bouche.

Quand elle hasarda un autre coup d'œil, l'entrée de la grotte disparaissait derrière un énorme nuage de fumée et de poussière. Les hommes derrière la barricade avaient un mouchoir devant la bouche et toussaient avec vigueur. Faith profita de la diversion et de l'épaisse nuée pour retourner discrètement à son abri, avant de le quitter de façon plus officielle et convenable.

Les terrassiers entrèrent dans le tunnel pour le déblayer. Quand ils eurent enlevé plusieurs brouettées de décombres, Crock annonça que la brèche ouverte par l'explosion révélait bel et bien une autre caverne sous la précédente.

– Je pense que la brèche est assez large pour qu'on puisse prendre la cage, monsieur, dit-il à Lambent. Nous pouvons la descendre avec le treuil droit dans la nouvelle caverne.

– Magnifique ! s'exclama Lambent en se frottant les mains. Crock, préparez la cage. Vous et moi, nous allons explorer les profondeurs et voir quels trésors votre explosif a dégagés pour nous !

– Euh...

Clay se racla la gorge et leva un doigt hésitant pour demander la parole.

– Je me demande si Crock ne devrait pas plutôt rester à la surface pour surveiller le mécanisme ? Je descendrais volontiers avec vous, Mr Lambent.

– Peut-être pourrais-je moi-même vous accompagner ? suggéra aussitôt l'oncle Miles.

– Monsieur... dit Crock en s'abritant les yeux pour mieux regarder la route.

Un cheval solitaire descendait la pente d'un pas incertain. Ses rênes pendaient dans le vide.

– Serait-ce mon cheval bai ? s'étonna Lambent. Comment se fait-il qu'il soit détaché ?

Le cheval agita sa crinière pâle et continua d'avancer sur l'escarpement, sans but mais sans jamais s'arrêter, en direction de la tente de Bédouin. Ne voyant pas Mrs Lambent, Faith ne pouvait imaginer sa réaction. Crock monta en haut pour intercepter le cheval, qui s'ébroua nerveusement mais finit par le laisser approcher et prendre les rênes.

– Il y a des bottes dans les étriers ! s'écria le contremaître. Mais elles sont tournées vers l'arrière !

Il en saisit une, l'examina et se raidit. Il jeta un regard à Faith, mais d'un air inquiet et non soupçonneux. Puis il redescendit et montra la botte à Lambent, en lui chuchotant quelques mots. Faith savait qu'ils devaient s'interroger sur le monogramme.

E.J.S.

– Un cheval sans cavalier avec des bottes à l'envers dans les étriers ? lança Clay à voix basse. J'ai entendu dire que cela se faisait lors de funérailles militaires.

Lambent contempla un instant la botte sans bouger, puis il se dirigea vers l'oncle Miles et la brandit à quelques centimètres de son visage.

– Où voulez-vous en venir, Cattistock ? demanda-t-il avec brusquerie.

– Je vous demande pardon ?

Dans sa confusion, le visage de l'oncle Miles paraissait encore plus rond.

– À quel jeu jouez-vous ?

Lambent se balança légèrement et sembla soudain plus grand et plus large, comme s'il menaçait d'éclater à force de se contenir. Il secoua la botte.

– Ceci est une botte, monsieur. Un objet en cuir muni de clous. Cette botte ne va pas se dissiper dans ma main comme une fumée. Elle n'est pas un fantôme impalpable mais une réalité aussi tangible que vous et moi. Si jamais je vous frappais avec en plein visage, elle laisserait probablement une marque.

L'oncle Miles recula en hâte.

– Je ne vous comprends pas, Lambent ! protesta-t-il.

– Je crois que cette botte, continua Mr Lambent d'une voix dangereusement calme et tendue, a commencé son voyage fantomatique dans la demeure de votre famille.

Faith n'avait encore jamais vu Lambent en colère. Après l'accident de la cage, il s'était énervé dans son indignation, mais cela n'avait rien à voir. Cette fois, il serrait furtivement les poings, et Faith se rendit compte qu'ils étaient énormes. L'espace d'un instant, elle sentit sa force, une force à peine maîtrisée, tel un fleuve écumant contre une écluse et menaçant ses propres rives.

Comme la plupart des créatures aux abois, l'oncle Miles chercha des yeux des soutiens et des alliés. Il n'en trouva aucun. Quand son regard tomba enfin sur Faith, une pensée sembla lentement s'imposer à lui – peut-être songeait-il qu'elle pouvait très bien avoir apporté les bottes du pasteur sur le site...

– Partez ! gronda Lambent.

– Mais on m'avait promis...

– Non, je ne veux rien entendre ! Filez !

Après avoir jeté un dernier regard soupçonneux sur Faith, l'oncle Miles s'enfuit avec toute la dignité dont il était capable.

– Nous avons perdu assez de temps, déclara Lambent. (Il poussa un grognement exaspéré qu'un lion n'aurait pas renié.) Crock, préparez la cage. Je vais descendre avec Clay.

– Un instant, je vous prie !

Le docteur Jacklers, que les foudres du magistrat semblaient laisser impavide, était manifestement lui-même en proie à un profond mécontentement.

– Nous n'avons pas discuté pour savoir qui descendrait le premier. Vous êtes trop tyrannique, Lambent !

– Tyrannique ? Docteur, ces fouilles se trouvent sur mes terres et c'est moi qui les finance !

– Et vous avez déjà jugé bon de vous dédommager ! répliqua le médecin entre ses dents.

– Je vous demande pardon ?

La voix de Lambent était basse et glaciale.

– Je dis simplement, monsieur, que divers petits doigts m'ont assuré que certaines de nos trouvailles n'étaient jamais triées et qu'une partie ne revenaient jamais de chez vous après avoir été vernies.

Le médecin parlait du ton froid et tendu de quelqu'un qui s'imagine faire preuve de tact. Faith ne savait lequel des bruits répandus par elle il avait entendu, ni sous quelle forme.

– Comment osez-vous ! rugit le magistrat.

Faith comprit que le docteur Jacklers allait sans doute être renvoyé du site dans un instant, dans le sillage de l'oncle Miles, ce qui ne convenait nullement à ses desseins.

Elle fléchit les genoux et se laissa tomber par terre.

– Miss Sunderly s'est évanouie !

Des pas se précipitèrent vers elle dans la poussière.

On l'aida à s'asseoir, on lui offrit de l'eau. Oubliant son courroux, le médecin prit son pouls d'un air soucieux.

Faith agita vaguement la main en direction de la tente de Bédouin.

– De l'ombre... chuchota-t-elle plaintivement.

On la soutint jusqu'en haut de la pente, avant de l'installer sur une chaise à côté de Mrs Lambent. Cette dernière ne la regarda pas. Elle était emmitouflée jusqu'aux yeux, comme toujours, mais ce jour-là son regard au-dessus des châles paraissait étrangement brillant et craintif. Elle maniait d'un air absent des cartes devant elle, comme une voyante aveugle tirant les cartes de son tarot.

Cependant, il ne s'agissait pas des cartes d'un tarot, mais de scènes miniatures, de clichés pris d'un bout à l'autre du site et que Paul Clay lui avait remis le matin même. Les photographies s'agitaient et ondulaient légèrement sous la brise.

– Mrs Lambent !

Paul avait surgi devant l'épouse du magistrat. Il s'inclina avec la gravité d'un pleureur lors d'un enterrement.

– Mon père m'envoie au presbytère pour aller chercher d'autres produits chimiques. Il se demandait si vous auriez envie que je vous rapporte quelque chose de la ville.

– Non, merci, monsieur Clay.

Paul s'inclina de nouveau, se détourna puis se baissa et se redressa en tenant une photo, qu'il posa à l'envers sur la pile sans même la regarder. Son geste était si adroit et naturel que tout le monde aurait pensé qu'il avait ramassé cette photo par terre.

Il échangea un bref regard avec Faith. Ni l'un ni l'autre ne sourit, mais elle ferma lentement les paupières, en un clin d'œil imperceptible qui était un remerciement.

Quand le treuil fut prêt, le vicaire et le magistrat descendirent avec lenteur dans les ténèbres. Le médecin leur jeta plusieurs regards courroucés, mais il n'abandonna pas sa malade. Non loin de là, le cheval du magistrat broutait l'herbe avec un calme remarquable, attaché au cadre du treuil par un nœud coulant.

Au bout d'un moment, Crock vint saluer Mrs Lambent.

– Ils sont arrivés au fond sans encombre, madame. Ils disent qu'il y a une grande caverne. Voilà de quoi les rendre heureux pendant au moins une demi-heure.

– Il n'aurait jamais dû descendre, souffla Mrs Lambent. Ce jour est néfaste, voué au malheur…

Elle regarda un instant distraitement les clichés qu'elle avait à la main. Soudain, elle se figea. Elle poussa un long gémissement, qui ressemblait à un râle mais s'enfla en un cri rauque.

– Mrs Lambent !

Le docteur Jacklers se leva d'un bond, et Crock se précipita lui aussi vers elle.

– Cette silhouette qui émerge de derrière la tente !

– Voyons, j'ai vu une épreuve de ce cliché, ce n'est que Miles Cattistock se battant avec la toile, la rassura le médecin.

– Non !

Mrs Lambent se redressa sur son fauteuil et tendit la photo au docteur Jacklers.

– Regardez-le ! Regardez son visage ! Vous ne voyez pas qui c'est ? Erasmus Sunderly ! Je reconnaîtrais son visage n'importe où !

– Comment est-ce possible ? demanda Faith d'une voix basse mais claire. Comment pouvez-vous reconnaître son visage ?

Sa remarque ouvrit comme un gouffre de silence dans la conversation.

Le médecin, qui observait le cliché, leva les yeux d'un air perplexe.

– C'est une bonne question. Comment l'avez-vous reconnu ? Je croyais que vous ne l'aviez jamais rencontré.

– Il s'est rendu chez moi, répondit Mrs Lambent d'une voix enrouée.

– Mais vous ne l'avez pas vu lors de sa visite, intervint Faith. Vous n'êtes jamais venue dîner, car lui aussi vous aurait reconnue. Il vous a rencontrée en Chine, où vous étiez en voyage avec votre mari, Mr Hector Winterbourne, qui est mort de la malaria.

« Certains croient que vous avez un faible pour le gin, Mrs Lambent, mais je suis sûre que le docteur Jacklers n'est pas dupe. Étant votre médecin, il sait assurément que vous avez chaque année des accès de fièvre. Peut-être même est-ce lui qui vous a appris que le gin tonic constituait un traitement contre la malaria.

La respiration de Mrs Lambent devenait dangereusement sifflante et ses yeux s'exorbitaient chaque fois qu'elle aspirait l'air.

– Docteur… Mrs Lambent se sent mal ! s'écria Crock qui observait l'épouse de son employeur en fronçant les sourcils.

– Je vous en prie, docteur, laissez-moi vous dire le reste ! lança Faith d'un ton pressant. Il s'agit de la mort de mon père… et j'ai des preuves, des preuves écrites !

Elle eut presque l'impression de voir le médecin et le coroner se battre dans le cerveau du docteur Jacklers.

– Continuez, dit-il à Faith avec un hochement de tête.

Pour la première fois, il lui jeta un regard qui n'était ni indulgent ni impatient.

– L'ancien nom d'épouse de Mrs Lambent était Winterbourne, reprit Faith. Vous pourrez le voir dans le registre paroissial. Mon père a laissé des notes intimes. Il parle de sa rencontre avec les Winterbourne, alors qu'ils remontaient un fleuve pour chercher un spécimen. Quand Mr Winterbourne a été arrêté, mon père n'a pas réussi à le faire libérer…

– Pas réussi ! s'écria Mrs Lambent. (Sa voix grave vibrait d'émotion.) Il s'est arrangé pour qu'Hector reste dans ce cachot infect ! Il aurait aussi bien pu lui donner un coup de poignard !

Faith sentit un nœud se dénouer en elle. En s'emportant, Mrs Lambent avait confirmé ses dires. Le maillon faible était en train de craquer, exactement comme Faith l'avait espéré envers et contre tout. À présent, elle devait maintenir la pression, arracher d'autres aveux.

– La veille de sa mort, mon père a reçu le matin une lettre anonyme le menaçant de révéler son passé et lui fixant un rendez-vous à minuit dans le vallon de Bull Cove. (Après un instant d'hésitation, elle prit le risque de mentir.) J'ai mis longtemps à trouver cette lettre. Mais maintenant que nous l'avons, il sera facile d'identifier l'écriture.

En parlant d'écriture, Faith se sentit soudain mal à l'aise. Un souvenir vint heurter la fenêtre de sa mémoire comme un insecte, mais ce n'était qu'un vague bourdonnement.

– Non… chuchota Mrs Lambent. Il a dit qu'il avait brûlé la lettre…

Ses yeux se révulsèrent et elle poussa un cri étouffé.

– Je sais que c'est votre mari qui a eu l'idée de ce guet-apens, poursuivit Faith. (Elle se leva et s'approcha de Mrs Lambent.) Je suis certaine qu'autrement vous n'auriez jamais risqué votre âme. Vous vous êtes comportée en bonne épouse.

– Mrs Lambent, je vous en prie, intervint le docteur Jacklers. Dites-nous tout ce que vous savez.

Le médecin avait entièrement cédé la place au coroner. Il se pencha pour regarder dans les yeux l'épouse du magistrat, avec un sérieux et une gravité inhabituels.

– La justice respecte l'honnêteté. Si vous acceptez de parler dès maintenant, votre situation à long terme en sera complètement modifiée.

Mrs Lambent ouvrit la bouche, mais il n'en sortit qu'un sifflement rauque. Avec un effort visible, elle parvint enfin à remplir ses poumons et à articuler une unique syllabe entrecoupée :

– Ben !

Une ombre s'interposa entre Faith et le soleil. C'était Ben Crock, qui bondit derrière le médecin, passa le bras autour de son cou et l'entraîna en arrière. Au même instant, Mrs Lambent s'empara des deux poignets de Faith et les enserra aussi fermement qu'une paire de menottes.

– Crock, que…

– Débarrassez-vous de lui ! lança Mrs Lambent.

Sans hésiter, Crock traîna le médecin jusqu'à l'excavation des fouilles, le fit tourner et le jeta dans le précipice. Le médecin tomba en agitant désespérément bras et jambes. Quand il eut disparu à la vue de Faith, elle vit les cordes de la cage frémir comme des cordes de harpe. Elle ne put qu'espérer qu'elles avaient ralenti sa chute.

– Auriez-vous écrasé mon mari, Ben ? demanda Agatha Lambent d'un ton atterré, sans lâcher les bras de Faith.

Crock se pencha pour écouter.

– Je ne crois pas, madame. Il est en train de hurler. Il m'a l'air en parfaite santé.

Les terrassiers observaient tranquillement la scène. Ils ne firent pas mine de protester ou de se jeter sur Crock. Ils le regardaient… non, ils attendaient ses ordres. Ces hommes n'étaient peut-être pas de vrais terrassiers, mais ils étaient à lui. Crock les avait tous engagés.

– À nous deux, petite vipère, dit Agatha en tournant son attention vers Faith. Vous avez les notes intimes de votre père, vous connaissez ses secrets. Où est mon arbre ?

Faith commençait à se demander si elle n'avait pas commis quelques erreurs dans ses déductions.

34
La veuve

– Votre arbre ?

Faith y était enfin. Elle comprenait, mais trop tard, son malaise persistant.

L'écriture ! L'écriture de Lambent sur le certificat du coroner – grande, flamboyante, indisciplinée. La lettre cassante de Mrs Lambent à Myrtle le jour des funérailles, avec la précision cruelle de ses lettres minuscules. La petite écriture impeccable des étiquettes du cabinet de curiosités…

– Le cabinet ! C'était votre écriture, sur les étiquettes. Tous ces spécimens d'histoire naturelle n'ont jamais appartenu à votre mari. Ils sont à vous.

Faith se rendit compte qu'elle avait eu tous les indices sous les yeux. Le serpent empaillé en train d'étouffer une mangouste… Pas étonnant qu'il ressemblât à ce point au sien ! C'était, lui aussi, un serpent ratier mandarin. Agatha devait s'être procuré ce spécimen lors de son séjour en Chine.

– Je choisis toujours très bien mes maris, déclara Agatha, mais ils ont une déplorable tendance à l'amateurisme.

Sa respiration se calmait peu à peu et ses yeux étaient durs comme de l'acier. Faith se demanda comment elle avait pu croire qu'Agatha était un maillon faible.

– J'ai commis la même erreur que les autres, dit Faith d'un ton pensif. Depuis le début, le véritable naturaliste, c'était vous. Winterbourne ne vous a pas entraînée à la recherche de l'arbre, c'était l'inverse. Quant à Mr Lambent…

– … c'est une âme noble et adorable, termina Agatha avec dévotion. Et il est prêt à écouter les bons conseils.

L'image d'un mari dominateur nanti d'une épouse fidèle mais fragile s'effaça de l'esprit de Faith, au profit de celle d'un homme impulsif et enthousiaste qu'une femme aussi intelligente que vindicative menait à sa guise.

– Vous avez persuadé votre époux d'inviter mon père à Vane. (Faith croyait voir Lambent sauter sur l'idée comme un chiot et se l'approprier.) Vous lui avez dit d'engager Ben Crock.

Elle comprenait enfin pourquoi Agatha passait tant de temps sur le site, et pourquoi Crock ne cessait de s'empresser autour d'elle. Pendant que Lambent se pavanait et prenait la pose en pantalon turc, son épouse dirigeait discrètement les fouilles.

En comprenant la vérité, Faith ressentit un étrange mélange de jubilation, de frustration et de tristesse. Elle avait devant elle ce monstre mythique dont tout le monde lui avait dit qu'il ne pouvait exister : une femme naturaliste.

– Nous aurions pu être amies, dit Faith.

– Comme vous le voyez, je ne manque pas d'amis, répliqua froidement Agatha en désignant d'un geste les terrassiers silencieux. Notre amitié est née en Chine, où les machinations de votre père ont failli nous faire tous périr en prison.

– Mais c'est absurde ! s'écria Faith qui peinait encore à comprendre la situation. Que comptez-vous faire ? On va s'apercevoir de la disparition des gens de l'excavation ! Il va y avoir des recherches !

Elle regarda du côté du précipice.

– Si vous remontez maintenant le docteur Jacklers, peut-être ne mourra-t-il pas. Autrement, ce sera un meurtre, et tout le monde saura que vous êtes les coupables !

– Nous avons été attaqués, dit Agatha sans se démonter. Par ces vauriens de la ville qui nous ont déjà jeté des pierres. Ils nous ont pris par surprise, ont précipité le pauvre médecin dans l'excavation et ont eu un moment l'avantage sur nous. Puis nous les avons chassés et avons pu hisser nos amis à la surface. Si vous décidez de vous montrer ennuyeuse, il se pourrait que vous vous soyez enfuie dans la confusion et vous soyez cassé le cou en tombant.

Faith regarda Crock.

« Vous aviez de la sympathie pour moi, se dit-elle. Vous me plaigniez. »

Puis la vérité la frappa comme un coup de fouet : « Si vous étiez gentil avec moi, c'était uniquement par remords. Vous avez tué mon père. »

– Désolé, Miss, dit Crock. J'espérais vraiment pouvoir vous protéger dans la mesure du possible.

En pensée, elle vit Crock limer la chaîne de la cage, puis ajouter les cordes dans son affolement de voir deux enfants monter à la place de sa cible.

– Mais je dois la vie à Mrs Lambent, continua-t-il. J'étais le contremaître de Mr Winterbourne, et ils m'ont également jeté en prison. Ma mort était certaine, mais Mrs Lambent ne m'a pas abandonné. Elle est restée dans cette ville imbibée d'eau, le temps de les convaincre de me relâcher… et d'attraper la malaria.

Il avait toujours des yeux célestes, mais à présent ils reflétaient des cieux d'hiver.

– L'arbre, Miss Sunderly, lança Agatha. Nous l'avons tous bien gagné. Il est la clé de la prospérité qui nous a été longtemps refusée. Il nous appartient de droit.

Même si c'était douloureux, Faith devait admettre qu'Agatha n'avait pas tort. Les Winterbourne n'avaient jamais possédé l'arbre, mais ils avaient consacré plusieurs années de leur existence à suivre sa trace, tout cela pour le voir leur échapper à l'instant où ils allaient enfin mettre la main dessus. « Ce sont des meurtriers », chuchota le chagrin en Faith. Mais le pasteur était responsable de la mort du mari d'Agatha. Faith comprenait qu'on se venge méthodiquement, avec une rage froide.

En fait, elle aurait pu éprouver pour ses ennemis une sincère compassion, si elle n'avait pas vu un instant plus tôt le docteur Jacklers précipité dans le vide.

– Je vous en prie, Miss...

Le sourire de Crock n'était pas sans bienveillance, mais pas non plus sans menace.

– Je...

Faith baissa la tête.

– J'ai en effet caché une plante. Je... je peux vous montrer des feuilles, pour que vous me disiez si elles viennent bien de la plante que vous cherchez.

Agatha lâcha les poignets de Faith, mais Crock monta la garde derrière elle pour qu'elle ne se sauve pas. Faith glissa sa main dans sa poche. Ses doigts effleurèrent le réticule contenant le pistolet et hésitèrent brièvement. Cependant, si elle le sortait à moitié armé, elle ne pourrait empêcher Crock de le lui arracher. Et si elle l'armait avant de le sortir, ses ennemis entendraient le déclic.

Elle sortit donc la boîte à tabac de son père. Elle la tendit, mais sans s'avancer.

– Les feuilles sont dedans ?

Agatha s'avança avec impatience pour la prendre. Comme Faith l'avait espéré, elle se retrouva ainsi en plein soleil.

– Voyez vous-même !

Ouvrant brusquement la boîte, Faith jeta son contenu sur Agatha.

Les fragments de feuilles s'éparpillèrent sur la robe d'Agatha et prirent feu au soleil. Des petites flammes surgirent brutalement en grésillant sur le coton et le taffetas. Saisissant un tapis, Crock le lança sur la robe pour étouffer les flammes.

Faith prit ses jambes à son cou. Avant que les terrassiers aient pu réagir, elle rejoignit le cheval en train de brouter, défit le nœud coulant et glissa un pied dans l'étrier le plus proche.

Des cris s'élevèrent, des cailloux crissèrent sous des pas précipités. Le cheval frissonna nerveusement et fit un écart. Avec la force du désespoir, Faith essaya de se hisser sur son dos, mais ne réussit qu'à s'affaler sur la selle comme un sac de pommes de terre tandis que sa monture s'élançait en un trot incertain.

Effrayé, le cheval passa au petit galop, et Faith s'accrocha désespérément au bout de la selle, qui martelait sa poitrine à chaque bond de sa monture. Les secousses menaçaient à tout instant de lui faire lâcher prise et de l'envoyer voler sur le gazon. Elle entendit les coutures de son épaule se déchirer.

« Heureusement que Mère n'a jamais voulu que je porte de vrais corsets », pensa-t-elle.

Les sabots avaient cessé d'écraser de l'herbe et résonnaient sur une route. Elle entendait encore des hurlements derrière elle, mais ils s'affaiblissaient.

Cette chevauchée peu gracieuse se poursuivit pendant quelques minutes, puis elle lâcha prise et tomba pesamment sur la chaussée poussiéreuse. Le cheval ralentit et s'arrêta en laissant pendre ses rênes. Faith se releva péniblement, non sans sentir ses genoux écorchés sous sa jupe. Elle rejoignit le cheval en boitillant et fit quelques tentatives bancales pour le monter dans les règles, mais il avait été sellé pour un homme. Elle avait trop de jupes pour pouvoir l'enfourcher, et elle ne cessa de glisser quand elle tenta de le monter en amazone. Il ne lui restait plus qu'à continuer à pied.

Elle n'avait pas de temps à perdre. Même si elle avait un peu d'avance, ses poursuivants n'étaient pas épuisés et endoloris, affaiblis par les contrecoups d'un fruit visionnaire ni empêtrés dans trois jupes superposées.

En outre, ils savaient où elle allait. Ils connaissaient sa demeure.

Quand elle arriva sur le chemin descendant jusqu'à la maison de Bull Cove, Faith sentait ses genoux en sang se coller à son jupon.

Mrs Vellet ouvrit la porte et regarda avec horreur la jeune fille échevelée et couverte de poussière. Un instant plus tard, Myrtle surgit à côté de la gouvernante.

– Faith, où étais-tu ? Où... Oh, mon Dieu, que s'est-il passé ?

Elle entraîna Faith dans le salon. Tandis que Mrs Vellet courait à l'armoire à pharmacie, Myrtle contempla sa fille en effleurant d'un doigt hésitant ses cheveux, une coupure à son oreille, des accrocs sur sa robe.

– Ma chérie... oh, ma chérie... que t'est-il arrivé ? Quelqu'un... quelqu'un a-t-il... ?

Faith mit un instant à comprendre ce que Myrtle voulait dire.

– Non, déclara-t-elle. (Elle joignit les mains et tenta de se calmer.) Non, personne ne m'a dépouillée. J'ai juste des bleus et des bosses... et j'ai couru. Une bande de meurtriers va venir ici, Mère ! Il faut que nous partions tout de suite, ou ils nous tueront !

– Des meurtriers ? Faith, qu'est-ce que tu racontes ?

– Père a fait des choses terribles en Chine, lança Faith. Il a causé la mort d'un homme et volé un spécimen précieux, et maintenant les gens qu'il a lésés sont à nos trousses pour se venger. Mrs Lambent, Ben Crock, les terrassiers... Mère, je n'ai pas le temps de vous expliquer, mais nous devons tous nous enfuir ! Croyez-moi, je vous en prie, rien qu'une fois !

À cet instant, la gouvernante entra avec une bouteille de brandy en guise de remède. Myrtle hésita un peu, regarda Faith et fronça les sourcils.

– Mrs Vellet ! lança-t-elle soudain. Allez chercher Howard, s'il vous plaît. Nous devons partir sur-le-champ, à pied. Des brutes doublées d'assassins s'apprêtent à nous attaquer.

– Prythe a-t-il un fusil de chasse ? demanda Faith avec espoir.

– Prythe nous a quittés hier après-midi, répondit distraitement Myrtle.

– Mais…

Faith se rappela que sa mère avait menacé la veille l'oncle Miles de le faire jeter dehors par les domestiques. Myrtle lui sourit.

– Oui, ma chérie, dit-elle sèchement. Je bluffais.

Mrs Vellet sortit et revint avec Howard.

– Prendrons-nous la route du haut ou celle de la côte ? murmura Myrtle avec agitation. Sur la route côtière, nous n'aurons aucun endroit où fuir et nous cacher. En passant par en haut, au moins, nous pourrions couper par les herbages ou nous dissimuler derrière des buissons…

– Madame… (Mrs Vellet se racla la gorge.) Nous… nous devrions prendre la route côtière.

– Pourquoi donc ?

Myrtle semblait surprise par ce conseil qu'elle n'avait pas demandé. Mrs Vellet pinça les lèvres et baissa la tête d'un air embarrassé. Il sembla à Faith que si elle avait pu, elle aurait rentré sa tête dans son col à la façon d'une tortue.

– Si nous prenons la route côtière, nous trouverons une voiture, dit enfin Mrs Vellet. Quelqu'un doit venir… à ma rencontre.

La route côtière et la mer se faisaient toujours la cour, et elles étaient particulièrement passionnées ce jour-là. La marée était haute et d'énormes vagues s'écrasaient avec fracas sur le rivage. Le vent fraîchissant faisait voler les embruns et miroiter des arcs-en-ciel épars.

Mrs Vellet tirait par la main Howard avec patience tandis que Myrtle avançait péniblement dans sa robe noire impeccable, en soulevant de son souffle haletant son voile pesant. Ils n'avaient emporté aucun bagage, pas même un éventail. Les membres de Faith étaient endoloris par sa chute, son genou commençait à enfler et le manque de sommeil se faisait sentir. Par moments, une torpeur hébétée engourdissait son esprit, comme un tissu atténuant la lumière d'une lampe.

Elle ne pouvait s'empêcher de regarder par-dessus son épaule, en s'attendant à voir des poursuivants approcher à toute allure.

Le premier rocher prit Faith par surprise. Elle était trop fatiguée et éblouie par le soleil pour voir d'où provenait ce fracas. Puis quelque chose s'écrasa bruyamment sur la route, à quelques pas derrière elle. En se retournant, elle vit des fragments de roche rougeâtres s'éparpiller en jaillissant du sol.

– Ils nous lancent des rochers du haut de la falaise! cria-t-elle en se rapprochant de la paroi. Vite, par ici! Sous le surplomb!

Les autres suivirent son exemple, et bientôt ils s'avancèrent en hâte à la file sous leur abri étroit.

– Ils ont dû penser... que nous prendrions... la route d'en haut... haleta Myrtle en s'efforçant de ne pas se laisser distancer.

– Ils savent où nous sommes, maintenant, murmura Faith. Certains d'entre eux vont rebrousser chemin pour nous rattraper sur cette route.

Un nouveau rocher, plus gros, s'écrasa tout près des fugitifs. Plusieurs fragments vinrent frapper Howard, qui poussa un gémissement de douleur incrédule. Sa voix perça le cœur de Faith, qu'un désir éperdu de le protéger envahit avec la violence d'un torrent déchaîné.

Un peu plus loin, la route descendait brusquement pour s'aplanir ensuite, nettement plus bas. À présent, le brise-lames défendait seul la route contre la mer féroce et capricieuse. Le bruit était assourdissant. Les vagues s'incurvaient par-dessus la digue en une arche étincelante d'écume blanche avant de retomber violemment sur la chaussée, en parsemant la falaise d'éclaboussures sombres.

Une trombe écumante s'abattit sur eux, les laissant trempés, le souffle coupé. De grandes flaques d'eau salée mouillaient la chaussée. Avec un frisson, Faith se rappela que la mer submergeait dangereusement cette route, le jour de leur arrivée. Ayant oublié les horaires des marées, elle ne pouvait être certaine que les flots ne monteraient pas plus haut.

Pire encore, en jetant un coup d'œil par-dessus son épaule, elle distingua des silhouettes lointaines à travers les embruns illuminés par le soleil.

– Ils arrivent ! cria-t-elle.

– Où est la voiture ? s'exclama Myrtle.

– Écoutez ! lança Mrs Vellet.

On entendait vaguement un cliquetis au loin. D'abord presque inaudible, il s'enfla peu à peu, jusqu'au moment où un cabriolet attelé d'un poney émergea d'un virage, dans un fracas de sabots et de grelots.

Le cabriolet était occupé par une unique silhouette, vêtue d'une redingote et d'un bonnet rouge foncé, qui le menait avec une ardeur désinvolte. Quand la voiture approcha, Faith distingua des cheveux bruns, un front bandé. C'était Miss Hunter.

En voyant leur groupe accourir, l'impatience joyeuse de Miss Hunter céda la place à la surprise et l'incertitude.

– Jane ! s'écria-t-elle. Vous avez amené la famille ?

– C'est un cas d'urgence, Leda, répondit Mrs Vellet en avançant précipitamment avec Howard dans ses bras. Des bandits les attaquent. Il fallait que je les aide à s'échapper.

Ses yeux brillaient, et elle paraissait plus jeune que de coutume.

– Voilà qui ne m'étonne pas de vous !

Le sourire de Leda Hunter était empreint de cette légère tristesse qui se mêle souvent à la véritable affection.

– Pouvez-vous faire faire demi-tour au cabriolet sur cette route ? demanda Faith.

Au même instant, un nouveau rocher s'écrasa sur la chaussée, en éclaboussant de gravier les roues de la voiture.

La chaussée était juste assez large, de sorte que Miss Hunter entreprit de faire demi-tour. Plusieurs mèches brunes s'étaient détachées de ses tresses, ce qui lui donnait un air espiègle et téméraire.

– Vous ne devriez pas jouer les cochers avec cette blessure ! la gronda Mrs Vellet à voix basse en lui tendant Howard.

Les deux femmes échangèrent un bref sourire. Et ce sourire à peine esquissé suffit à faire comprendre à Faith que Mrs Vellet n'était pas sèche, que Miss Hunter n'était pas froide, et à lui donner l'impression d'un instant d'harmonie, comme l'accord de deux notes, le fragment infime d'une mélodie qu'elle ne comprenait pas.

– Vite ! hurla Myrtle.

Les poursuivants se rapprochaient à vue d'œil. Ils avaient atteint la pente raide menant à la route et la descendaient en courant aussi rapidement qu'ils l'osaient, en glissant sur la chaussée trempée d'embruns. L'un d'eux portait un tonneau de la taille d'un gros carton à chapeau.

Miss Hunter acheva sa manœuvre. On aida Myrtle à monter dans le cabriolet, à côté de Howard. Mrs Vellet se hissa à son tour dans la petite voiture, qui protestait en craquant contre ces fardeaux insolites.

– Faith ! Monte dans la voiture !

Faith jeta un dernier regard derrière elle, puis se figea. Les hommes ne les poursuivaient pas. Ils s'étaient arrêtés au pied de la colline, avaient installé en hâte le tonneau contre le brise-lames et empilé des pierres dessus. À présent, ils remontaient la pente en courant...

Le tonneau était à vingt mètres d'elle. Elle s'élança à toutes jambes, malgré son genou enflé et le poids de ses jupes trempées. Elle se dirigeait vers cette rocaille sinistre qui, si elle ne se trompait pas, allait exploser d'un instant à l'autre.

C'était sans doute une idée de Crock, inspirée par son bon sens impitoyable. À quoi bon capturer et tuer cinq fuyards dans une voiture, quand on pouvait ouvrir une brèche dans le brise-lames et laisser la mer se charger de la sale besogne ?

Le cœur battant à tout rompre, Faith atteignit le tas de pierres, en s'attendant à être déchiquetée par l'explosion. Elle n'apercevait que l'armature de bois du tonneau de poudre enfoui sous les pierres. Elle entendit comme un grésillement. Une grosse corde émergeait des rochers, et au bout de la corde une flamme orangée était en train de dévorer à toute allure les fibres.

Faith attrapa la mèche, juste au-dessus de la flamme, et tira pour l'arracher au tonneau. Elle se détacha facilement. Faith la jeta dans une flaque où elle s'éteignit en sifflant. Après avoir écarté les pierres à coups de pied, elle attrapa le tonneau, le souleva jusqu'à son épaule malgré son poids et le jeta par-dessus le brise-lames.

– Faith ! hurla Myrtle.

Des pas se précipitaient vers elle du haut de la colline. Elle se tourna pour fuir vers le cabriolet, mais elle savait qu'il était trop tard. Elle le savait déjà en s'élançant vers le tonneau.

Quelqu'un l'attrapa par l'arrière de son col, un bras enserra brutalement sa taille, la souleva du sol.

Myrtle ne cessait de hurler son nom, tandis que d'autres hommes couraient vers le cabriolet. Il y eut des cris, le fracas d'autres rochers jetés du haut de la falaise, un hennissement terrifié. La voiture s'élança en cahotant quand le cheval prit la fuite. Elle zigzagua dangereusement, mais prit de la vitesse et finit par disparaître dans le virage.

– Revenez ! cria une voix familière.

Les terrassiers cessèrent de courir, se retournèrent et revinrent lentement.

– C'est elle que nous voulions, déclara Ben Crock en remettant Faith sur ses pieds.

35
L'aptitude à la survie

Sous un ciel d'un bleu radieux, Faith s'avança sur le sentier menant à la plage, au bruit des bottes de ses ennemis marchant derrière elle. Il lui semblait sentir sa nuque se crisper dans l'imminence du danger.

« C'est la dernière fois que je marche sur ce sentier », se dit-elle avec un calme étrange.

Elle avait déjà estimé ses chances de survie. Agatha Lambent et Ben Crock ne pouvaient se permettre de la laisser en vie. Ils la tueraient dès qu'elle aurait fait ce qu'ils attendaient d'elle.

Une fois qu'elle serait morte, il était peu probable qu'on puisse prouver quoi que ce fût contre Agatha et ses complices. Le docteur Jacklers aurait pu témoigner contre eux, mais il ne survivrait sans doute pas. Les fugitifs du cabriolet ne connaissaient que les explications confuses de Faith. Ils n'avaient pas vu grand-chose – rien qu'une bande d'hommes au loin et des rochers tombés d'en haut. Paul savait une partie de ce qu'elle avait découvert, mais Agatha et Crock l'ignoraient, et Faith n'était guère pressée de le leur dire.

Elle croyait presque sentir la présence d'autres Faith venues de moments différents. La Faith se dirigeant d'un air coupable vers la plage pour cacher ses gants parmi les rochers. La Faith rôdant dans l'obscurité avec son père. La Faith découvrant une forme humaine étendue sur l'arbre de la falaise. La Faith rejoignant furtivement le canot dans ses vêtements de deuil dévastés, folle de chagrin et assoiffée de vengeance. Peut-être même une Faith nettement plus jeune, sur une autre plage, découvrant son premier fossile et quêtant l'approbation de son père.

Toutes lui semblaient tellement lointaines qu'elle n'aurait su que leur dire.

– Est-ce ce bateau ? demanda derrière elle Agatha de sa voix grave de contralto.

– Oui, répondit Faith.

Renversant la tête en arrière, elle observa le ballet de mouettes blanches minuscules chevauchant très haut dans le ciel le vent soufflant de plus en plus fort.

Elle ne comprenait plus la Faith de la nuit du concours de ratiers, qui avait cru que le monde se réduisait aux dents de créatures affamées, à des tueries et à des ossements gisant dans la poussière. « La faim ne peut expliquer pourquoi j'aime le bleu de ce ciel », songea-t-elle.

Quelqu'un la prit par le bras et l'entraîna fermement sur les galets. Faith ne put s'empêcher de boiter, tant elle peinait à plier son genou enflé.

– Montrez-nous la grotte, dit Crock.

Faith la désigna du doigt.

– On ne la distingue pas bien d'ici, déclara-t-elle.

– Et il n'y a pas d'autre entrée ? demanda le contremaître.

Elle se tourna vers lui et le regarda droit dans ses yeux couleur de ciel.

– Croyez-vous vraiment que j'y serais allée en bateau dans ces parages infestés de courants, s'il y avait eu une autre entrée ?

Crock l'observa un instant puis hocha brièvement la tête, convaincu. Cette scène amusa Faith. Même sur le point de mourir, elle était encore capable de mentir.

Le canot était trop petit pour embarquer beaucoup de passagers.

– Asseyez-vous à la poupe et guidez-nous, dit Agatha à Faith. Je m'installerai à la proue et Mr Crock ramera.

Lorsqu'ils furent tous trois assis, les soi-disant terrassiers poussèrent l'embarcation dans les flots. Manifestement, les traversées nocturnes de Faith auraient été plus faciles si une horde d'ennemis mortels l'avaient aidée.

Les vagues vertes et lisses s'écrasant dans une gerbe d'écume avaient l'éclat menteur du sourire d'un dément. Le canot se cabrait allègrement, en laissant un sillage nacré, mais Crock maniait les rames avec nettement plus d'aisance que Faith. Le soleil brillait à travers le tissu du bonnet d'Agatha, en projetant sur son visage une ombre couleur de paon. On aurait pu les prendre pour une famille en excursion.

Faith était obligée d'obéir à ses ravisseurs, en faisant elle-même le nécessaire pour qu'ils puissent se passer d'elle. Malgré tout, cela signifiait aussi qu'elle était maintenant face à deux ennemis, et non sept.

– Qu'allez-vous faire avec l'arbre ? demanda-t-elle.

– Vais-je publier des articles à son sujet, mettre en émoi le monde scientifique et devenir la coqueluche de la Société royale ? lança Agatha d'une voix où le cynisme le disputait à l'amertume. Je ne le pense pas. J'avais ce genre d'idées, autrefois. À présent, je connais mieux le monde.

– Vous pensez que personne ne vous croira ? suggéra Faith.

– J'en suis persuadée. C'est trop nouveau, trop étrange, trop de scientifiques verraient leur confort menacé. Cela passerait peut-être si c'était un homme du monde qui en parlait, mais moi ? Je me retrouverais probablement dans un asile d'aliénés.

– Vous comptez donc le garder secret et le nourrir de mensonges.

Faith sentit la colère l'envahir. Si elle devait être assassinée pour un arbre, qu'au moins les meurtriers en tirent le meilleur parti !

– Bientôt, si Dieu le veut, mon époux entrera au Parlement, dit Agatha avec calme. Il sera bien placé pour nourrir l'arbre, et il dira tout ce que je voudrai.

Cette pensée fit mal au cœur à Faith. En tant que parlementaire, Anthony Lambent pourrait répandre des mensonges grandioses, qui partiraient de la Chambre des communes pour s'étendre à tout l'Empire.

– Les secrets sont une source de pouvoir, continua Agatha. Et aussi d'argent, si l'on sait s'en servir correctement. À défaut d'être célèbre, je pourrais être riche.

– Mais vous avez sûrement l'intention de l'étudier ! s'exclama Faith. Cela fait nécessairement partie de vos projets ! Comment pourriez-vous supporter de l'utiliser sans essayer de le comprendre ?

– Il y a des choses que la science ne peut expliquer, déclara Crock en ramant, les sourcils froncés.

Faith et Agatha se récrièrent de concert.

– Quelle absurdité ! proclama Faith. Ce n'est pas parce que quelque chose n'a pas été expliqué qu'il ne peut pas être expliqué ! On croyait jadis que les pointes de flèche en silex étaient des projectiles de lutins ! Les Angles pensaient que les ruines romaines étaient l'œuvre de géants !

– Même si des questions demeurent sans réponse, cela ne signifie pas que la science est inutile mais au contraire que nous avons besoin d'elle, lança Agatha d'un ton acerbe. Il y a dans la mer des poissons qu'on n'a pas encore pêchés, mais on ne saurait dire pour autant que les filets de pêche aient échoué et qu'il faille les jeter.

Faith se surprit à approuver de la tête.

– Mais nous savons tous ce qu'est l'arbre ! protesta Crock.

Il regarda Faith.

– Vous êtes une fille de pasteur, vous connaissez à fond la Bible. Vous devez savoir ce que je veux dire !

Faith mit un instant à comprendre de quoi il parlait. Elle se rappela alors des passages énigmatiques du carnet de son père, et leur sens lui apparut enfin.

Je me suis demandé si l'arbre ne daterait pas de l'aube des temps... d'une époque plus fortunée, aujourd'hui révolue.

– L'Arbre de la Connaissance, souffla Faith.

Elle fut soudain envahie d'une profonde tristesse.

– Père le croyait. Non, il l'espérait. Il voulait prouver scientifiquement la véracité de la Bible.

– Il est dangereux d'espérer, pour un scientifique, observa froidement Agatha.

– Je ne pense pas que ce soit l'Arbre de la Connaissance, dit Faith avec lenteur.

Elle souffrait de contredire son père, et il était étrange de discuter ce sujet avec ceux qui voulaient sa perte, mais c'était plus fort qu'elle.

– Pourquoi l'Arbre se trouverait-il hors de l'Éden et se nourrirait-il de mensonges ? D'ailleurs, le fruit ne donne nullement une connaissance divine. Parfois, je me demande même...

Elle s'interrompit et fronça les sourcils, tandis qu'un vague soupçon prenait forme dans son esprit.

– Il se pourrait que les prétendus secrets ne soient que des intuitions qu'on a déjà eues au fond de soi-même.

Crock continua de ramer, mais il s'était renfrogné. Faith sentit que cette conversation avait réveillé en lui un malaise latent. C'était la première fois qu'elle remarquait l'ombre d'un désaccord entre ses ennemis. Il ne semblait guère convaincu que l'arbre ne fût pas quelque fruit interdit voué à perdre son âme. Faith savait qu'il suivrait Agatha Lambent en enfer, mais peut-être avait-il l'impression que c'était justement ce qu'il était en train de faire.

Elle reconnut soudain les lieux.

– Voilà la grotte ! Laissez la vague nous porter à l'intérieur !

Elle n'était encore jamais arrivée à marée haute. L'eau montait presque jusqu'en haut de l'entrée de la grotte. Quand la vague les projeta en avant avec une puissance vertigineuse, ils durent tous trois se baisser pour ne pas se faire assommer au passage.

Faith entendit ses compagnons pousser un cri étouffé lorsque le canot fit irruption dans la caverne rugissante, en tournoyant et en se cognant aux parois. Il finit par s'immobiliser, non pas sur les galets, comme d'ordinaire, mais sur la plate-forme rocheuse qui leur succédait.

– Quelle est cette odeur ? demanda Agatha.

Le parfum de l'arbre criblait les yeux et les narines d'épingles glacées. Il gelait les poumons.

– C'est l'arbre, dit Faith.

Crock sortit le premier de l'embarcation. Quand Faith le suivit, il la tint fermement par le bras.

– Je n'ai pas envie de vous perdre dans l'obscurité, déclara-t-il.

Une lueur se mit à rougeoyer sur le bateau, éclairant Agatha occupée à régler au maximum la flamme d'une lanterne.

– Vous ne pouvez pas l'emporter ici ! lança aussitôt Faith. Une lumière aussi vive détruirait l'arbre ! Vous avez vu ce qui est arrivé aux feuilles. Il faut atténuer la flamme, de façon qu'elle ne diffuse qu'une faible lumière.

Après avoir échangé des regards méfiants, les ennemis de Faith suivirent son conseil. Elle vit l'entrée de la grotte s'assombrir autour d'elle.

Lorsqu'ils approchèrent de l'autre caverne, Faith elle-même ne put retenir une exclamation. Devant eux s'étendait une masse enchevêtrée de sarments noirs, si dense et si sombre qu'on aurait cru voir s'ouvrir un abîme. D'énormes tiges de bois s'incurvaient et serpentaient au milieu des vrilles obscures, comme des idéogrammes de quelque langue végétale.

En levant la lanterne, Agatha les guida vers le rideau de vrilles noires oscillant doucement. Tendant sa main gantée de dentelle,

elle effleura les sarments les plus proches, en frottant son pouce contre son index pour vérifier la consistance de la sève. Ses yeux brillaient d'un éclat extatique. En même temps, son sourire paraissait absorbé, lointain. Même son extase semblait vide, comme le reflet de l'or dans l'œil d'un prospecteur.

– C'est l'arbre, dit-elle d'une voix pleine de révérence mais étrangement monocorde. Nous l'avons trouvé. Après toutes ces années.

Sans avertissement, Agatha pénétra dans la jungle noire tentaculaire et disparut en emportant la lanterne, si bien que l'entrée de la caverne resta dans l'obscurité. La lueur de la lanterne avançait en vacillant au milieu des sarments, tel un feu follet dans une forêt sans soleil.

– Venez, Ben, lança Agatha d'une voix assourdie. Il ne vous fera aucun mal.

Crock la suivit, en entraînant Faith à travers les vrilles mouvantes et ondulantes.

Faith tenta de se repérer, afin de savoir comment retrouver le passage secret menant au sommet de la falaise. Malheureusement, Crock la tenait trop solidement pour qu'elle puisse se dégager et s'échapper parmi les sarments. De toute façon, même si elle y parvenait, la lanterne d'Agatha leur permettrait de la rattraper avant qu'elle ait pu s'éloigner.

Elle glissa discrètement la main dans sa poche en cherchant la crosse du pistolet de son père. Toutefois la petite arme n'avait qu'une balle, alors que Faith devait affronter deux assassins.

– On peut parvenir à l'arbre en suivant les racines au sol, dit Agatha en levant la lanterne et en faisant signe à Crock de la suivre. Elles sont comme les lamelles d'un éventail !

À mesure qu'elle avançait, les vrilles pendantes chuchotaient contre le taffetas de sa robe et s'attardaient avec curiosité sur ses épaules. Agatha et l'arbre semblaient sympathiser, et Faith se sentit soudain absurdement jalouse.

En revanche, Crock tressaillait chaque fois qu'un sarment effleurait son visage.

– Ne faites pas attention aux voix, murmura Faith. On s'y habitue.

Elle le vit avec plaisir se crisper en remarquant pour la première fois les chuchotements intermittents.

Cela dit, plus ils progressaient, plus les voix devenaient fortes. Elles finirent par perturber Faith elle-même.

Le cœur de l'arbre était maintenant un immense enchevêtrement tourmenté de sarments aussi gros que des troncs, s'enroulant et se plissant sans fin. En le contemplant avec stupeur, Faith sentit comme un bruit de papier déchiré marteler ses tympans. À chaque pulsation, le bois pâle se tordant en tous sens paraissait palpiter d'un éclat éblouissant. Il lui sembla voir du coin de l'œil comme des traînées impalpables d'obscurité s'échapper des nœuds, en assombrissant et en alourdissant l'atmosphère.

Agatha se mit à rire et posa son pied sur un écheveau de racines basses. Faith n'aurait su dire si elle entendait ainsi en prendre possession ou si elle s'apprêtait à l'escalader comme une enfant. Crock observait l'arbre d'un air méfiant.

– Nous avons vu ce que nous voulions voir, dit-il. Pouvons-nous repartir ?

Il jeta un regard à Faith, et son visage s'attrista. Elle comprit qu'il pensait déjà à sa mort. Il se préparait à la tuer, en se familiarisant à l'avance avec le regret qu'il allait ressentir. Il réfléchissait aux moyens de faire vite.

Si elle ne détournait pas l'attention de ses ravisseurs, ils allaient songer à se débarrasser d'elle.

– Pourquoi êtes-vous si pressé, Mr Crock ? demanda Faith avec une hardiesse qu'elle était loin d'éprouver. Auriez-vous peur de cet arbre ? Après tout ce que vous avez fait, tous les gens que vous avez tués pour venir ici ? Ce n'est qu'une plante. Elle se nourrit de mensonges et révèle des secrets, mais cela peut s'expliquer sans peine. Elle noue un lien avec une personne, et le reste n'est qu'une affaire de courants dans le fluide magnétique.

Agatha se raidit et se tourna vers elle d'un air furieux.

– Je vous demande pardon ?

– C'est du magnétisme animal, continua Faith allègrement. Il provoque des transes, des visions libérées de tout obstacle, permet à des êtres vivants de s'influencer sans se toucher, outre ses effets purement physiques...

– Je connais la théorie du magnétisme animal ! l'interrompit Agatha. C'est une idée absurde et discréditée, à laquelle ne croit plus aucun esprit raisonnable ! Seuls des guérisseurs charlatans en parlent encore ! Comment osez-vous appliquer cette sottise démodée à mon arbre ?

Ses yeux brillaient d'un éclat féroce qui ressemblait presque à de la joie.

– Dans ce cas, quelle est votre explication ? rétorqua Faith en se demandant depuis combien de temps Agatha n'avait pas eu l'occasion de discuter avec qui que ce fût.

– Eh bien, l'arbre est manifestement une sorte de carnivore spirituel, répondit Agatha en se rapprochant. Mon hypothèse serait qu'il consomme des fantômes et puise les réponses qu'il donne dans les connaissances des esprits en lui, à la façon d'un médium végétal. À mon avis, un mensonge puissant vit d'une vie autonome, au point de devenir quasiment un fantôme miniature. L'arbre absorbe de tels mensonges et se sert de leur énergie spirituelle pour sustenter les esprits qu'il abrite.

Elle était maintenant tout près de Faith. Ses yeux étincelaient à la faible lueur de la lanterne. Faith se rendit compte soudain qu'Agatha avait le même âge que Myrtle, mais les déceptions avaient laissé des marques profondes sur elle. Des rides se creusaient aux coins de sa bouche, comme si elle avait ravalé trop de mots.

– Merci, dit Faith d'un ton humble. C'était... très éclairant.

Puis elle arracha à Agatha la lanterne, qui s'écrasa sur le sol de la caverne.

L'obscurité s'abattit sur eux. L'air se mit à sentir l'huile et le bois vert en train de brûler. Faith essaya de dégager son bras, mais les doigts de Crock s'enfoncèrent de plus belle dans sa chair. Il la saisit par-derrière avec son autre bras. Comme elle se débattait, il commença à serrer sa gorge.

Faith sortit le pistolet de sa poche, repoussa en arrière le chien à tâtons puis leva l'arme en la pointant derrière sa tête. Elle tira.

La détonation fut comme un coup de poing sur sa tempe. Le pistolet lui échappa et le métal brûlant heurta son épaule avant de tomber. Quelqu'un hurlait dans son dos, mais plus personne ne la tenait.

Elle s'élança dans les ténèbres. Du verre crissa sous ses pieds. Derrière elle, des silhouettes se démenaient, elle entendait des bruissements et des halètements, comme s'il y avait des fauves dans les broussailles. La course vacillante de Faith faisait tout autant de bruit. Des sarments cinglaient son visage, s'enroulaient autour de son cou, faisaient trébucher ses pieds, s'agrippaient à ses manches, s'insinuaient dans ses poches, tendaient vers ses yeux des doigts invisibles.

Il fallait qu'elle trouve la paroi de la caverne. Ensuite, elle pourrait la suivre et rejoindre l'issue. Cependant ses doigts ne cessaient de toucher des sarments pendillants, des feuilles poisseuses. Une angoisse profonde s'empara d'elle à l'idée qu'elle et ses poursuivants ne se trouvaient plus dans la caverne mais dans la jungle de l'arbre s'étendant à l'infini, comme un enfer privé où ils se pourchasseraient pour l'éternité.

« Non, se dit-elle. Il y a une paroi. Il y a une paroi ! »

Au milieu des feuilles frémissantes et des rameaux entrelacés, ses doigts touchèrent de la pierre.

Elle suivit la paroi, en déchirant ses doigts dans sa hâte sur les sarments emmêlés. Elle monta en trébuchant des pentes et des ressauts, chercha des appuis, grimpa. Elle se hissa et se faufila en avançant à tâtons. Les ouvertures étaient plus étroites qu'auparavant, tant les sarments les envahissaient. Faith perdit un temps précieux à se débarrasser des baleines de son corset, afin de pouvoir se glisser dans les passages plus resserrés.

Cependant elle remerciait chaque fente désespérante, chaque fissure douloureuse, en sachant que si elles lui posaient des difficultés, elles seraient deux fois plus dures pour ses poursuivants acharnés. Elle était le rat dans une crevasse, échappant aux mâchoires du ratier.

Au-dessus de sa tête, elle aperçut une clarté, trop faible pour être qualifiée de lumière. Faith se démena en se tortillant comme un poisson, se dirigea de toutes ses forces vers cette lueur d'espoir. Ses doigts trouvèrent des prises, ses bras trouvèrent des forces, et elle se hissa vers le haut. Le tunnel s'éclaira peu à peu, jusqu'au moment où elle aperçut enfin un triangle de ciel. Elle respira l'air frais où flottait une odeur d'herbe chaude, elle sentit de la terre entre ses doigts.

Mais alors qu'elle tentait d'atteindre cette lumière, les sarments resserrèrent leur prise et la retinrent. Ils s'entrelaçaient à ses épaules et à sa taille, autour de ses bras et de son cou, mordaient sa chair en nouant leurs nœuds. Elle était à l'extrême limite de l'extension de l'arbre à mensonge, et elle sentit ses doigts racler la terre quand elle commença à redescendre en glissant dans le tunnel.

– Non ! chuchota Faith.

Mais son chuchotement n'était pas le seul bruit. Les voix se pressaient autour d'elle, et elle comprenait maintenant pourquoi elles la perturbaient. Elles parlaient avec sa propre voix, devenue folle et pareille au feulement d'un chat.

« C'était un génie, gémissaient et grondaient les voix. On lui a fait du tort, on ne l'a pas compris. C'était un homme de bien. Nous avions un lien privilégié... »

Des mots qu'elle n'avait jamais dits à l'arbre. Des pensées qu'elle n'avait jamais murmurées qu'à elle-même. Et des mensonges. Des mensonges bien-aimés, suffocants.

Faith réussit à glisser sa main dans sa poche et à en sortir son petit miroir. Le tenant à bout de bras, elle tourna la glace vers le rayon de soleil de façon à réfléchir sa lumière sur elle-même.

Il y eut un éclair, un grésillement, et les sarments la retenant prisonnière s'enflammèrent. Elle ne fit pas attention à la brûlure douloureuse, à l'odeur de ses cheveux roussis. Ses vêtements maculés de sève s'embrasèrent, mais ils étaient encore humides d'eau de mer. Quand les sarments se desserrèrent, elle grimpa péniblement vers le haut et sortit du trou sur le ventre, comme un poisson échoué sur le rivage. Elle se roula sur le sol pour éteindre les flammes puis resta immobile, hors d'haleine.

Pendant quelques instants, elle fut incapable de respirer, de percevoir quoi que ce fût en dehors du ciel au-dessus de sa tête. Puis elle se rendit compte qu'une fumée s'échappait du trou. Elle n'avait pensé brûler que les vrilles qui l'entravaient, mais elle imaginait maintenant le feu se propageant de sarment en sarment, comme la flamme orangée consumant la mèche du tonneau de poudre.

Aux panaches de fumée grise succédèrent d'énormes volutes noires. L'arbre était en train de brûler sous elle.

Elle éloigna ses pieds du trou, en se couvrant la bouche pour la protéger de la fumée. Elle ne pouvait rien faire pour Ben Crock et Agatha Lambent, sinon aller chercher de l'aide. Chancelante, elle se leva, puis faillit retomber tandis que le monde tourbillonnait autour d'elle et que ses oreilles bourdonnaient.

Apercevant au loin le clocher de l'église, elle partit en trébuchant dans cette direction. Ses pieds ne semblaient plus lui appartenir, elle était incapable de marcher droit. Le bord de la falaise ne cessait de s'avancer subrepticement sur sa droite. À un moment, elle se surprit à répondre avec irritation à une question que personne ne lui avait posée :

« Les vapeurs. C'est sans doute l'effet des vapeurs. »

Elle regarda par-dessus son épaule et vit qu'une colonne menaçante de fumée s'élevait encore de l'entrée secrète de la caverne. Elle se déployait en montant, en une traînée blanchâtre et malsaine se détachant sur l'azur.

Cependant Faith vit aussi une silhouette, nettement plus proche. Un spectre noirci, maculé de suie, implacable, dont les cheveux flottaient au vent comme un pavillon de guerre. Des brûlures rouges boursouflaient son visage et transparaissaient à travers les trous carbonisés de sa robe verte de sirène. Agatha gagnait rapidement du terrain, les yeux rivés sur Faith.

Faith sentit ses jambes se dérober et s'effondra de nouveau. Sa main chercha à tâtons quelque chose à lancer, se referma sur un galet. Un petit galet parfaitement rond.

– N'approchez pas ! cria-t-elle à la silhouette se rapprochant à vue d'œil.

Elle brandit le galet, en espérant qu'Agatha ne verrait qu'un objet sombre et arrondi.

– C'est un fruit... le dernier vestige de l'arbre ! Laissez-moi tranquille ou je le jette à la mer !

Agatha ne ralentit pas.

– Vous pouvez encore fuir ! cria Faith en reculant sur le gazon sans cesser de brandir le galet. Allez au port ! Trouvez-vous un bateau !

Agatha la regarda droit dans les yeux en continuant d'avancer. Son regard de désespoir était aussi vide et morne qu'avait été son regard de joie.

– Arrêtez ! hurla Faith. Je suis sérieuse !

Agatha s'élança pour s'emparer du prétendu fruit, et Faith le jeta derrière elle, en direction du bord de la falaise. Elle ne trouva rien d'autre que cette diversion pour avoir le temps de s'enfuir.

Agatha se retourna aussitôt, regarda fixement le petit objet rond rebondir en ricochant vers le bord. Elle se lança à sa poursuite.

Tandis qu'il rebondissait, le soleil luisait sur la surface grise. C'était un galet, on ne pouvait s'y méprendre. Personne ne pouvait plus l'attraper, mais Agatha continuait de courir.

Faith se surprit à hurler :

– Arrêtez ! Arrêtez ! J'ai menti !

Mais quand le galet tomba du haut de la falaise, Faith se rendit compte qu'Agatha ne le regardait même plus. En approchant du bord, elle accéléra puis écarta les bras pour s'élancer dans l'éternité.

Il ne resta que le bleu impitoyable du ciel, le vent à l'odeur de fumée et les grillons se répandant en commérages dans l'herbe sèche.

36
L'évolution

Les choses auraient pu tourner différemment si le docteur Jacklers n'avait pas survécu. Mais il survécut, de très mauvaise grâce mais avec des chances sérieuses de retrouver l'usage de sa jambe cassée.

Il présida même l'audience de l'enquête retardée sur le décès du révérend Erasmus Sunderly, tant il répugnait à abandonner cette tâche à un moindre personnage. Il harcela si sévèrement le jury que certains de ses membres s'imaginèrent manifestement que c'étaient eux qu'on jugeait. En parlant de Faith Sunderly, il se montra plus bienveillant, même s'il lui reprocha de ne pas lui avoir fait part plus tôt de ses soupçons.

On conclut que le pasteur avait été victime d'assassins dont l'identité était connue. Ben Crock fut retrouvé dans la caverne, vivant mais gravement brûlé, l'œil gauche abîmé par un coup de pistolet. Les soi-disant terrassiers, qui tous avaient travaillé avec Crock pour Winterbourne, furent également arrêtés.

On retrouva le corps d'Agatha Lambent au pied de la falaise. Toutefois, on minimisa son rôle dans cette sombre affaire. Faith savait qu'on entendait ainsi respecter sa mémoire et ménager les sentiments de son époux, qui avait été accablé par le récit des crimes de sa défunte compagne. En même temps, ce traitement de faveur la mettait mal à l'aise. Il revenait à faire disparaître Agatha. La ruse de cette femme, sa scélératesse, son ardeur pour la science, son talent et ses obsessions se dissipaient comme des vapeurs dans l'atmosphère. Bientôt, elle ne serait plus qu'une « épouse bien-aimée » parmi d'autres sur une plaque de marbre.

Le rôle de Faith deviendrait, lui aussi, invisible. Si jamais les journaux parlaient d'elle, elle apparaîtrait comme une jeune ingénue tombée par hasard sur la vérité, de même qu'elle était tombée par hasard jadis sur un précieux fossile. Peut-être même se serviraient-ils du cliché où on la voyait à sept ans, serrant avec fierté sa trouvaille.

Il ne resta aucune trace de l'arbre. Le feu l'avait consumé, en ne laissant que les parois noircies d'une grotte où flottait une odeur singulière. Faith déplora cette perte pour la science, mais ne parvint pas entièrement à regretter sa disparition.

Preuves insuffisantes, nota-t-elle dans son carnet sous ses hypothèses et celles de son père. Puis : *Observations peu fiables. Objectivité compromise.*

Par un matin paisible, on dégagea la tombe du pasteur et on descendit son cercueil dans sa dernière demeure. En regardant les mottes de terre retomber doucement sur le coffre en bois et le gazon le recouvrir comme une couverture, Faith sentit qu'une blessure se refermait enfin.

« Mon père ne me comprendra et ne me pardonnera jamais, songea-t-elle. Mais moi, je peux le comprendre, et lui pardonner avec le temps. C'est sans doute suffisant. »

– Il avait aussi ses bons côtés, dit Myrtle plus tard à Faith, lors d'une longue soirée où elles parlèrent de tout en mangeant un gâteau qui était maintenant une folle dépense. Au moins, il tenait à toi et à Howard.

– Et vous ? demanda Faith.

Myrtle secoua la tête.

– Je me disais que j'avais de la chance. Ton père ne m'a jamais frappée, il ne buvait pas, et si jamais il avait des maîtresses, il a eu la bonne grâce d'être discret. Il pourvoyait à mes besoins et à ceux de mes enfants. Cependant, pendant des années j'ai tenté de devenir vraiment sa compagne. La porte ne s'est jamais ouverte, Faith. J'ai fini par perdre espoir.

« Ah, mais je ne peux pas me plaindre ! (Myrtle effaça le passé d'un geste de sa main délicate.) Cette expérience m'a faite ce que je suis. Quand toutes les portes sont fermées, on apprend à passer par les fenêtres. Telle est la nature humaine, j'imagine.

Anthony Lambent reçut Myrtle et Faith dans le cabinet de curiosités de son épouse. Il n'était plus que l'ombre de l'homme flamboyant qu'elles avaient connu. Son regard affligé errait sur les vitrines.

– Elle était mon point d'ancrage, déclara-t-il. Mon port dans la tempête du monde. Je pouvais dormir, car je savais qu'elle était là. Comment pourrai-je jamais retrouver le sommeil ?

Il regarda Faith, qui fut stupéfaite de voir un homme si imposant paraître ainsi amoindri.

– Je suis le magistrat, dit-il d'un air malheureux. Je dois appliquer la loi, et il existe des lois sur l'enterrement des suicidés… vous le savez mieux que personne. Miss Sunderly, vous avez assisté à ses derniers instants. S'est-elle… ?

Il ne put terminer sa phrase.

Faith se rappela le saut intrépide d'Agatha dans l'espace. Puis elle regarda le visage du veuf et décida que le cosmos lui pardonnerait un mensonge de plus.

– Elle a glissé, répondit-elle.

Lambent ferma les yeux et poussa un long soupir.

– Cela devrait m'être égal, dit-il, mais j'aurais fait n'importe quoi pour elle. Tous… tous ces… (Il se mit à déambuler parmi les vitrines.) C'est pour elle que j'ai entrepris ces fouilles. Tout ce que je voulais, c'était la rendre heureuse…

Des larmes brillaient dans ses yeux. Devant son regard perdu, Faith ne put s'empêcher de penser à Howard.

L'humeur de Lambent changea si vite que personne ne put réagir. Saisissant la vitrine la plus proche, il l'arracha du mur et la jeta violemment. Elle se fracassa par terre, et des éclats de verre se mêlèrent à des étiquettes et des débris d'œufs d'oiseaux.

Il se tourna vers la vitrine suivante.

– Non ! cria Faith en se précipitant devant la vitrine.

À cet instant, elle se serait battue à mort pour défendre l'œuvre à laquelle son ennemie mortelle avait voué sa vie.

– Je vous en prie, Mr Lambent ! s'exclama Myrtle au même instant. Si vous voulez vous débarrasser de ces objets… laissez-nous les emporter. Je suis certaine que… euh… Howard les appréciera beaucoup quand il sera plus grand.

Quelques jours plus tard, par une matinée grise, un ferry accosta innocemment au port de Vane, sans se douter qu'il allait emmener les visiteurs les plus tristement célèbres de l'île.

Apporter au port les bagages des Sunderly et l'imposante collection de naturaliste d'Agatha avait pris beaucoup de temps. L'opération aurait été impossible sans l'aide inattendue de Clay et de Miss Hunter.

Les rues et les pas de porte étaient semés de mines renfrognées, parmi lesquelles Faith crut reconnaître celle de Jeanne. La famille du pasteur avait été naguère la cible des moqueries, des ressentiments et des soupçons. À présent, vérités et demi-vérités se répandaient dans l'île, et l'hostilité avait cédé la place à une peur presque superstitieuse. Les femmes de la famille Sunderly, avec leurs vêtements couleur de nuit, étaient des expertes en tromperie et en séduction. Croiser leur regard était périlleux. En revanche, Miss Hunter semblait imperturbable. Quand Faith prit son courage à deux mains et commença une confession balbutiante, la receveuse des postes l'interrompit avec une bonne humeur surprenante.

– Nous avons toutes deux joué les commères, dit Miss Hunter tout en maniant les rênes d'une main experte. Quand votre mère a tourmenté Jane Vellet, j'ai été tellement en colère que j'ai parlé à tout le monde de l'article de l'*Intelligencer*. Vous avez à votre tour répandu une rumeur, mais ce n'est pas vous qui avez mis le feu à ma maison. Une femme comme moi se fait des ennemis.

Faith se demanda ce qu'elle entendait par « une femme comme moi ». Peut-être une vieille fille obstinément heureuse, nantie d'une langue acérée et d'un bon salaire. Faith avait toujours considéré Miss Hunter comme d'une prétention glaciale et inattaquable. À présent, elle lui donnait l'impression de marcher sur une corde raide avec un regard de défi.

Faith avait toujours pensé qu'elle-même ne ressemblait pas aux autres dames. Mais elle n'était apparemment pas la seule dans ce cas.

En passant devant la maison du docteur Jacklers, Miss Hunter fit un salut de la main, et une autre main la salua avec brusquerie à une fenêtre de l'étage.

– Pourquoi taquinez-vous le docteur Jacklers sur sa petite taille ? demanda Faith.

C'était sa dernière chance pour poser cette question.

– Ah… (Miss Hunter esquissa son petit sourire désinvolte.) Eh bien, mon refus de l'épouser l'impatienta beaucoup, à un moment, de sorte qu'il m'expliqua que les femmes n'étaient pas assez intelligentes pour s'occuper elles-mêmes de leurs affaires. Il a tenté de me le prouver en me montrant les mesures des crânes de ses patients. En moyenne, il est exact que les crânes des hommes sont plus gros que ceux des femmes.

« Malheureusement pour lui, ses registres incluaient d'autres mesures que celles des crânes. Je lui déclarai donc qu'il m'avait convaincue et que je ferais de mon mieux pour épouser l'homme le plus grand que je pourrais trouver. Voyez-vous, plus les hommes sont grands, plus leurs crânes sont gros, d'ordinaire. Et le docteur ne pouvait pas me dire que cela ne signifiait pas qu'ils soient plus intelligents que lui, car il aurait réduit à néant sa propre prétention à être plus intelligent que moi.

« La taille des crânes augmente avec celle des gens. Les hommes ne sont pas plus intelligents que nous, Miss Sunderly. Ils sont simplement plus grands.

Sur le quai, Faith resta à côté de Paul Clay, à regarder l'équipage du ferry charger les malles à bord. Il était étrange de se trouver avec lui en plein jour, sans secret. Elle se sentait trop embarrassée pour le regarder. Leurs disputes avaient été plus faciles, d'une intensité dramatique, avec leurs effets d'éclairage et leurs gestes théâtraux. Cette fois, le peu de temps dont ils disposaient risquait fort de passer sans qu'ils échangent un mot.

– Je vous écrirai, dit-elle.

– Pourquoi ? (Paul la dévisagea, comme s'il cherchait un piège.) Pour pouvoir me dire que vous me détestez ? Croyez-vous que j'aie la moindre envie d'avoir de vos nouvelles ?

– Oui, assura-t-elle.

Une averse était en train de répéter. Quelques gouttes hésitantes remplirent le silence.

– J'ai un aveu à vous faire, reprit Faith.

– Bon sang, ce n'est pas fini ? lança Paul d'un air horrifié. Qu'est-ce que vous pouvez avoir de pire en réserve ?

Voilà le moment le plus difficile, se dit Faith. Il lui semblait plus facile d'agir comme une sorcière, une harpie. Se conduire comme un être humain était périlleux.

– Il… il m'arrive d'être gentille, admit Faith. Je… j'aime beaucoup mon petit frère.

Il y eut un long silence.

– La première fois que j'ai assisté à un concours de ratiers, dit Paul sans la regarder, un chien a perdu un œil et j'ai vomi. J'y suis retourné pour prouver que j'étais capable de tenir le coup.

– Quand j'avais sept ans, j'ai trouvé un fossile sur une plage, murmura Faith, et mon père a été très fier de moi. Du moins... je l'ai cru. En fait, il s'agissait d'un de ses faux. Il pensait que cela paraîtrait plus convaincant si c'était une « enfant innocente » qui le découvrait. Il l'avait posé là pour que je le trouve.

Son heure de gloire sur la plage, ce moment où elle s'était sentie si proche de son père, n'avait été qu'un mensonge et une imposture égoïstes. Au fond d'elle-même, elle s'était doutée de plus en plus de la vérité, mais il avait fallu qu'elle lise l'infâme *Intelligencer* pour que ses pires craintes soient confirmées. Au milieu de la page trônait une photo de « son » fossile, avec une description détaillée de la méthode utilisée pour le fabriquer.

Elle se mordit les lèvres avec force.

– Je... je crois que j'ai un peu perdu la tête, après la mort de mon père.

– Vous avez mis la main dans un sac rempli de rats ! observa Paul. Vous avez braqué un pistolet sur moi !

– Avec le recul, cela paraît... un peu violent, c'est vrai.

Il y eut un autre silence, pendant lequel il devint clair que personne n'avait besoin de s'excuser.

– Je veux devenir photographe, déclara Paul, mais pas comme mon père. Je veux photographier des endroits lointains, que personne n'a jamais vus. Je veux tenter des choses nouvelles. Trouver le moyen de prendre des clichés d'oiseaux en plein vol, ou de scènes nocturnes.

Il fit cet aveu avec un sérieux mêlé de colère. Faith songea aux heures qu'il passait sur un promontoire glacé, à régler minutieusement son appareil photographique pour dépister une lune aussi rétive que brillante.

– Je veux devenir naturaliste, confessa Faith.

Dès qu'ils sortirent de sa bouche, ces mots parurent terriblement fragiles.

Elle jeta un coup d'œil à Paul, mais il ne semblait pas avoir envie de rire. Il hocha la tête en silence, comme si cette révélation ne le surprenait nullement.

Quand le ferry s'éloigna du rivage, le pont bougea sous les pieds de Faith. Les gens rétrécirent, les maisons s'éloignèrent en bon ordre. Ils se préparaient à devenir des souvenirs.

Faith ressentait une nervosité imprévue. Ses semaines à Vane avaient été si douloureusement intenses que l'île lui avait paru seule réelle. Maintenant qu'elle repartait, elle devait affronter une autre réalité : l'Angleterre. Le scandale autour de son père allait atteindre son point critique. Sa famille allait perdre des amis, sans compter le presbytère qui avait été leur foyer. Toutefois, comparés aux désastres qui les menaçaient voilà peu, ces problèmes lui paraissaient une apocalypse plutôt bénigne.

– Pourquoi faut-il que les hommes doux n'aient jamais d'argent ? demanda Myrtle avec une ironie mélancolique en agitant son mouchoir à l'adresse de Clay.

– Il se pourrait qu'il en ait encore moins maintenant, répliqua Faith. L'île entière vient de le voir apporter son aide aux sorcières Sunderly. Peut-être prêchera-t-il dans une église vide dimanche prochain.

– Il a besoin d'une paroisse convenable, le pauvre, et je suis sûre qu'il est trop timide pour en demander une.

Myrtle plissa les yeux et Faith devina qu'elle réfléchissait.

– Oh… je sais ce que je dois faire ! Je vais dire un mot en sa faveur.

Un mot en sa faveur ? Avec un mélange d'horreur et d'admiration, Faith comprit le calcul que sa mère venait de faire à toute allure. La paroisse de son père était maintenant vacante, mais personne ne le savait encore. On aurait rapidement besoin de la pourvoir. Myrtle connaissait le hobereau du cru dont dépendait cette décision, et elle pourrait lui chuchoter un nom à l'oreille…

Peut-être Myrtle voyait-elle même encore plus loin, et

songeait-elle au jour où son deuil prendrait fin et où elle se chercherait un époux doté d'une grande maison et d'un revenu décent ?

– Ce serait parfait ! murmura Myrtle. Nous n'aurions même pas besoin de refaire la décoration !

– Mère ! protesta Faith.

Cependant elle découvrit qu'elle ne ressentait pas le dégoût et l'indignation qu'elle aurait éprouvés autrefois. Myrtle était redoutable, mais si elle ne l'était pas, où en serait leur famille dans un an ?

« Ma mère n'est pas méchante, songea Faith. Elle est simplement un serpent doté d'un solide bon sens, qui protège ses œufs et fait son chemin de son mieux en ce monde. »

– Tu sais, dit Myrtle en se défendant contre l'accusation que Faith n'avait pas lancée, si tu entends persévérer dans ta passion pour les antiquités, ce ne sera pas donné. Tu ne comptes pas y renoncer, n'est-ce pas ?

Faith secoua la tête.

– Dans ce cas, fasse le Ciel que tu trouves un mari patient et fortuné, déclara Myrtle en lui jetant un regard inquiet.

Faith savait maintenant que sa mère ne se souciait pas de l'embarras d'avoir pour fille un bas-bleu ennuyeux et excentrique. Myrtle s'inquiétait pour Faith, et elle n'avait pas tort. Si Faith se consacrait aux sciences naturelles, en tant que femme elle serait en butte à la moquerie, au mépris, à la condescendance, et resterait probablement ignorée toute sa vie. Il se pourrait qu'elle se rende elle-même immariable. Comment pourrait-elle vivre et trouver l'argent nécessaire à sa passion ?

Peut-être se rendrait-elle à l'étranger pour voir des champs de fouilles, en s'attirant le discrédit attaché aux femmes scandaleuses voyageant seules. Peut-être se marierait-elle et verrait-elle son œuvre attribuée à son époux, comme Agatha. Peut-être finirait-elle comme une vieille fille désargentée, avec pour toute compagnie une collection de coraux.

Et peut-être une autre jeune fille, plus tard, en explorant la bibliothèque de son père, tomberait-elle sur une note en bas de page dans une revue savante et découvrirait-elle le nom de Faith Sunderly. «Faith? se dirait-elle. C'est un prénom féminin. Une femme a accompli cela. Dans ce cas… je peux en faire autant!» Et la petite flamme d'espoir, de détermination et de confiance en soi s'allumerait dans un autre cœur.

– Je suis lasse des mensonges, déclara Faith. Je ne veux pas me cacher comme l'a fait Agatha.

– Que veux-tu donc? demanda Myrtle.

– Je veux contribuer à l'évolution.

L'évolution ne remplissait pas d'horreur Faith comme son père autrefois. Pourquoi se serait-elle lamentée d'apprendre que rien n'était immuable? Tout pouvait changer. Tout pouvait s'améliorer. En fait, tout était en train de s'améliorer peu à peu, si lentement que Faith ne pouvait le voir, mais le savoir lui donnait des forces.

– Ma chère petite, je n'ai aucune idée de ce dont tu parles.

Faith réfléchit à la meilleure façon de reformuler sa résolution.

– Je veux être un mauvais exemple, expliqua-t-elle.

– Je vois, dit Myrtle en se mettant en marche vers la proue. Eh bien, ma chérie, je pense que tes débuts ont été plus que prometteurs.

Remerciements

Je voudrais remercier mon agent, Nancy Miles ; mon éditrice, Rachel Petty ; Rhiannon Lassiter pour son soutien et ses critiques éclairées ; mon petit ami, Martin, pour sa patience, même quand toutes mes nuits y passaient ; Plot on the Landscape ; Ruth Charles pour toutes ses informations aussi divertissantes que fascinantes sur l'archéologie et la paléontologie au XIXe siècle ; Heather Kilgour pour m'avoir fait découvrir les dinosaures du Crystal Palace ; Sandra Lawrence pour m'avoir emmenée à cet excellent colloque sur les photos de défunts à l'époque victorienne, à l'Old Operating Theatre Museum ; Sarah Blake pour ses renseignements sur la géologie ; *The Mismeasure of Man*, de Stephen Jay Gould ; *Victorian Religion : Faith and Life in Britain*, de Julie Melnyk ; *The Victorian Celebration of Death*, de James Stevens Curl ; *Crinolines and Crimping Irons : Victorian Clothes : How They Were Cleaned and Cared For*, de Christina Walkley et Vanda Foster ; *The Victorian Undertaker*, de Trevor May ; *Food and Cooking in Victorian England : A History*, d'Andrea Broomfiled ; *Cave Hunting : Researches on the Evidence of Caves Respective the Early Inhabitants of Europe*, de William Boyd Dawkins ; *The Idea of Prehistory*, de Glyn Daniel.

L'auteur

FRANCES HARDINGE est née en 1973 en Angleterre. Elle passe son enfance dans la campagne du Kent, dans une vieille maison isolée, où le vent murmure, et où elle invente des histoires depuis son plus jeune âge. Elle vit actuellement à Londres. Après des études de littérature à Oxford, elle publie en 2005, *Le Voyage de Mosca*, premier roman acclamé par la critique. Depuis, elle a écrit sept romans qui ont reçu maintes récompenses. En 2015, avec *L'Île aux mensonges*, elle remporte le prestigieux prix Costa, attribué – fait exceptionnel – pour la seconde fois dans l'histoire du prix, à un écrivain jeunesse, à la suite de Philip Pullman.

Le papier de cet ouvrage est composé de fibres naturelles,
renouvelables, recyclables et fabriquées à partir de bois
provenant de forêts gérées durablement.

Mise en pages : Françoise Pham

Loi n° 49-956 du 16 juillet 1949
sur les publications destinées à la jeunesse
ISBN 978-2-07-507677-7
N° d'édition : 322839
Premier dépôt légal : mai 2017
Dépôt légal : mai 2017

Imprimé en Italie par Grafica Veneta